L'immagine di San Francesco nella Controriforma

COMITATO NAZIONALE PER LE MANIFESTAZIONI CULTURALI PER L'VIII CENTENARIO DELLA NASCITA DI SAN FRANCESCO DI ASSISI

MINISTERO PER I BENI CULTURALI E AMBIENTALI

ISTITUTO NAZIONALE PER LA GRAFICA

L'immagine di San Francesco nella Controriforma

Roma Calcografia
9 dicembre 1982 - 13 febbraio 1983

EDIZIONI QUASAR

In copertina: Federico Barocci, *Le Stigmate di San Francesco* (particolare).

Via IV Novembre 152 - 00187 Roma

ISBN 88 - 85020 - 39 - 9

COMITATO NAZIONALE PER LE MANIFESTAZIONI CULTURALI PER L'VIII CENTENARIO DELLA NASCITA DI SAN FRANCESCO DI ASSISI

Comitato Nazionale

SPADOLINI sen. Giovanni, Presidente del Consiglio dei Ministri
COLOMBO on. Emilio, Ministro degli Affari Esteri
ROGNONI on. Virgilio, Ministro degli Interni
BODRATO on. Guido, Ministro della Pubblica Istruzione
SCOTTI on. Vincenzo, Ministro per i Beni Culturali
SIGNORELLO sen. Nicola, Ministro del Turismo e dello Spettacolo
MARRI on. Germano, Presidente della Giunta Regionale dell'Umbria
COSTA dott. Gianfranco, Sindaco del Comune di Assisi

Giunta esecutiva

Presidente
MEZZAPESA sen. Pietro. Sottosegretario di Stato per i Beni Culturali

Gruppi di studio e di lavoro

Primo Gruppo Organizzazione di congressi

Capo gruppo
MANSELLI prof. Raoul

Membri
BREZZI sen. prof. Paolo
BALDELLI prof. Ignazio
CARDAROPOLI P. Gerardo
MIRTI avv. Piero
MORGHEN prof. Raffaello
POMPEI dott. Gianfranco
PROFUMI prof. Pietro

Secondo Gruppo Organizzazione mostre e ricognizione dei restauri

Capo gruppo
SPITELLA sen. Giorgio

Membri
ASCANI geom. Salvatore
COCCIA arch. Enzo
COLI P. Vincenzo O.F.M. Conv.li
FERUGLIO dott. Eugenia
GORETTI Mons. Sergio
GRAZIOLI ing. Giuliano
MONTELLA dott. Massimo
RUSCONI prof. Roberto
RUSSO dott. Erina O.F.S.
VALENTINO arch. D. Antonio

Terzo Gruppo Iniziative scolastiche

Capo gruppo
MORO prof. Donato

Membri
CANDIDO prof. Salvatore
FRASCATELLI prof. Francesco
GIOIA P. Francesco O.F.M.
STEFANETTI dott. Massimo
ZAVALLONI P. Roberto T.O.R.
ZUBOLI prof. Massimo

Quarto Gruppo Rapporti internazionali

Capo Gruppo
MORETTI avv. Gabriele

Membri
ANGELETTI geom. Francesco
BAZZELLI P. O.F.M. Conv.
CAROLI P. O.F.M.
COCCIA arch. Enzo
COSTA dott. Gianfranco
FALCONE dott. Mario
MOCCIA dott. Rocco
PEZZELLI P. Raffaele
POMPEI dott. Gianfranco

Quinto Gruppo Spettacoli - concerti - pubblicazioni

Capo gruppo
MORETTI avv. Gabriele

Membri
COSTA dott. Gianfranco
GUIDA dott. Maria
LEONI dott. Roberto
MOCCIA dott. Rocco
MODUGNO dott. Maurizio
MONTELLA dott. Massimo
PANCHERI P. O.F.M.
STEFANETTI dott. Massimo
ULIVI prof. Ferruccio
VALOROSI dott. Fosco
ZAFRED prof. Mario

Comitato organizzatore

TRICHES dr. Guglielmo B., Direttore Generale dell'Ufficio centrale per i Beni A.A.A.A.S. del Ministero per i Beni Culturali e Ambientali

Commissario
FORLANI TEMPESTI prof. Anna

Membri
AGRESTI MOSCO dott. Rosetta
BERNINI prof. Dante
CATELLI ISOLA dott. Maria
DEGNI arch. Paola
FERRARI prof. Oreste
LAROTONDA prof. Angelo
PROSPERI VALENTI RODINÒ dott. Simonetta
RUSSO dott. Erina
STRINATI dott. Claudio
ULIVI prof. Ferruccio

Redazione Catalogo
S. PROSPERI VALENTI RODINÒ, C. STRINATI

Organizzazione amministrativa
G. FALCIONI e Collaboratori

Ufficio Stampa
P. PEDERZINI con A. RENZITTI

Segretaria
A. PACE con L. DI SALVO e M. MOSCARELLI

Allestimento
P. DEGNI con la collaborazione di R. LANFIUTI

Assistente
R. SGAMMINI

Restauro
M. A. BRECCIA FRATADOCCHI, M. MARCATILI, P. ROSSINI, C. GRASSINI, G. ELEUTERI, G. COLACICCHI

Cartonaggio
R. PALLINI, C.M. ALBANESE, A. SPROTI

Montaggio
A. ANGELUCCI, S. BALDINI, M. MICCI, G. LA MANNA, N. TERRA, P. SERRA

Documentazione fotografica
A. COSI, G. GOLLUCCIO

Fotografie
R. NERI, D. MONTANILE, R. MANNI, G. RENZITTI

Grafica
R. MANGINO

Coordinamento Servizio Sorveglianza
M. SPITERI, A. NEGRI

Trasporti
DITTA RUMBO

Assicurazione
COMPAGNIA TIRRENA

Strutture espositive
DITTA PRORA ITALIA s.r.l. – Sistemi Intermezzo

Si ringraziano il p. dr. Liberale Gatti, archivista generale del Convento dei SS. Apostoli e Direttore della Biblioteca e il p. prof. Servus Gieben Direttore dell'Istituto Storico Cappuccino e del Museo annesso.
Si ringraziano inoltre; Liliana Barroero, Enrico Bassan, Sandro Benedetti, Massimo Bonelli, Evelina Borea, Miles Chappel, Giulia Fusconi, Chandler Kirwin, Pierluigi Leone de Castris, Paola Mangia, Laura Possanzini Petrecca, Elisa Tittoni Monti, Bruno Toscano, Sandra Vasco Rocca.

Sigle dei compilatori delle schede
s.p.v.r.: Simonetta Prosperi Valenti Rodinò
c.s.: Claudio Strinati

Albo dei prestatori

ANCONA - Soprintendenza per i Beni Artistici e Storici delle Marche, Comune di Ancona, Pinacoteca
ASSISI (Perugia) - Soprintendenza per i Beni Ambientali, Architettonici, Artistici e Storici di Perugia, Comune di Assisi, Pinacoteca Comunale
ASSISI (Perugia) - Basilica di San Francesco
BOLOGNA - Chiesa del Corpus Domini
BOLOGNA - Chiesa di San Giacomo Maggiore
BOLOGNA - Soprintendenza per i Beni Artistici e Storici di Bologna, Pinacoteca Nazionale, Gabinetto delle Stampe
FIRENZE - Soprintendenza per i Beni Artistici e Storici di Firenze, Palazzo Pitti, Galleria Palatina, Gabinetto Disegni e Stampe degli Uffizi
FOSSOMBRONE (Urbino) - Soprintendenza per i Beni Artistici e Storici delle Marche, Comune di Fossombrone, Museo Civico
FRASCATI (Roma) - Chiesa dei Cappuccini
GENOVA - Soprintendenza per i Beni Artistici e Storici della Liguria, Comune di Genova, Galleria Palazzo Rosso
GIACCHERINO (Pistoia) - Convento di Giaccherino
GORIZIA - Soprintendenza per i Beni Ambientali, Archeologici, Artistici e Storici di Trieste, Comune di Gorizia, Museo Provinciale
MESSINA - Soprintendenza per i Beni Artistici e Storici di Palermo, Comune di Messina, Museo Nazionale
MILANO - Soprintendenza per i Beni Artistici e Storici di Milano, Comune di Milano, Musei Civici
MILANO - Soprintendenza per i Beni Artistici e Storici di Milano, Biblioteca Ambrosiana
MODENA - Soprintendenza per i Beni Artistici e Storici di Modena, Galleria Estense
MONTUGHI (Firenze) - Chiesa di San Francesco, Chiesa dei SS. Chiara e Francesco
NAPOLI - Soprintendenza per i Beni Artistici e Storici di Napoli, Pinacoteca Nazionale di Capodimonte
PIETRASANTA (Lucca) - Soprintendenza per i Beni Ambientali, Architettonici, Artistici e Storici di Pisa, Museo di San Matteo
PISA - Chiesa di San Francesco
ROMA - Soprintendenza per i Beni Artistici e Storici di Roma, Comune di Roma, Galleria Capitolina
ROMA - Soprintendenza per i Beni Artistici e Storici di Roma, Galleria Borghese, Galleria Spada, Palazzo Barberini, Palazzo Corsini
ROMA - Chiesa dei Cappuccini
ROMA - Chiesa di San Silvestro in Capite
ROMA - Istituto Storico e Museo dei Cappuccini
ROMA - Curia Generalizia Frati Minori Conventuali
ROMA - Isituto Nazionale per la Grafica
RONCIGLIONE (Viterbo) - Chiesa dei Cappuccini
SANTA MARIA A RIPA (Empoli) - Convento di Santa Maria a Ripa
SCROFIANO (Siena) - Chiesa di San Biagio
SIENA - Soprintendenza per i Beni Artistici e Storici di Siena, Pinacoteca
URBINO - Chiesa di San Francesco
URBINO - Soprintendenza per i Beni Artistici e Storici delle Marche, Galleria Nazionale
VENEZIA - Soprintendenza per i Beni Artistici e Storici di Venezia, Gallerie dell'Accademia

SOMMARIO

PRESENTAZIONE

La mostra *L'immagine di S. Francesco nella Controriforma* pur muovendo i suoi presupposti occasionali da un intento in primo luogo celebrativo, lo trascende per proporre una materia di riflessione in cui si sovrappongono problemi critici, culturali etici e metafisici.

La intrinseca grandezza della figura di Francesco risalta di volta in volta nel corso della storia con diverse connotazioni. Nell'epoca che, con termine forse un po' troppo onnicomprensivo denominiamo oggi "Controriforma", la figura del Santo assume un rilievo storico e morale eccezionale in quanto in Lui viene individuato uno dei pilastri della Chiesa, colui il quale, rinnovando in sé il sacrificio di Cristo, viene a costituire un monito ed una regola imprescindibili per quel rinnovamento che, dopo i gravi fenomeni della Riforma protestante, si rendeva necessario entro le strutture ecclesiastiche romane.

Ma l'età della Controriforma è età di grande fervore artistico, di dibattito, di intensa produzione. Collegare allora la figura di Francesco a questo momento storico così importante, significa cercare (e trovare) una presenza che, dopo aver fecondato la grande arte del Trecento attraverso un richiamo a nuove forme di amore e interesse per la natura e per l'uomo, torna a costituire un solenne messaggio morale che si trasforma in messaggio estetico. Ponendo S. Francesco a protagonista della rappresentazione pittorica, molti artisti (e tanti sono appunto presenti in questa mostra) affermano, rispetto ad un passato diverso, una funzione dell'arte figurativa intesa anche quale dimensione morale e metafisica, imprimendo nell'atto estetico un aspetto profondamente meditativo che apre nuove vie all'arte.

È giusto ed inevitabile che la riflessione storica assuma, al mutare dei tempi e delle metodologie, diversi punti di vista per analizzare l'oggetto della ricerca. Nel caso che qui ci interessa, il taglio prescelto è certo segno delle tendenze della nostra epoca, volta ad una indagine sempre più capillare dei fenomeni culturali visti in tutte le loro implicazioni e conseguenze.

È del resto evidente dimostrazione della vitalità della figura di S. Francesco, la possibilità di essere vista, di volta in volta, sotto diversi angoli di visuale che interessano il religioso come il laico, lo storico come il mistico, lo studioso come l'uomo comune.

Le immagini che la mostra propone spaziano dal campo della grande arte a quello della più umile produzione artigianale, volendo mettere in evidenza proprio l'ampio retaggio culturale che l'ambiente francescano fu in grado di alimentare nell'epoca che ci interessa, riflettendo puntualmente le istanze di fondo sollevate dal Santo, quella dell'umiltà ma anche quella della dottrina, due termini non in contraddizione nel pensiero di Francesco.

La pretesa, pertanto, di questa iniziativa è quella di illustrare un aspetto se non inedito, certamente meno noto della cultura francescana, rievocando un'epoca e una mentalità che, pur lontane dalla nostra, hanno ancora da proporre tematiche culturali e spirituali molto sentite anche oggi. Né ci pare possa sembrare disdicevole alla stessa cultura laica l'austero richiamo morale, oltre che speculativo, che promana dalle immagini di questa mostra, la cui ambizione principale è proprio quella, dichiarata dal titolo della manifestazione, di giungere a comporre una 'immagine' unitaria e significativa della figura del Santo nell'epoca travagliata della Controriforma, tale da poter essere confrontata con quella degli inizi francescani e con quella che ognuno di noi avverte, attuale ed operante, in se stesso.

Sen. Pietro Mezzapesa
Presidente della Giunta Esecutiva

PREMESSA

San Francesco: povertà poetica; amore per il creato, per le creature, visione radiosa del Cristo. Questa realtà spirituale del Santo ci viene restituita in tutta la sua suggestione nella mostra "L'immagine di San Francesco nella Controriforma" attraverso una documentazione sapiente ed accurata, talvolta del tutto inedita.

La esposizione si inserisce nel quadro delle manifestazioni artistico-culturali indette per la celebrazione dell'VIII Centenario della nascita di San Francesco.

L'Istituto Nazionale per la Grafica nell'ospitare ora, con gioia, la esposizione nelle sale della Calcografia Nazionale a Fontana di Trevi, ha vissuto da protagonista, con ansia, le varie fasi della manifestazione che ha richiesto una preparazione lunga e laboriosa. Ricordo, qui, con riconoscenza tutto il personale dei vari settori dell'Istituto interessati alla mostra, per il loro impegno reso generoso dall'entusiasmo manifestato nella realizzazione dei vari lavori. In modo particolare il settore del Laboratorio di Restauro specializzato nei difficili interventi su quel fragilissimo supporto, quale è la carta, di opere d'arte grafica: stampe, disegni, acquarelli. In esso sono stati eseguiti con perizia operazioni di restauro su stampe, disegni, libri e documenti di interesse artistico-storico presenti nella mostra, provenienti dalla Biblioteca dei Frati Minori Conventuali nel Convento dei SS. Apostoli, sede della Curia Generalizia e dall'Istituto Storico dei Frati Minori Cappuccini.

La esposizione è costituita infatti oltre che da dipinti, da pale di grande formato, tipiche delle Chiese nella Controriforma, anche da disegni incisioni oggetti di arte minore provenienti da varie città d'Italia.

Desidero ringraziare tutti gli Enti prestatori e in particolare le Soprintendenze per i Beni Artistici e Storici delle Marche e di Bologna per la disponibilità all'aiuto richiesto; la Soprintendenza per i Beni Artistici e Storici di Firenze, l'Opificio delle Pietre Dure, il Gabinetto Disegni e Stampe degli Uffizi, la Soprintendenza per i Beni Artistici e Storici di Roma e quella di Napoli per i restauri eseguiti sulle opere presenti alla mostra; l'Istituto Centrale per il Catalogo e la Documentazione per la documentazione fotografica fornita; l'I.C.C.R.O.M. per l'illuminata consulenza tecnica e infine le Famiglie Francescane per la generosa comprensione e la disponibilità dimostrata.

Un grazie particolare al Direttore Generale Dottor Guglielmo Triches che ha permesso la realizzazione di questa mostra, e alla Dottoressa Rosetta Mosco, che come sempre ha seguito con affettuosa partecipazione le manifestazioni dell'Istituto.

Maria Catelli Isola
Direttore dell'Istituto Nazionale per la Grafica

INTRODUZIONE

Dare il titolo ad una mostra e al suo catalogo, come del resto a un saggio o a un libro, soprattutto se a più mani, è un atto critico e non privo di rischi. Se la scelta del tema francescano era implicita nel contesto in cui la presente mostra è nata, l'VIII centenario della nascita di San Francesco, la determinazione di esporre opere legate alla sola immagine del Santo e a termini cronologico-culturali definiti, ha ragioni che occorre brevemente illustrare.
Data la volontà di far svolgere anche a Roma una delle molteplici iniziative espositive promosse dal Comitato per le celebrazioni del centenario, ma date pure insuperabili limitazioni di tempi, di spazi e, non ultima, di finanziamenti - che pare ingiusto dilapidare in operazioni megalomani -, si è cercato di tradurre in atto critico queste stesse limitazioni e di fare una mostra che, nella sua misura, potesse dare il senso di un preciso momento della spiritualità francescana nei suoi riflessi nell'arte figurativa.
Particolarmente adatto è sembrato il momento della Controriforma, intendendo per esso gli anni in cui, dopo la chiusura del Concilio di Trento e la conseguente precettistica, che tocca da vicino anche le arti, queste ultime ebbero un processo di "riforma" in termini tematici e stilistici che va al passo con la Riforma della Chiesa cattolica. Che le motivazioni fossero in gran parte interne allo svolgimento stesso della cultura artistica del tempo e che vi fossero sfaldature e sfaccettature di modi e di momenti, come viene partitamente illustrato nei saggi del presente catalogo, non inficia la coincidenza fra un rinnovamento - che potremmo sintetizzare come antimanieristico - delle arti, e specialmente della pittura, e le regole imposte alle stesse dalla Controriforma, appunto dagli anni '60 del Cinquecento fino ai primi due decenni del Seicento.
Per l'appunto in questo momento l'immagine di San Francesco ha un impatto particolare. La devozione al suo nome determina nuove o comunque rinnovate interpretazioni dei soggetti religiosi tradizionali, con la frequente presenza di San Francesco nelle Sacre Conversazioni e specialmente negli essenziali temi cristologici della Natività e della Crocefissione, nonché degli episodi-base della vita mistica del Santo, fra i quali vengono privilegiati i momenti della meditazione e dell'estasi, e l'eccezionale privilegio delle Stimmate. Addirittura nasce una nuova tematica incentrata sul nome di Francesco: il Perdono, o indulgenza su sua intercessione, e l'Immacolata Concezione, in cui la sua presenza è fondamentale, perché proprio i teologi francescani (i Cappuccini assunsero l'Immacolata a loro patrona) erano stati determinanti per la affermazione del culto. Appunto per pun-

tualizzare tale ribadita presenza, non si è creduto opportuno allargare l'esemplificazione ad altre figure di Santi francescani, che pure in questi stessi anni assurgono a grande fortuna nell'iconografia.
Poiché la devozione popolare a San Francesco trova in questo momento un forte incentivo nella diffusione della sua immagine, e delle storie della vita sua e dei suoi più diretti seguaci, attraverso le stampe e i libri illustrati (addirittura un romanzo), si è pensato opportuno documentare questo fenomeno in un settore a parte della mostra. Si è dato minore spazio agli arredi liturgici, perché la tradizionale povertà francescana ha lasciato poca produzione in tale genere, contrariamente a quanto avveniva per altri Ordini religiosi del tempo. Per ragioni di conservazione, invece, non si sono potuti mostrare esempi di quei grandi tabernacoli lignei, che spesso furono la sola ricchezza delle chiese francescane, peraltro in epoca posteriore a quella che qui ci interessa.
Per dare un'idea della vita delle comunità francescane, si sono esposti alcuni oggetti d'uso e documenti, mentre della fervida opera di ristrutturazione - se non costruzioni ex-novo - di chiese e conventi, propria di questi anni anche per altri Ordini, si è dato notizia nel catalogo. In questo, e attraverso qualche esempio fra i disegni esposti, si è profittato per accennare a un altro tipico fenomeno, che in questo momento coinvolge tutte le comunità religiose in gran parte d'Italia, cioè la produzione di grandi cicli di affreschi in chiese e specialmente in chiostri, che narrano le storie del Santo e dei suoi seguaci ai fedeli non letterati (emblematico il ciclo del Ligozzi in Ognissanti a Firenze). Scarsa e comunque non presentabile, perché spesso pertinente a decorazioni architettoniche, la produzione di sculture con l'immagine di San Francesco.
Perno quindi della mostra è la produzione pittorica, legata a quella disegnativa, nella quale si è cercato di scegliere opere esemplari o per singolarità di tema (il *Perdono* del Barocci e del Vanni, il *San Francesco stimmatizzato* in forma di crocefisso del Paladino, o le *Stimmate* arcaizzanti di Dono Doni), o per eccellenza di bellezza e di penetrazione (ancora il *Perdono* del Barocci, o le *Stimmate* dello stesso, le due varianti del *San Francesco meditabondo* del Caravaggio, la luminosa *Madonna degli Scalzi* di Ludovico Carracci o il *San Francesco stimmatizzato* del Gentileschi). Ci siamo fermati alle soglie dell'epoca classicistica e barocca, allorché l'impegno di riforma della Chiesa, e delle arti, diventa trionfalistico e le soluzioni mutano radicalmente.
Più rischiosa potrà sembrare la decisione di aver privilegiato le regioni dell'Italia centrale, riservando solo dei *flashes* alla produzione di altre scuole pittoriche, che pure avrebbero potuto fornirci non pochi eccellenti pezzi, come il Piemonte o la Lombardia (nel Veneto e in Liguria il tema francescano non pare aver avuto particolare diffusione), o la Campania e altre zone dell'Italia meridionale. Qui la giustificazione è data dalla ristrettezza dello spazio espositivo: le poche sale della Calcografia, gentilmente messe a disposizione dall'Istituto Nazionale per la Grafica (che per ragioni tecniche si sono dovute scegliere invece di quelle più sontuose della Farnesina, in un primo tempo previste), non avrebbero consentito una buona se pur sommaria esemplificazione delle varie tendenze pittoriche in Italia, soprattutto per un periodo come questo, caratterizzato da grandi pale d'altare. Si è preferito pertanto limitarci a un ambito omogeneo, come quello che va dai bolognesi ai fiorentini, e agli artisti - raramente romani - che operarono a Roma, legati

tutti a premesse culturali unitarie in un tipo di "riforma" che, se ormai ben indagata dagli studiosi, non è altrettanto ben nota al pubblico: sintomatico il caso di un artista egregio come il Muziano, poco valorizzato finora; così fra i toscani, oltre al fin troppo esaltato Cigoli (che peraltro ha lasciato interpretazioni del tema francescano che hanno avuto gran seguito), non mancheranno di colpire per la loro perspicuità gli esempi dell'Empoli o del Boscoli, e fra i bolognesi quello pure bellissimo del Cesi.

Anche nell'ambito prescelto non mancano le lacune, sia per la più volte sottolineata scarsità dello spazio, sia per ragioni di conservazione (molte delle più belle opere del tempo sono su tavola e di enormi dimensioni), e se ne è ben consapevoli. In anni non meno "oscuri" dei nostri e pure densi di celebrazioni di centenari illustri, Ugo Ojetti ebbe a scrivere: "Questi anniversari sono la consolazione dei rètori e la disperazione di chi vive nella realtà". Ci basterà non aver rischiato la retorica ed aver offerto, con le opere esposte e con le notizie del catalogo, spunti di riflessione su un tema dell'arte e dell'impegno religioso.

Un vivo ringraziamento a quanti, prestatori e studiosi, ci hanno permesso di realizzare questa mostra e fra tutti il dr. Guglielmo Triches, Direttore Generale dell'Ufficio Centrale per i Beni archeologici, ambientali, architettonici, artistici e storici, che ha concesso i necessari finanziamenti. Eccezionale è stata la disponibilità dell'Istituto Nazionale per la Grafica e del suo Direttore, dr.ssa Maria Catelli Isola, per aver ospitato la mostra e per aver messo a disposizione il suo personale e le sue strutture.

A titolo personale, un grazie a tutti i componenti del comitato tecnico, e particolarmente a Paola Degni, per aver curato con grande equilibrio l'allestimento, a Simonetta Prosperi Valenti Rodinò e a Claudio Strinati, per essersi sobbarcati la maggior fatica del catalogo, nonchè a tutti i collaboratori per il lavoro svolto in amichevole scambio di opera e di idee.

Anna Forlani Tempesti

CONTINUITÀ E RIPRESA DEL FRANCESCANESIMO NELLA CONTRORIFORMA

Raoul Manselli

Nella vita di S. Francesco di Herry Thode, il fatto è ben noto, una delle conseguenze storiche di maggior rilievo dell'apparizione nella storia di Francesco d'Assisi, è considerata la sua influenza sulla storia dell'arte del suo tempo. L'opera, a suo tempo discussa, limitata, in vario modo anche rifiutata, obbligò, però, in ogni caso gli studiosi di storia dell'arte a considerare quale concezione del reale in genere e del mondo della natura, in particolare, avesse Francesco e come e quanto questa concezione avesse esercitato un'influenza nella rappresentazione artistica. Non è certo qui il caso di riprendere l'argomento anche se si può ritenere con sicurezza che una discussione critica del libro del Thode e delle polemiche che ne seguirono potrebbe essere estremamente istruttiva: certo, con tutte le limitazioni che si possano volere, Francesco ed il francescanesimo hanno inciso nell'arte del proprio tempo. In questo il Thode recupera una parte notevole della sua importanza.

Mentre oggi nessuno contesta, quindi, che ci sia stata nell'arte, dopo Francesco, una svolta, che nasce dal francescanesimo stesso come dall'evoluzione della sensibilità del Duecento, non sempre o almeno non con continuità ininterrotta, si è seguito il progressivo e permanente influsso del francescanesimo nei decenni successivi del Duecento e poi, via via, fino al Rinascimento. Sarebbe indubbiamente un'opera meritoria, affrontata solo in parte, quella di vedere le relazioni tra la spiritualità minoritica e l'espressione artistica che l'affiancò. Ed intendiamo a questo punto riferirci non solo all'immagine di Francesco stesso, o a quella dei santi francescani, ma al rapporto di questa spiritualità con la visione generale dell'arte. Elementi importanti ci vengono dalla basilica di Assisi, nei vari momenti della sua decorazione pittorica, culminata nei mirabili affreschi di Giotto, pur finalizzati a dare del Santo e della sua realtà un'immagine per taluni rispetti fuorviante (parliamo del piano iconografico, non certo del valore estetico), per riferirci, limitandoci, ad alcuni esempi di maggiore rilievo, al S. Francesco di Montefalco o a quello di Arezzo. Quest'ultimo, legato al tema francescano della Croce, trasportato nel clima leggendario, ma, di racconto popolare, delle ben note storie della morte di Adamo e dell'albero della Croce; divenuto l'altro, quello di Montefalco, un vero e proprio trionfo dell'Ordine francescano, la sua esaltazione, dopo le grandi crisi del Trecento: esaltazione, si badi, di tutto l'Ordine, se troviamo affiancati, tra i personaggi illustri dell'Ordine, Pietro di Giovanni Olivi, il più celebre spirituale, ed il suo avversario Vidal du Four, cardinale e nemico degli Spirituali.

Dalla storia dell'arte nasce, quindi, un francescanesimo vivo, aperto deliberatamente all'intelligenza di tutti, anche se consapevole della propria validità e intensità nella Chiesa. Quest'intensità e quest'incidenza nella vita italiana del Quattrocento soprattutto tardivo, trova il suo riscontro e la sua conferma parallela nella attività dei grandi predicatori, nella ricchezza di traduzioni di testi latini, resi accessibili in volgare e, quindi, a chiunque fosse in grado solo di leggere, una volta eliminato l'ostacolo del latino. Il francescanesimo, quindi, realizza un'affermazione nella società che è riconquista della società stessa sulla duplice direttiva di una predicazione rivolta al popolo e di un'attività di scrittura indirizzata alle persone, chierici e non, di modesta e media cultura.

Inoltre, la stessa proliferazione, italiana ed europea, di gruppi che recuperano e si preoccupano di vivere intensamente l'ideale della regola di Francesco, avendo accantonato e dimenticato ormai il problema della questione teorica della povertà, è un fatto che non deve meravigliare: Francesco e la sua regola sono in questi decenni forze ispiratrici ed ideali trascinatori di vita spirituale. Non dobbiamo mai dimenticare che lo splendore della corte papale e delle altre corti, da quella dei Medici a quella del duca di Borgogna, riguarda gruppi ben ristretti della società, mentre la più gran massa dei contemporanei lavorano, trafficano, vivono le loro crisi e i loro drammi religiosi senza troppo preoccuparsi di Orazio o di Virgilio, di Cicerone o di Platone, perché dinanzi ai loro occhi era, invece, Francesco, con i santi francescani, con l'ideale di vita povera di Cristo e degli apostoli. Se noi nei musei, distogliendo, sia pure a fatica, i nostri occhi e la nostra attenzione dai capolavori, guardiamo talune opere minori; se nei musei cosiddetti provinciali che capolavori, magari, non hanno, ma sono però preziosi a ricostruire il tessuto vivo della storia artistica italiana, badiamo alla varietà straordinaria delle sue espressioni, dalle più rozze alle più vicine alla raffinatezza, ci potremo rendere conto di quanto il mondo francescano, tra Quattrocento e Cinquecento, senta vivo il legame tra ispirazione di origine minoritica e rappresentazione artistica. Non manca neppure l'emergenza improvvisa di raffigurazioni che ci riconducono a tradizioni sotterranee, come quella che, continuando lo sviluppo dell'ideale di Francesco come *Alter Christus*, ci rappresenta nel museo di Jesi, Francesco con lo stesso schema iconografico di Cristo dinanzi all'incredulità di Tommaso o come un'esaltazione sempre di Francesco (nella collezione Berenson della villa I Tati) che fa pensare ad una sua ascensione al cielo; ma andrebbe studiata ed approfondita più di quanto non consenta una rapida vista.

Il grande periodo di tensione ed inquietudine religiosa, tra la fine del Quattrocento e l'inizio del Cinquecento, che vive il dramma della riforma cattolica e di quella protestante - tra le tesi di Lutero e il concilio lateranense V - esprime, anche per quel che riguarda il francescanesimo, un momento di vitalità eccezionale, che si traduce, come abbiamo già accennato, in un proliferare di gruppi, in un affermarsi di rivelazioni. Basterà qui appena accennare ad Amedeo de Silva, quello che noi conosciamo come Amedeo Lusitano, fondatore del gruppo degli Amadeiti,di cui purtroppo sappiamo assai meno di quel che vorremmo, ma che fu uomo di non comune fascino, se riuscì ad attirare l'attenzione, ad un tempo, di Sisto V e del duca di Milano; e dovette essere personalità anche intellettualmente di rilievo se a lui pensò di attribuire una serie apocrifa di rivelazioni, che con il titolo di *Apocalypsis Nova* ebbero la più straordinaria diffusione in tutta Europa, quel Jacopo Benigno Salviati che fu figura di estremo interesse nella Roma del tardo Quattrocento. Il b. Amedeo, del resto, aveva vissuto intensamente l'esperienza minoritica, avvertendone tutto l'impegno spirituale non senza seguito ed apprezzamento dei fedeli. Ma si potrebbero ricordare ancora altri. Di tutti diremo, accennando, che non mancarono mai di trovare seguaci che, da un punto di vista francescano, non apprezzassero e confermassero l'importanza ed il valore della loro proposta spirituale in rispondenza ad un'esigenza viva e concreta.

C'è appena bisogno di dire che fra tutti questi gruppi uno particolarmente ebbe anche un significato ed un peso di eccezione, quello dei Frati Cappuccini che della regola di Francesco e dell'esperienza miopritica si sforzarono di riaffermare quelli che essi sentivano come valori originali e permanenti, quali il contatto con gli umili, la povertà rigorosa, la sopravvivenza soprattutto mediante l'elemosina, affermando così il recupero dei valori francescani, i più tradizionali, forse, ma anche i più cari al cuore dei fedeli; il tutto in un rigore di vita esemplare, in una adesione sincera al Vangelo. Proprio mentre maturava l'esperienza dei vari gruppi francescani e soprattutto dei Cappuccini, si diffondeva la riforma e si realizzava il dramma della divisione religiosa della Chiesa. La riforma di Lutero accendeva un incendio che in vari focolai raggiungeva tutta l'Europa e ne scolvolgeva l'ordine cattolico precedente, pur senza poterlo eliminare. Rimane valida la bell'immagine, proposta dal Croce, nella sua *Storia dell'età barocca*, del protestantesimo come un giovane vigoroso che si insinua a dar noia ad un uomo nel pieno delle sue forze. Siamo cioè al problema della difficile situazione dell'Europa tra Riforma e Controriforma.

Il protestantesimo agì in profondo in Germania, in Francia e in più di una regione italiana; raggiunse e sconvolse taluni Ordini Religiosi; sembrò talvolta trascinare intere nazioni europee. Diede angoscia al papato, soprattutto con una propaganda ostile, capillare, che toccò profondamente le anime dei fedeli, giovandosi, per dire un solo nome, di un artista come Lucas Cranach, e non fu certo il solo, se una recente pubblicazione sugli scritti e manifesti della Riforma prevede vari anni di edizione tanto è il loro numero, tale la varietà delle caricature, delle immagini simboliche, delle esortazioni figurative.

All'attacco polemico ed aspro della Riforma, la Chiesa cattolica reagì in una pluralità di atteggiamenti che non è qui davvero il caso di seguire in tutte le sue manifestazioni. Lo avrebbe fatto, da par suo, Hubert Jedin, come conclusione della magistrale *Storia del Concilio di Trento*, se non ci fosse stato rapito dalla morte. Quello che si può dire, comunque, è che la risposta si mosse su due piani: quello teologico-dottrinale, col concilio di Trento, e quello del rinnovamento spirituale, grazie ai nuovi Ordini Religiosi. E il francescanesimo?

Dobbiamo qui riconoscergli una straordinaria capacità di forza interiore di ripresa. Come l'Osservanza aveva recuperato col suo rinnovamento dello spirito francescano e della "osservanza", appunto, della regola minoritica i fedeli, come aveva con la sua predicazione contribuito a colmare lo stato che lo scisma d'Occidente e le sue conseguenze avevano creato tra fedeli e gerarchia soprattutto in Italia, così i Minori nelle loro varie espressioni e manifestazioni contribuirono al recupero delle folle, alla Chiesa al tempo della Controriforma. E questo recupero, come mostra l'esposizione, a cui vogliono introdurre queste pagine, rispose in maniere multiple e varie, che, con una sensibilità derivante da un'esperienza plurisecolare, mirava a raggiungere tutte le categorie di fedeli, dai gran signori ai più umili popolani, attraverso i mezzi più diversi, per i quali si giovava anche delle indicazioni venute dal seno stesso della Chiesa, durante e dopo il Concilio di Trento.

Uno degli atteggiamenti fondamentali del cattolicesimo durante e dopo quel concilio è, anche nei suoi uomini migliori, la coscienza, meglio, la convinzione irrefrenabile del possesso della verità. Se si esamina, infatti, la storia de concilio al di là dei problemi discussi, delle incertezze, di talune oscillazioni, dei compromessi, si avverte tuttavia che vi è la sicurezza di rimanere, malgrado tutto, la Chiesa di Dio. È un sentimento che è difficile, forse, cogliere globalmente e che si avverte negli atteggiamenti di questa o quella personalità, ma il fatto del rifiuto violento, dell'opposizione tenace di quella che era stata la tradizione dà, paradossalmente, a questa tradizione una forza coesiva, di cui va apprezzata tutta l'importanza. La Chiesa rappresenta non il passato di fronte alla novità, sincera e costruttiva, ma la forza di un'ininterrotta, plurisecolare persistenza e durata, di fronte ai *novatores* che avevano osato metterla in dubbio. Talune adesioni alla Chiesa cattolica da parte di personalità che pure ne erano state vivacemente critiche - si pensi ad un Erasmo e ad un Tommaso Moro - si spiegano proprio con questo rispetto del valore della tradizione.

Ora, i francescani costituivano un aspetto di non poca importanza di questa tradizione: non è casuale che in seno al protestantesimo vi fu un attacco violento e deciso contro Francesco da parte di Erasmus Alber col suo *Alcoramus Franciscanorum seu Nugarum Collectanea*, in cui si tentava di colpire al cuore la personalità di Francesco quale era sentita dai frati del tempo, quale, cioè si era venuta stratificando nella storia lunga oramai dell'Ordine. Se a questo polemista luterano ben presto risposero i francescani (ancora nel Seicento avanzato si aggiungeva Lukas Wadding) vale la pena di dire che proprio i Minori nelle loro nuove formazioni seppero energicamente opporsi. Essi si rendevano ben conto delle forze di attrattiva dei *novatores*, tanto che in molti modi cercarono di contrapporsi loro e di realizzare ed affermare i propri ideali. Sotto l'aspetto della liturgia, della simbolistica, della musica, della predicazione e soprattutto delle opere d'arte, essi mostrarono quanta importanza ancora potesse rivestire la tradizione cattolica. Non mancarono certo i dotti teologi; ma come già nel Duecento, essi lasciarono la polemica dottrinale ai frati predicatori, così nel Cinquecento e nel Seicento cedettero in quell'ambito il passo ai gesuiti, concentrando il loro sforzo sul piano devozionale, di cui non mancano esempi in questa mostra. Né si può trascurare la presenza di rappresentazioni artistiche, che riguardano Francesco e la vita francescana.

Meno, per quanto ci è dato di rilevare, il francescanesimo sottolineò l'aspetto trionfalistico della Controriforma, anche se in questa direzione di esaltante ricordo delle proprie origini deve interpretarsi la chiesa di S. Maria degli Angeli di Assisi, in cui al di là di ogni polemica osservazione del Sabatier vengono contrapposte significativamente la Porziuncola, come modesto luogo dell'origine, e la chiesa grandiosa cinquecentesca quale testimonianza della crescita realizzata contro ogni ostacolo e al di là di ogni contrasto. In quest'antitesi noi dobbiamo sentire la manifestazione, la presentazione del francescanesimo, come vincitore in un mondo che aveva minacciato il cattolicesimo, di cui Francesco veniva presentato come fervido, sincero, valido elemento di forza.

Nella controriforma, dunque, ci sembra di poter dire che l'Ordine Minoritico assume una significazione precisa e concreta, che questa mostra proprio nei suoi vari aspetti e nelle sue varie particolarità tende a porre in chiaro. Anche se taluni modi espressivi tra tardo Quattrocento e Cinquecento avrebbero potuto essere maggiormente sottolineati. Ci riferiamo qui ad una dimensione psicologica caratteristica dell'arte di questo periodo, che nell'arte ispirata dal francescanesimo, non ha trovato ascolto al livello di religiosità colta e teologicamente rigorosa, mentre si è diffusa ed affermata su piani di livello culturale più modesto.

In un recente ed interessante studio sulle immagini di Francesco attraverso il tempo emerse evidente che il Santo d'Assisi rimase immune, o quasi, dalla tendenza, per non dire dall'ossessione, del macabro, che tanto peso ha esercitato nell'arte dell'ultimo Medio Evo con uno sviluppo che culminò, appunto, nell'età barocca. Infatti, in questa mostra, il macabro manca, attestando appunto la scarsa adesione che i francescani ebbero per un aspetto della cultura controriformistica, che pur aveva incontrato vasta ripercussione nell'ambito religioso. Invece non si può fare a meno di ricordare che quella che, a nostro avviso, fu la più importante creazione francescana durante la Controriforma, quella dei Cappuccini, ha recepito questo macabro, a livello popolare almeno in alcune località di notevole rilievo, a Roma nella chiesa di via Veneto e a Palermo, per ricordare i due casi più celebri, in cui una concezione barocca come gusto dello strano, dell'eccezionale, del sovrumano (per non dire inumano) si è unita al compiacimento del macabro, per una esaltazione, se è possibile dire un paradosso, della vita e della pompa attraverso la morte.

Quanto importa, però, rilevare come fatto di maggiore e più attento significato, è il valore autentico, profondo, intenso del fatto francescano nella Controriforma. Se lo sforzo del clero, dei vari Ordini Religiosi cercò nei modi più vari di fermare l'espansione del protestantesimo, i francescani non mancarono di partecipare a questo sforzo, operando ai livelli loro tradizionali e consueti, quello dei fedeli, i più semplici, da raggiungere con la parola confidenziale, col consiglio diretto, con l'aiuto ed il conforto, in caso di necessità. Non manca, certo, lo abbiamo già detto a proposito di S. Maria degli Angeli, qualche aspetto trionfalistico, qualche cedimento verso il gusto barocco, una certa ricerca di rispondere al gusto del tempo: tutto questo è nella linea francescana, corrisponde alla volontà di aderire alle esigenze che vengono dai fedeli e i fedeli della controriforma sentivano tutto il fascino e tutta l'importanza dell'arte tardo cinquecentesca e barocca.

Questa mostra, allora, vuole illustrare e visivamente sottolineare nelle sue varie sezioni come il francescanesimo rispose a quanto i fedeli gli chiedevano; al di là delle pitture, delle sculture, degli oggetti liturgici, delle forme e manifestazioni devozionali, dobbiamo cercare di cogliere l'eterna anima del francescanesimo più autentico: parlare ai fedeli, raggiungerne il cuore, conservarli nella fede e nella vita cristiana, che nella controriforma è cattolica. Bisogna, quindi, seguire il succedersi di quanto è qui esposto con una seconda vista: cogliere il rapporto fra la Controriforma e il francescanesimo, capire come la forza profonda del movimento iniziato da Francesco, inseritosi nella vita della Chiesa, profondamente vicina ai pontefici, abbia con una sua particolare fisionomia dato il suo apporto alla realtà più interiore del Cattolicesimo.

STORIA E FORMAZIONE DELLE FAMIGLIE FRANCESCANE

Erina Russo

Per comprendere la storia dell'Ordine francescano, bisogna conoscere, avere presente la personalità del suo fondatore. Francesco di Bernardone era l'uomo dai contrasti violenti. Il suo desiderio di isolarsi, il suo desiderio di vita contemplativa, era altrettanto grande quanto l'esigenza di vita dinamica, di azione. Francesco si chiudeva in un romitorio, parlava con Dio in uno speco nascosto in una qualche foresta umbra o reatina, poi partiva, attraversava terre e mari, andava a trovare un Sultano lontano. Temeva lo studio perché pensava che potesse insuperbire i suoi frati: poi volle un teologo ufficiale nell'Ordine e designò S. Antonio. Amava la disciplina ma anche l'autonomia. I meravigliosi contrasti e tutte le sue ricchezze interiori, Francesco li ha trasmessi ai suoi figli.

Così tante qualità contrastanti racchiuse in uno solo, sono state divise tra i discendenti del Santo di Assisi.

L'Ordine ha conosciuto momenti di crisi interne, vi sono state lotte, divisioni dolorose. La storia dell'Ordine francescano è talmente complicata da divenire addirittura materia di studio con relativa fondazione di cattedre sull'argomento in diverse Università internazionali.

In contrasto alla sua storia così complessa, l'Ordine francescano ha la semplicità della sua Regola. Il Vangelo, la parola di Dio, è la Regola che Francesco ha voluto e ha lasciato a tutti i suoi figli.

La causa di divisioni e quindi del conseguente formarsi di "famiglie" è anche il desiderio ardente di rimanere fedeli alla Regola, l'aspirazione da parte dei francescani ad essere poveri, più poveri degli altri.

Le famiglie ora, dopo ottocento anni dalla nascita del loro fondatore, sono tre; Frati Minori, Frati Minori Conventuali, Frati Minori Cappuccini. A queste tre famiglie si può aggiungere una quarta: il Terzo Ordine Regolare. Ma la storia di quest'ultimo è una storia a parte.

Le famiglie hanno tutte il loro Ministro Generale; ognuna strutturata all'interno con Ministri Provinciali e padri Guardiani o Superiori. Se la divisione formale esiste ancora, sostanzialmente non c'è più alcuna differenza di spirito e di programma tra le famiglie. Sono arrivate tutte allo stesso punto. Le lotte del passato non sono state altro che delle gare di Amore. Ognuno voleva essere, il più possibile vicino all'Ideale di San Francesco.

Tutto cominciò quando nella primavera del 1209 o 1210, un gruppo di dodici uomini, Francesco e i suoi primi compagni presentarono a Innocenzo III, per l'approvazione, la loro Regola di vita. Il Papa ebbe diverse esitazioni, poi l'approvò. Un momento importante per l'Ordine, non solo come "inizio" della sua vita e del suo cammino sulle orme del Vangelo, ma anche come dimostrazione di affetto e di obbedienza al Papa e quindi alla Chiesa di Roma.

L'Ordine si chiamò per umiltà dei "Minori" e divenne il quarto Ordine dei mendicanti dopo le Regole monastiche di S. Basilio, S. Agostino e S. Benedetto. Si organizzò presto in Province con relativa gerarchia e al Capitolo generale detto delle "Stuoie" nel 1221 erano presenti cinquemila frati.

L'Ordine francescano era nato per l'idea di un laico seguito da laici, e così fin dal primo momento fu aperto a laici e religiosi, ed anzi fin oltre la metà del sec. XIII erano più laici che religiosi.

San Francesco era ancora vivo, ma già all'interno dell'Ordine si avvertiva l'esigenza di rinnovamento, si apriva il problema della "formazione" e di conseguenza dello studio.

Morto San Francesco il malcontento aumenta. Nel 1274 nasce il movimento detto degli "Zelanti". Comincia la prima spaccatura tra i francescani. Gli Zelanti chiedono di ritornare alla vita eremitica, al passato. L'altra tendenza che rappresenta la maggioranza dell'Ordine, guarda all'avvenire, non rinnega l'idea primitiva, ma aggiunge a questa dinamismo: favorisce l'esistenza di grandi comunità e naturalmente la necessità di grandi Conventi. Da qui il nome di frati della Comunità più tardi divenuto definitivo di "Conventuali".

Gli Zelanti si diramarono nelle Marche per mezzo soprattutto di Frate Angelo Clareno, in Toscana, in Provenza e in Linguadoca. Poiché reclamavano una Chiesa "povera e spirituale" rifacendosi così al Testamento di s. Francesco, si chiamarono, qualche tempo dopo "Spirituali" (fig. 1).

Questi movimenti, però, erano pericolosi e facilmente sfociavano nell'eresia. Gli Spirituali assieme ad un altro movimento si-

1. Chiostro della chiesa e santuario di S. Maria della Foresta nella valle Reatina. S. Francesco vi dimorò intorno all'estate del 1225 e pare, dopo recenti studi, che il "cantico di Frate Sole" sia stato scritto qui.
Dopo la morte del Santo e quindi dopo le divisioni, vi soggiornarono i Clareni (da Angelo Clareno) fino al 1568, quando passarono definitivamente sotto l'Osservanza o Frati Minori.

mile "I Fraticelli" furono condannati dal Concilio di Vienna nel 1312.

Dopo un secolo dalla sua fondazione, l'Ordine dei Minori ha già un posto preciso nella Chiesa. Vi sono Vescovi e Cardinali francescani; anche un Papa: Nicolò IV.

Ma i Francescani continuano a lottare. Lottano per la Povertà. La loro è una lotta alla rovescia, non per conquistare più agiatezze o supremazie materiali.

Le loro divisioni, anche drammatiche e dolorose, avvengono per un ideale di umiltà. Ed è proprio per questo che essi si salvano. L'Ordine malgrado tutte le vicissitudini è rimasto forte, saldo attraverso i secoli. Le riforme e le trasformazioni, la tendenza individualistica dei francescani, non ha scalfito il meraviglioso ideale di San Francesco.

La disgregazione non è mai avvenuta. Niente ha impedito ai francescani, neanche per un solo momento la loro missione di amore e di pace.

Nel 1368 Paoluccio Trinci da Foligno, fratello laico, ebbe il permesso, dal proprio Padre Generale, di ritirarsi a vivere nell'eremo di Brogliano (tra Foligno e Camerino) per osservare ancora più strettamente la Regola. Altri suoi confratelli lo seguirono e poi ancora altri. Nasceva così il movimento dell'Osservanza. A questo punto due correnti si separarono definitivamente. Gli osservanti e i Conventuali. Gli Osservanti seguivano la Regola "sine glossa" e il Testamento di San Francesco. I Conventuali seguivano la Regola secondo le concessioni dei Pontefici.

I Grandi Conventi, le rendite dei beni stabili andarono ai Conventuali. All'Osservanza andarono i primitivi luoghi cari a San Francesco: la Porziucola, la Verna, i romitori dell'Umbria, della Valle Reatina, quelli nelle Marche. San Bernardino da Siena, osservante, si formò nell'eremo del Colombaio sull'Amiata.

Verso la fine del '400 un altro ramo si aggiunge all'albero francescano: quello dei Discalceati in Spagna. Lo fonda il Beato Giovanni da Puebla già Grande di Spagna. È un ramo importante non solo per i suoi martiri che lo affermano, ma perché a questo, nel tardo '500 si ispirò San Pietro d'Alcantara. Il grande consigliere di S. Teresa d'Avila, basandosi su costituzioni ancora più severe e sulla disciplina più rigida fondò un nuovo movimento riformato autonomo: quello degli Alcantarini.

Intanto per il bene dell'Ordine i francescani cercano con tutte le loro forze di mantenere la concordia tra le varie ramificazioni. Ma la concordia dura poco. Papa Leone X istituì proprio per questo una commissione cardinalizia. Si propose a tutte le famiglie di lasciare le divisioni e di riunirsi. Gli Osservanti non ne vollero sapere. I Conventuali altrettanto. Il Papa lasciò allora i Conventuali nel loro stato e fuse con l'Osservanza i Clareni, Amedeiti e Discalceati o Scalzi (fig. 2).

Nel 1517, data storica, Leone X lascia il Sigillo dell'Ordine al Ministro Generale dei Frati Minori dell'Osservanza. Questo significa che sono due distinte famiglie, ma i Conventuali non hanno Ministro Generale. Il Sigillo, il simbolo dell'autorità è andato all'Osservanza.

Il Concilio di Trento prima e l'ideale riformistico nato nell'Osservanza, dopo la grande divisione, diedero origine ad un altro importante momento storico: la nascita dei Minori Cappuccini nel 1525.

Fondò la nuova famiglia l'osservante Matteo da Bascio, coadiuvato da altri due confratelli. Li aiutarono molto due pie e nobili donne: Caterina Cibo, duchessa di Camerino e Vittoria Colonna. Papa Clemente VII approvò le loro Regole il 2 luglio 1528.

Così a parte i ramoscelli dei Riformati, Alcantarini, Recolletti, questi ultimi esercitavano la loro missione soprattutto in Francia e Olanda, già in pieno '500 si delineano le tre famiglie francescane: Conventuali, Minori o Osservanti, Cappuccini.

Contro Martin Lutero, i protestanti e le eresie che dilagavano, i francescani reagiscono compatti. Come hanno sempre dimostrato nella loro storia, niente, nemmeno le lotte interne per la povertà li hanno divisi di fronte al mondo esterno. La concezione esatta che hanno del loro Ordine, la missione che si sono assunta, l'amore stesso per il loro fondatore, la solidarietà tra i confratelli, sono tutti elementi che improvvisamente sorgono nei momenti di pericolo e per combattere i nemici comuni. La

2. Collegio Irlandese dei Frati Minori di S. Isidoro.
Fu sede, intorno al 1621, della famiglia dei Discalceati o Scalzi delle Province di Spagna e Indie. Nel 1624 i Discalceati si ritirarono all'Ara Coeli e lasciarono il convento all'Osservanza. Si formò e soggiornò in questo convento, sede di studi Francescani, il grande storico Luca Wadding.

loro devozione al Papa e a Roma non è venuta mai meno. E così di fronte ai protestanti, le tre famiglie sono più unite che mai per la difesa della Fede.

Al Concilio di Trento si battono per l'Immacolata Concezione. Erano presenti i Superiori Generali e fra i Conventuali vi erano Vescovi e teologi. Accanto a loro la Compagnia di Gesù, un Ordine ancora giovane ma dal grande avvenire, che comprende appieno il francescanesimo, lo sostiene con impeto. Insieme vincono.

Fin dalla Riforma protestante i Ministri e i Capitoli Generali di tutte le famiglie o obbedienze chiesero ai propri frati minori di restare fedeli all'insegnamento della Chiesa e all'obbedienza al Papa.

In contrapposizione al luteranesimo efficacissima risultava la predicazione.

Al Capitolo di Carpi del 1521 si fissò tutta una legislazione per costituire una controriforma con armi spirituali. Le diverse formazioni culturali, la divisione in tre schiere, questa volta facilitava i combattenti.

I Conventuali con la loro base di studi classici e teologici predicavano dai più importanti pulpiti e dalle cattedre universitarie. Custodivano con amore le grandi basiliche a voler dimostrare come anche la bellezza è un dono di Dio e un ideale francescano.

Gli Osservanti, conoscitori della Sacra Scrittura, si dedicavano ad una predicazione popolare.

I Cappuccini lasciavano le povere dimore, scendevano nelle piazze, tra la gente, e contrapponevano all'oratoria rinascimentale la semplicità della loro parola; arrivavano direttamente al cuore degli uomini.

Ogni francescano e tutti insieme riferivano alle popolazioni di qualunque terra e ceto sociale il Vangelo.

Di fronte all'odio di Lutero, dei Calvinisti, degli Anglicani, di fronte alle calunnie e alle persecuzioni c'era una sola cosa da fare: dare l'esempio della propria forma di vita e il coraggio della Fede.

Accanto alle tre principali famiglie e alle minori autonome, nel sec. XVI sorge un'altra famiglia o meglio una congregazione francescana: I Conventuali Riformati. Si sviluppano tra il secolo XVI e XVII e bisogna dire che offrirono un grosso contributo all'opera di riforma.

I Conventuali Riformati, pur rimanendo legati spiritualmente e giuridicamente ai Conventuali, vollero lasciare questi ultimi, costituirsi in gruppi e vivere una vita più austera. Si sparsero in gran parte dell'Europa dividendosi poi in due grandi raggruppamenti: Conventuali Riformati di Spagna, Portogallo, Francia e Germania e Conventuali Riformati d'Italia e Polonia. Il Pontefice Sisto V, anch'egli frate conventuale, li approva con la bolla "Apostolici muneris" il 15 ottobre 1587 e li chiama "Fratres Minores Conventuales Reformati S. Francisci".

Lo studio accompagnato sempre a sorella umiltà aiuta i francescani nelle loro battaglie spirituali. Lo sa bene Sisto V, il quale, con la bolla del 1 gennaio 1587 costituiva il Pontificio Collegio di S. Bonaventura, presso il Convento dei SS. Apostoli in Roma, inserendolo nella serie dei nuovi Collegi universitari creati tra il Cinque e Seicento. Questo, oltre che per una particolare devozione verso il Serafico Dottore della Chiesa, per sentimenti di gratitudine verso l'Ordine nel quale egli era entrato giovanissimo (figg. 3-4).

Tra i Collegi centrali di Studi Teologici o "Studi Generali" che le costituzioni urbane dell'Ordine, nel 1628, fissavano nel

3. La donna a destra dello stemma tiene un libro aperto e un tempio con una croce sul lato destro. Il libro è simbolo del segreto divino della scienza e sapienza. La donna a sinistra dello stemma (non nel senso di chi guarda) si copre il volto con un velo trasparente e tiene nella mano destra una pera. La donna che si cela è simbolo della modestia. La pera che tiene in mano allude apertamente al cognome di famiglia di Sisto V: Peretti. Roma, SS. Apostoli.

numero di otto dislocati nei principali centri dell'Ordine: Roma, Assisi, Napoli, Praga, Colonia, Malta, Cracovia, tutti con facoltà di conferire i gradi accademici in "Arti e Sacra Teologia", il primo, per importanza, fu appunto il Collegio Sistino in Roma.

Vi era praticata una severa selezione e ciò consentiva un ristretto numero di alunni che avevano lo scopo di approfondire la dottrina di San Bonaventura.

Il Collegio fu assistito da speciali Cardinali Protettori, quasi tutti delle Marche, tra cui il primo fu Alessandro Peretti di Montalto.

Già prima, al Concilio di Trento le famiglie, francescane mandarono i migliori talenti: maggiormente si distinsero i difensori della dottrina di Duns Scoto. Più tardi fiorirono le storiografie e biografie. Si sentì la necessità di raccontare la storia dell'Ordine fin dall'inizio e la storia dei suoi uomini.

Nella storiografia dell'epoca il primo rappresentante fu Francesco Gonzaga. Veniva dalla illustre famiglia di principi del Sacro Romano Impero, divenne "povero frate dell'Osservanza" e scrisse un'opera monumentale "De Origine seraphicae religionis". Interessante da un punto di vista statistico offre molti dati sulla fondazione di conventi francescani.

Contemporaneamente un conventuale Pietro Ridolfi da Tossignano pubblica la "Historiarum Seraphicae Religionis" in cui traspare tutta la sua cultura umanistica.

I francescani si dividono all'interno per l'interpretazione della Regola, combattono i nemici della Fede, studiano, scrivono, costruiscono. Ma la storia dell'Ordine non sarebbe completa se

4. Chiostro dell'ex Università di S. Bonaventura, Collegio Universitario di Studi Teologici fondato da Papa Sisto V nel 1587 nel convento dei SS. Apostoli a Roma. Attualmente è Istituto di Studi Biblici presso l'Università "gregoriana".

non si ricordassero le missioni, in particolare nel secolo XVI. La scoperta dell'America richiede la conquista di confini più vasti. I frati minori di qualunque obbedienza lasciano i loro conventi, i loro romitori e partono per terre lontane e spesso ostili col solo scopo di far conoscere l'amore di San Francesco.

Nelle terre che evangelizzano difendono gli indigeni dai colonizzatori. Fondano ospedali e costruiscono chiese e scuole. Spesso sono ben accolti. Altre volte perseguitati e traditi. Molti sono i martiri. Ma anche in queste condizioni i francescani ebbero il tempo e la volontà di scrivere: ci sono arrivate delle bellissime relazioni sugli usi e costumi degli indiani dell'America Latina e documenti preziosi riguardanti le varie popolazioni evangelizzate.

L'arte si uniforma ai travagli spirituali provocati dal Classicismo e dal Protestantesimo. L'idea di ritornare agli antichi romi-

5. Chiostro della Basilica dei SS. Cosma e Damiano. Nel 1512 Cardinale Alessandro Farnese affidò questa Basilica al Terzo Ordine Regolare di S. Francesco.

6. Albero dei Santi e delle Sante, cardinali protettori e ministri generali dell'Ordine Francescano, di autore ignoto. Committente il cardinale Lorenzo Brancati di Lauria francescano conventuale, 1690. Roma, SS. Apostoli.

tori, un desiderio di vita eremitica che aveva conquistato i Cappuccini, i Riformati, i Recolletti e gli Alcantarini, suggerisce ai pittori un San Francesco che invita ad una dura penitenza. Non è più il San Francesco di Frate Sole, è un Santo che si strugge nelle caverne cupe, sempre in penombra e con un teschio accanto. Francesco è rappresentato nei suoi momenti di severità che medita sul Crocifisso e sulla Passione, ma che continua a trasmettere a tutti il suo grande amore.

Alcuni tipi di Conventi, si è detto, diventano famose sedi di Studi e Università, altri, pur mantenendo la loro primitiva semplicità, vengono ampliati e per una esigenza dei frati divenuti più numerosi e per i pellegrini che vi venivano ospitati.

Così si ingrandiscono i dormitori, vengono aperte farmacie, si ampliano i locali che serviranno per tintorie, falegnamerie, dispense. Famoso è il Convento di San Francesco a Ripa a Roma, che offre alla popolazione una "infermeria", un ospedale attrezzato per le esigenze dell'epoca e di cui si serviva tutto il basso Lazio.

Oltre ad importanti raccolte di libri e documenti, quadri e sculture le dimore francescane ci hanno tramandato pure numerosi oggetti, peraltro deliziosi, di vita di ogni giorno, come calamai, campanelli, ceramiche, posate, orologi, immagini votive che testimoniano la grandezza e l'umiltà di questo Ordine.

La vitalità francescana non è venuta meno neanche durante le tre grandi soppressioni: La Rivoluzione Francese, Napoleone Bonaparte, Vittorio Emanuele II. I martiri non si contano in tutti e tre gli Ordini. Le famiglie sopportano con fede saccheggi, ruberie, mortificazioni. Ma credono nella Risurrezione. Le bufere passano e l'Ordine risorge.

Si arriva così ad un'altra data storica: strano destino è sempre un Papa di nome Leone che interviene in questi momenti così importanti: il 4 ottobre 1897 Leone XIII con la bolla *Felicitate quadam* approvò l'unione in una sola famiglia degli Osservanti, Recolletti, Riformati e Alcantarini. Si chiamarono tutti Frati Minori. Accanto ad essi i Frati Minori Conventuali e Frati Minori Cappuccini.

Il Secondo e il Terzo Ordine francescano si può dire che hanno avuto la stessa storia del Primo Ordine, passando, come quest'ultimo, attraverso le stesse divisioni interne e subendo numerose riforme.

Chiara di Favarone fondò il suo Ordine "delle povere dame" intorno al 1212 o 1213 senza avere all'inizio una Regola propria. Le due regole definitive il Secondo Ordine le ebbe nel 1253, Regola di S. Chiara, e nel 1263, Regola di Urbano IV. Già nei primi due secoli l'Ordine di S. Chiara o delle Clarisse si era sparso in quasi tutta l'Europa e in Oriente.

Nel 1406 S. Coletta Boylet attua una grande riforma e alla sua morte nel 1447 lascia ben 22 monasteri riformati o fondati nuovamente sulla Regola di S. Chiara.

Nel 1517 quasi tutte le comunità delle Clarisse, comprese le Colettane, furono poste sotto l'obbedienza dell'Osservanza. La riforma cappuccina, poi, trascinò con sé altre monache che vollero sempre la Regola di S. Chiara, ma sotto l'obbedienza cappuccina.

Il terzo Ordine fu fondato da San Francesco intorno al 1222. Già a quell'epoca esisteva un movimento chiamato dei "fratelli e sorelle della penitenza". Erano laici che pur restando nel mondo desideravano vivere lo spirito del Vangelo. La parola di San Francesco quindi fu da essi immediatamente raccolta.

Innocenzo III si preoccupò di dare a questo movimento "una responsabilità canonica definitiva" e più tardi nel 1238 Gregorio IX parla a proposito degli ordini fondati da San Francesco come "quello dei frati minori, quello delle sorelle claustrali e quello dei penitenti".

Il Terzo Ordine francescano ha avuto, attraverso i secoli, lo stesso destino del primo Ordine. Si sparge nell'Europa e al di fuori di questa. Lavora attivamente accanto al primo ordine e

7. Il T segno salvifico e attuale segno di riconoscimento dell'Ordine Francescano.

8. Il T inquadrato in un Sigillo. Il sigillo è segno di autorità adottato dai Ministri Generali e dalle Province Francescane.

subisce nello stesso modo del primo e del secondo, persecuzioni e ingiustizie. Ha sempre avuto una sua regola confermata dai Papi, fino all'ultima del 1978 approvata da Paolo VI.

Accanto al Terzo Ordine francescano, naque il Terzo Ordine Regolare. Comunità maschile e femminile di terziari che vollero vivere la vita di comunità nei Conventi.

Attualmente il Terzo Ordine Regolare viene considerato la quarta famiglia del Primo Ordine (figg. 5-6).

Il "Tau", simbolo penitenziale e francescano, era oggetto della particolare predilezione di San Francesco che abitualmente lo usava per decorare le pareti delle celle e per firmare lettere e biglietti, tra cui quella autografa a Frate Leone conservata nel Museo della Cattedrale di Spoleto.

Il "Tau" nel mondo cristiano è sempre esistito in relazione alla Croce di Cristo di cui rappresenta la forma, ed è quindi segno di salvezza; e ciò in contrapposizione ad altre interpretazioni talmudiste risalenti al III° secolo.

La tradizione popolare medioevale dava al "Tau" un senso magico e miracoloso per preservarsi da ogni potenza nemica. Appare evidente che San Francesco pensava alla Croce di Cristo, traducendo così il "Tau" come segno o simbolo di salvezza per tutti coloro che accettavano di essere segnati.

Nel tempo che precedette San Francesco il segno "Tau" aveva un significato penitenziale: era il segno di coloro che si pentono e si dolgono delle loro colpe e adottando appunto il segno della Croce, come simbolo della passione di Cristo, ripercorrendo tale cammino avrebbero trovato il perdono.

Il "Tau" quindi come grazia di conversione. Fu anche simbolo di appartenenza ad associazioni caritative. La prima fu quella di "S. Iacopo d'Altopascio" associazione caritativa - ospedaliera dell'anno 746 circa.

San Francesco amava questo segno e l'Ordine francescano lo ha adottato come distintivo esclusivo di appartenenza e naturalmente come segno salvifico di conversione. Il Sigillo è un segno convenzionale inciso o intagliato in materia dura usato come segno di riconoscimento. Come distintivo di una persona o di un Ente che ne cura l'impressione su cera, su metallo o altra materia a corredo di uno scritto per autenticarlo (o per garantire con la chiusura che esso scritto non sia aperto indebitamente).

Ogni Famiglia francescana come ogni congregazione ha il suo Sigillo. Il sigillo è usato dai Ministri Provinciali, Generali. I Guardiani hanno il timbro (figg. 7-8).

BIBLIOGRAFIA ESSENZIALE

Les Editions du Cerf *Franciscains* Paris 1981

Di Fonzo-Odoardi-Pompei *I Frati Minori Conventuali* Roma 1978

R. Pazzelli *Il segno Tau* Roma 1980

L. Iriarte *Storia del Francescanesimo* Edizioni Dehoniane Napoli 1982

A. Gemelli *Il Francescanesimo* Edizioni O.R. Milano 1979

G. Stano-O.F.M. Conv. *Il Pontificio Collegio S. Bonaventura* in "Seraphicum" Roma 1964

E. Russo *Ex La Marmora* su "Avvenire" 1 Marzo 1981.

IL ROMANZO DEL CAPPUCCINO

Anna Teresa Romano Cervone e Ferruccio Ulivi

Sebbene possa apparire superfluo, non sarà inutile in questa sede rammentare che il romanzo è l'organismo letterario caratterizzato da una rete complessa e stratificata di rapporti e di significati, una rete di "intimi rapporti" (Wellek) che trae in inganno acuendo l'illusione che l'analisi dei singoli elementi sia capace di offrire dati tali da esimerci "dall'obbligo di vedere l'opera nella sua totalità" (Wellek). Un romanzo esiste, come opera d'arte, esclusivamente per la ricchezza del suo sistema di strati, che è poi il suo unico modo di esistenza come fatto letterario, e quando non lo si consideri come espediente retorico ma complesso organizzante la propria essenza e funzione. Recita il Wellek "ogni fatto d'arte ha la struttura adatta all'adempimento della propria funzione, insieme con quegli elementi accessori che possono esservi aggiunti dal tempo e dal materiale, nonché dal gusto. Ogni opera letteraria può contenere molti elementi che non sono necessari alla sua funzione letteraria, pur se interessanti o giustificabili su un altro piano" ([1]).

Paradossalmente anche se tutti gli elementi che intervengono a formare un organismo letterario fossero accessori, pure il fatto d'arte sarebbe funzionale se adempisse allo scopo "letterario" prefissosi.

Chiedendosi, ancora, se essenza e funzione della letteratura siano mutate nel corso dei secoli, non si può prescindere, quando si analizzi un'opera letteraria, dalle dottrine estetiche o dalle poetiche in cui sono inscrivibili. Fino ad una certa epoca alle soglie della moderna, la storia dell'estetica o delle poetiche potrebbe essere rappresentata da un'oscillazione tra il *dulce* e l'*utile,* tra il diletto e l'utilità, di Orazio. Soccorre ancora il Wellek "la poesia è dolce e utile. L'uno e l'altro aggettivo singolarmente presi, rappresentano un'eresia contrapposta alla funzione della poesia" ([2]); ma l'opera letteraria, quando riesce, presenta non tanto la coesistenza, quanto la fusione del diletto e dell'utilità.

L'*excursus* su essenza e funzione della letteratura non appaia citazione più o meno preziosa ma è indispensabile per verificare la ricchezza degli strati interni ad un romanzo secentesco – G. B. Rinuccini, *Il Cappuccino scozzese,* (1644) – recentemente ripreso ma ancora una volta consegnato a fortune incerte proprio per una scelta metodologica affidata all'analisi di un esiguo numero di stratificazioni interne ([3]).

Le ricerche sulla struttura del romanzo secentesco, intense negli anni più recenti, hanno provocato una serie di interventi volti al fine di una classificazione che chiarisse meglio le ragioni del fiorire e dell'esaurirsi nel giro di un sessantennio, tra il 1620 e il 1680, di un genere letterario che fuori d'Italia avrebbe proseguito non solo il successo quanto un proprio e sempre più originale *iter* letterario, mentre in Italia il successo sarebbe stato affidato sempre più a ristampe o a ristrutturazioni testimoniate da interventi editoriali cui non si è sottratto lo stesso testo da noi considerato ([4]).

Dopo interventi autorevoli, da quello ottocentesco dell'Albertazzi a quelli più recenti del Mancini, e passando attraverso l'opera di studiosi come il Getto, il Raimondi e il Varese, il Capucci ([5]) aveva messo in dubbio la proposta di suddividere i romanzi in due sole grandi categorie, quelli realistici – che comprendono anche la fioritura dei romanzi sacri ([6]) – e quelli ideali. I primi legati alla tecnica del *novel* i secondi, invece, al *romance* ([7]). Ma nonostante la semplificazione più essenziale della partizione, quando si parla di romanzo secentesco si scivola sempre nella definizione di romanzo barocco – sia esso sacro o politico o eroico-galante – togliendo così all'aggettivo quella sottolineatura stilistica che deve sempre essergli accompagnata; infatti, sebbene il romanzo secentesco categorialmente inteso sia quanto di più lontano dalle implicazioni con il classicismo, pure, e specialmente all'interno di alcuni romanzi del Brignole e di questo stesso del Rinuccini, la cifra classicistica – come ricerca consapevole di stile – è precisa e denotante un'opzione culturale originale rispetto ad interventi stilistici orientati verso una connotazione barocca.

Nell'area del romanzo realistico – il romanzo sacro è legato a precise esigenze di *exemplum* che lo inseriscono in un ambito di funzionalità culturale – l'estetica dell'*utile-dulci*, legata a premesse oraziane e alla problematica dell'aristotelismo sull'imitazione, trova una rispondenza efficace. Sullo sfondo del *Cappuccino scozzese,* romanzo sacro, realistico in una sua accezione particolare, come osserveremo, al di là di ogni classificazione di comodo, vediamo trasparire un'estetica di cifra classicistica che ci coopta nella situazione culturale caratterizzata da un'"accettazione precisa del genere come convenzione cosciente" ([8]). Così come aveva avvertito il Coulet avallando un'indagine critica fondata sul linguaggio di autori di romanzo collegabili ad un contesto storico e stilistico indicato da "un jeu de variations sur des themes et des images connus des lectures" in cui "les romanciers... trasfigurent la réalité grossière ou l'écartent par le style pour exalter le sublime des ames... Le roman pur est en effet un poème, et sa vérité une vérité poétique..." e conclude ancora il Coulet che "un'esthétique du superlatif, fondée sur une éthique du sublime, n'est nullement méprisable en elle-meme" ([9]). Così la Malgarotto, per illuminare alcune opzioni che hanno pesato sul romanzo eroico-galante. Ma anche nell'altro versante del romanzo sacro è presente un filone "eroico-sacro", concedendo all'aggettivo "eroico" tutte le implicazioni letterarie possibili, legate ancora una volta ad una precisa scelta culturale. Un'estetica del superlativo fondata su un'etica del sublime. In nome di quest'etica e di questa estetica Rinuccini scrive il suo romanzo, offre la sua poetica.

Quale etica del sublime e dell'eroico più intensa per colui che pone se stesso al servizio dell'ideale più sentito della Controriforma: il recupero al magistero romano di coloro che si erano allontanati per seguire "l'errore" protestantico? Quale organismo più prestigioso di quello che aveva a modello Francesco, l'*alter Christus* per antonomasia, nella sua attualizzazione più densa di carismi, quale poteva essere il modello cappuccino, col suo appello ad una militanza eroicamente vissuta? Il sublime attualizzato, ma sempre il sublime.

L'ordine cappuccino era nato da una delle scissioni ricorrenti nell'ordine francescano, e che avevano opposto i due rami maggiori dell'ordine percorso sin dall'origine dall'inquietudine per l'interpretazione pratica dell'ideale di vita di Francesco. Chiamandosi ora "spirituali" o "comunità", "osservanza" o "conventualesimo", "stretta osservanza" o "regolare osservanza", le due linee scaturite dalla *Regola* si erano affrontate aderendo l'una all'interpretazione fedele della vita e del testamento del fondatore, l'altra attualizzando la regola stessa in base alle esigenze pratiche dell'evoluzione dell'ordine e dei fini apostolici propostisi. Da una di queste crisi erano nati nel 1525 quelli che la voce popolare chiamò presto cappuccini, per la forma del copricapo simile all'originario dell'abito di Francesco; essi indicarono, presso il mondo cattolico, scosso profondamente dai fermenti che stavano portando alla separazione protestantica, l'interpretazione più fresca, nuova ed eroicamente rigorosa del francescanesimo. Nati nelle Marche da una scissione ad opera di Matteo di Bascio godettero, nel primo periodo di vita del movimento, dell'appoggio della duchessa di Camerino, Caterina Cybo, nipote di Clemente VII, che aveva apprezzato l'azione caritativa dei cappuccini già nella pestilenza che aveva colpito il ducato nel 1523.

Con la bolla *Religionis zelus* del 3 luglio 1528 il papa dava alla nuova comunità esistenza giuridica, riconoscendo il diritto di condurre vita eremitica, della rigorosa osservanza della regola di Francesco, di portare barba e abito con cappuccio piramidale, di predicare al popolo. L'iconografia cappuccina è già contenuta in questa prima autorizzazione papale, e sarà perfezionata con le cosiddette costituzioni di Albacina che arricchiranno il modello del nuovo interprete del francescanesimo: ritiro dal mondo, austerità di vita, semplicità, povertà in adesione perfetta alla spoliazione di Assisi, contemplazione ([10]).

Nati da questa ricerca di maggior rigore nell'osservanza della *Regola*, i cappuccini trovarono appoggi negli ambienti più sensibili alle esigenze di approfondimento morale avendo vicini come Vittoria Colonna, il duca di Nocera, Camillo Orsini e parte della nobiltà che li sostenne nel momento di maggiore sofferenza per l'ordine, da poco costituito, quando Bernardino Ochino eletto vicario generale nel 1538 e rieletto nel 1542 entrò in contatto con la riforma protestante finendo poi a Ginevra sulle posizioni di Calvino.

La crisi, durissima, promosse l'ennesimo ritocco nelle costituzioni, che assieme agli atti ufficiali del Concilio di Trento, con cui si riconosceva la funzione del nuovo ordine, furono gli atti fondamentali nel processo di stabilizzazione del movimento raccomandato, assieme alla Compagnia di Gesù, come uno degli strumenti essenziali nell'opera di recupero alla cattolicità di territori ora nell'ambito del protestantesimo. Il cappuccino si presentava, ormai, come l'interprete eroico degli ideali cavallereschi e di servizio di Francesco. La povertà veniva sempre più considerata il "fondamento di tutte le perfezioni francescane", e con la povertà lo spirito di penitenza, l'amore che si trasformava in servizio nelle terribili carestie e pestilenze, che li poneva accanto ai piú umili, nei momenti di maggiore sofferenza. Già le costituzioni del 1536 ordinavano il servizio agli appestati come un momento esemplare; facile, dunque, la popolarità del nuovo ordine, per la presa, anche sociale, del suo ministero. A queste caratteristiche, che rappresentavano la presa carismatica dell'ideale cappuccino, nella vita cinque-secentesca, si affiancarono successivamente degli strumenti culturali particolarmente efficaci ed adatti a promuovere un'azione di recupero del mondo protestante sotto gli auspici di Propaganda Fide. Assieme alla Compagnia di Gesù furono le punte della Controriforma per un recupero di credibilità e testimonianza di fronte al mondo protestante. I frati cappuccini inviati nel nord Europa per esercitare la catechesi e la predicazione tra gli "eretici" dovevano essere: "moralmente e culturalmente selezionati, molto preparati e padroni della sacra scrittura, della lingua greca ed ebraica... dovevano frequentare un corso speciale di controversie... era d'obbligo lo studio della lingua tedesca" per le "province" che avevano missioni in Svizzera e in Germania.

Questo indugio sugli elementi che interagirono nella costruzione del modello esistenziale del cappuccino è necessario per chiarire ulteriormente il carattere del romanzo del Rinuccini, che rappresenta un *unicum* nella storia letteraria secentesca, per essere la mistione di una notevole abilità retorico-letteraria e di "verità istorica", elementi convergenti nell'unico fine di additare un esempio mirabile di virtù, ma con un metodo di costruzione del personaggio originalmente innovativo.

Pubblicato due volte nel solo 1644, dopo una circolazione orale e acefala che ne aveva indicato già il potenziale successo, il *Cappuccino scozzese* si apre con una citazione di un luogo nuovo dell'esotismo italiano secentesco: la Scozia. Giorgio Lesleo, nobile scozzese figlio di Giacomo e di Giovanna Selvia, calvinisti, era nato ad Aberdone ed era stato inviato a Parigi in giovane età, con un precettore per completare i suoi studi; qui, conosciuti due giovani francesi ed il loro padre, era stato convinto della verità del cattolicesimo ed aveva abiurato. La madre, avvertita dal precettore, lo aveva disconosciuto come figlio e lo aveva diseredato. Giorgio era partito per Roma con i due amici e qui le strade si erano separate: chi, infatti, aveva preferito l'ammirazione per le vestigia e le bellezze d'arte di Roma – come i due fratelli francesi – si era allontanato da Giorgio, letteralmente soggiogato dalla magnificenza dei riti della chiesa romana.

Giorgio Lesleo, entrato in contatto con i cappuccini, apprezza l'intensa spiritualità dell'ordine e chiede di entrare a farne parte, ma viene duramente osteggiato dal ministro generale dell'ordine Gerolamo di Castelferretto; egli, allora, si rivolge direttamente a Paolo V ed ottiene d'indossare l'abito cappuccino. Si conclude, così la prima parte del romanzo-diviso in quattro parti. La seconda e la terza narrano, come in una sorta di trittico la conversione, con successiva rinuncia dei beni, prima del fratello di colui che è, ormai, padre Arcangelo, poi della madre Giovanna Selvia, operata durante il viaggio missionario in Scozia. A queste, seguono le conversioni degli altri membri della famiglia e il castello dei Leslei diviene il centro propulsore di un movimento di recupero religioso alla chiesa di Roma.

L'ultima, e quarta parte, rappresenta lo scarto di originalità di fronte alla produzione eroico-cavalleresca, alla quale il Rinuccini voleva porsi come alternativa culturale, proprio nel suo aderire ad una realtà storica garantita da sé medesimo, quando entra nel filo della narrazione come personaggio che testimonia ed autorizza i fatti narrati.

La prima parte nell'ultima sezione illustra le prove ulteriori attraverso le quali Arcangelo aveva affinato le sue qualità di perfetto cappuccino: il ministro generale dell'ordine lo richiama a Roma per chiedergli di giustificarsi sull'integrità della propria fede di fronte alla congregazione di Propaganda Fide. Partito senza indugio dalla Scozia, era giunto in Italia allo scoppio della pestilenza del 1630, e, chiesto il permesso ai superiori, si era fermato a Cremona per assistere gli appestati. Intanto Urbano VIII, riconosciuta la sua innocenza lo aveva nominato guardiano del convento marchigiano di Monte Giove. Dopo pochi anni il papa stesso lo aveva inviato in Scozia per l'ultima missione. Morirà, infatti, nel 1637.

È in questa parte del romanzo che il Rinuccini colloca la narrazione della storia della propria vita da parte di Arcangelo-Giorgio Lesleo, (George Leslei, questo il nome "al secolo" del cappuccino scozzese), e pone se stesso e Vagnozzo Pica, quali garanti di una autenticità storica che fosse la caratteristica peculiare di un "genere nuovo" con cui la cultura della Controriforma offriva ad un pubblico sempre più vasto un'alternativa credibile alla letteratura di pura evasione ([11]). La funzione educatrice della storia, – già propugnata da Pietro Sforza Pallavicino, che non a caso dedicherà proprio al Rinuccini nel 1646 le *Considerazioni dell'arte dello stile e del dialogo* a testimonianza di una solidarietà proprio sul terreno della funzionalizzazione del "bello scrivere" – viene assunta quale dottrina etico-poetica per garantire l'autenticità del messaggio da trasmettere al pubblico.

Ma il Rinuccini – come tutti coloro che operano proprio in questa zona secentesca (dal Testi, al Pallavicino, al Malvezzi) prossima al classicismo – non ignora che il messaggio morale non penetra nell'uditorio e non dà frutti – è analoga la situazione per la "predica sacra" secentesca (come analizzata dal Pozzi e dallo Scotti) ([12]) – se l'abilità stilistica e retorica non viene a suffragare questa esigenza, con tutta una ricca messe di supporti.

Sorge, a questo punto, la domanda di quale sia, però, il vero storico da porre alla base di questa concezione letteraria, poiché l'autore, che aveva avuto direttamente le notizie sulla vita dal medesimo George Leslei si sottrae all'obbligo di essere fedele ai dati reali, riservandosi, in nome del verosimile letterario, il diritto non tanto di alterarli quanto di disporli in maniera diversa dal reale. Non crediamo tanto al puro amore per la romanzizzazione, quanto all'esigenza di assommare in un unico personaggio – il cappuccino scozzese e non il padre Arcangelo nei dati biografici – più esperienze reali dei cappuccini noti nell'azione di riconquista al primato di Roma della Scozia, dal Nugent, ad Epiphanius Lindsay ([13]). Il Callaey nell'*Essay critique sur la vie du P. Archange Leslei*, attraverso l'analisi dei documenti dimostra le divergenze fra i dati reali e il romanzo, e il Rinuccini aveva sempre sottolineato di non aver riportato fedelmente le parole del Lesley nel romanzo, noi pensiamo per una precisa scelta culturale, e non perché avesse equivocato per la scarsa conoscenza dell'italiano da parte del cappuccino ([14]).

Nelle prime tre parti del romanzo l'autore offre la triplicazione di omologhe sequenze narrative così raggruppabili: A) Situazione di partenza e partenza del personaggio (di Giorgio, del fratello, di Giorgio ormai p. Arcangelo); B) Viaggio e incontro con i cattolici; C) Impedimenti da superare: D) Conversione; E) Conseguenze della conversione-perdita dei beni ([15]). La sottolineatura, in triplice ripresa, di queste situazioni sta ad indicare l'aderenza ribadita del personaggio – o degli altri personaggi nella medesima situazione esperienziale – alla figura di Francesco d'Assisi, alla sua centralità nelle costituzioni cappuccine sulle quali il romanzo si modella ideologicamente, diventando essenziale esperienza e qualificante esempio ai quali fare riferimento da parte di coloro che vogliano vivere in coerenza col messaggio francescano.

L'opposizione alla volontà paterna, l'abiura dalla religione originaria, la perdita-rifiuto dei beni, l'adesione alla povertà come all'essenza del messaggio evangelico sono le analogie che permettono di indicare in Francesco-alter Christus il modello esistenziale che traspare all'atto della decostruzione del personaggio Arcangelo-Giorgio.

A Giovanna Selvia, la madre del cappuccino, che chiede notizie del figlio e dell'ordine al quale ha aderito, alcuni scozzesi di ritorno dall'Italia raccontano che: "i Cappuccini erano una sorte di religione, nella quale i papisti rinunziavano alle facultà e a gl'honori, e s'inhabilitauano affatto all'uso del coniugio. Ma con peruersità heretica vilipesero grandemente la condizione e l'habito di questi Padri. Dissero, che la mendicità, e le vesti erano sì abbiette; e sì sordide, che perciò nell'Italia erano stimati la sorte più vile del popolo. Aggiunsero con pari menzogna, che la nobiltà haueua in opprobrio di circondarsi quell'habito, e che a un tale istituto non si voltauano perciò, che gl'indegni, e coloro, ai quali s'aggiunge ricchezza quando sono costretti di mendicare" ([16]).

In Giorgio – Arcangelo il Rinuccini unifica le esperienze, per questa ragione controllabili ([17]), di tutte le figure più straordinarie di cappuccini missionari in Scozia, un modello operativo da porgere per esemplare, in senso controriformistico, la funzionalità del messaggio francescano, il sublime attualizzato che facesse da contraltare alla mitologia del classicismo. Ma la sua stessa necessità di narrare scaturiva dalla comune esigenza di *delectare, docere,* e *suadere* da concretare in un genere nuovo, da controllare nella sua verità realizzata in quel verosimile diventato realtà espressiva autonoma e funzionale allo scopo letterario prefissosi.

Il cappuccino scozzese "ideale" (e sottolineiamo la valenza belloriana che traspare per il metodo di scelta degli elementi entrati a costruire il personaggio) era ugualmente "vero" nelle parcelle in cui il personaggio era realizzato: ideale e reale assieme, eroico in senso nuovo e controriformistico ci appare nello spessore concesso, nella quarta parte, alla narrazione dell'assistenza agli appestati di Cremona, che veniva vissuta da tutti i cappuccini come adesione eroica, e individualizzata, ai dettati delle costituzioni dell'ordine ([18]).

Ma la mistione di reale e ideale che rende il *Cappuccino scozzese* un *unicum* non è destinata ad avere seguito. Le redazioni secentesche del romanzo, ancora attribuite al Rinuccini – in quella dei due secoli successivi scomparirà il nome dell'autore – coglievano ancora lo stretto rapporto tra scrittura del romanzo e dato biografico del personaggio e dell'autore. Nell'*Avvertimento a chi legge* dell'edizione 1655 ([19]) si sottolineava l'eccezionalità della commistione che agiva positivamente sui lettori, determinando il successo editoriale e la necessità delle ristampe del romanzo: "Nella pericolosa Nunciatura d'Ibernia, che per la Sede Apostolica abbracciò, ei fu simile a se stesso: sanno quegli remoti Fedeli quanto lieto, e intrepido a loro si condusse; quale fusse il di lui zelo, nel procurare di ridurre, e confirmare que' popoli nella Cattolica verità; la prontezza in esporsi ad ogni rischio della propria vita, per l'altrui salute, e per la gloria di Sua Divina Maestà; il suavissimo odore, che sparse de' santi suoi Costumi: in somma egli ha fatto vedere, che non mancono a Chiesa santa, ne pur in questi giorni, i suoi Basilii, i suoi Nazianzeni; quindi in traccia di quelli scrisse le azzioni segnalate del Nobile Scozzese, ché aperti gl'occhi al chiarore della Nostra Fede, altro non ebbe a cuore, che sotto le Ceneri Minorite accendere in sé, e in altri il foco del Divino amore. Nel cui racconto s'osserva a tal segno il costume, la purità del dire, che non v'è petto ostinato, che non s'arrenda, e non s'intenerisca in lagrime, nella lettura di queste Carte, che non saranno mai tante multiplicate, che più non vengano desiderate" ([20]).

Nel 1673 il personaggio ebbe una sua fugace vita teatrale ([21]) nel *Cappuccino scozzese in iscena* di Eleuterio Rozzi; è, ormai, separato dal reale, circondanto da Idaspi e Ismeni dall'incerta qualità drammatica, ma dimostra l'orientamento a farne quasi un "carattere" teatrale, una tipizzazione astratta, ma ancora utile per un progetto di teatro moralizzato.

Nei due secoli successivi il romanzo del Rinuccini subirà vicende alterne di modificazioni e rifacimenti, utili per accertare la presenza degli esiti del romanzo secentesco nella cultura, e non solo italiana; ma le spinte di rinnovamento della Controriforma, presenti nelle prime edizioni, sono, ormai, da tempo esaurite ed il messaggio francescano affidato ad altri, più efficaci veicoli ([22]).

NOTE

(1) R. WELLEK - A. WARREN, *Teoria della letteratura,* Bologna 1963 (prima ed. 1942), p. 30.

(2) R. WELLEK - A. WARREN, *Teoria della letteratura, cit.,* p. 31.

(3) G. B. RINUCCINI, *Il cappuccino scozzese,* Fermo, appreso Andrea De Monti, 1644.

Le edizioni del romanzo si sono succedute a ritmo serrato tra il 1644 e il 1663. Si presuppone che il Rinuccini, vescovo principe di Fermo, abbia redatto l'opera intorno al 1637, prima della morte del frate cappuccino che è all'origine del romanzo.

Cfr. M. MUSCARIELLO, *La società del romanzo. Il romanzo spirituale barocco,* Palermo 1979; *Il romanzo barocco tra Italia e Francia,* a cura di M. COLESANTI, Roma 1980.

(4) Si confronti la seconda parte di M. MUSCARIELLO, *La società del romanzo, cit.,* per le fortune editoriali del *Cappuccino scozzese.* Il saggio, di taglio sociologico, non coglie le implicazioni con la cultura della Controriforma e con i nuovi generi che proponeva in arte e in letteratura. Per questo si veda anche A. ASOR ROSA, *La cultura della controriforma,* Bari 1974.

(5) Nel volume *Romanzieri del '600,* a cura di M. CAPUCCI, Torino 1974, il prefatore fa seguire un'ampia bibliografia, cui rinviamo. Un particolare cenno meritano gli interventi di A. N. Mancini al quale si deve anche un tentativo di classificazione insistitamente parcellare (A. N. MANCINI, *Romanzi e romanzieri del Seicento,* Napoli 1981).

(6) Gli interventi sui romanzi sacri o spirituali secenteschi si stanno facendo sempre più insistenti ed approfonditi: l'ampia produzione secentesca non solo italiana, dal Camus (*La Dorotea, l'Elisa*) al Brignole Sale (*Maddalena peccatrice e convertita, La vita di Sant'Alessio*) al Ferrante Pallavicino (*La Bersabea*) viene ormai intesa come l'unica in grado di opporsi al dilagante filone eroico-cavalleresco.

(7) Rinviamo su *novel* e *romance* alla rassegna curata dalla Malgarotto per "Lettere italiane", ancora valida per rigore metodologico ma non aggiornata. P. MALGAROTTO, *Proposta per una rilettura dei romanzi barocchi,* in "Lettere italiane" anno XXI, n. 4 ottobre-dicembre 1969.

(8) Cfr. P. MALGAROTTO, *Proposta per una rilettura dei romanzi barocchi,* cit., p. 474.

(9) *Ibidem,* p. 475.

(10) Si veda L. IRIARTE, *Storia del Francescanesimo*, Napoli 1982; ancora valido A. CUTHBERT, *I Cappuccini,* Faenza 1930.

(11) Cfr. A. ASOR ROSA, *La cultura della controriforma*, cit.; sulla funzione pedagogica della storia si rinvia al proemio dell'*Istoria del Concilio di Trento* dello Sforza Pallavicino ora nell'edizione curata dallo Scotti (P. SFORZA PALLAVICINO, *Storia del Concilio di Trento,* a cura di M. SCOTTI, Torino 1962, pp. 57-89.

(12) G. POZZI da Locarno, *Saggio sullo stile dell'oratoria sacra nel Seicento, esemplificata sul P. Emmanuele Orchi,* Roma 1954; G. B. MARINO, *Dicerie sacre,* a cura di G. POZZI, Torino 1960; inoltre, i numerosi interventi dello Scotti sulla prosa secentesca, dallo Sforza Pallavicino al Bartoli, al Segneri.

(13) Si veda F. X. MARTIN, *The Capuchin mission to England and Scotland,* in "Miscellanea Melchor de Pobladura", vol. II, Romae 1964 e l'opera già citata del Cuthbert.

(14) F. CALLAEY, *Essai critique sur la vie du P. Archange Leslei,* in "Etudes franciscaines", t. XXXI, janvier-juine, 1914, pp. 487-517.

(15) Cfr. M. MUSCARIELLO, *La società del romanzo,* cit..

(16) G. B. RINUCCINI, *Il cappuccino scozzese,* appreso Andrea de' Monti, Fermo 1644, p. 52.

(17) Cfr. F. CALLAEY, *Essai critique sur la vie du P. Archange Leslei,* cit..

(18) Cfr. L. IRIARTE, *Storia del Francescanesimo,* cit..

(19) G. B. RINUCCINI, *Il cappuccino scozzese,* per Berbieri, Bologna 1655.

(20) In M. MUSCARIELLO, *La società del romanzo*, cit., p. III.

(21) E. ROZZI, *Cappuccino scozzese in iscena,* per Mancini, Roma 1673, anche in *Drammaturgia di Lione Allacci accresciuta e continuata all'anno 1755,* per Giambattista Pasquali, Venezia 1755. Ristampa fototipica, Torino 1961.

(22) Tale sviluppo implicherebbe altri aspetti prospettici che ci trarrebbero fuori campo. Valga il richiamo in proposito agli studi e agli stimoli più significativi di cui ci esimiamo, qui, di offrire la bibliografia. Valga, inoltre, la gratitudine della sottoscritta, in tal senso, al Prof. Ferruccio Ulivi, che ha acconsentito a contrassegnare con la propria firma e responsabilità la presente ricerca.

RIFORMA DELLA PITTURA E RIFORMA RELIGIOSA

Claudio Strinati

1. TEORESI

Presupposto dell'elaborazione iconografica francescana, come di qualunque altra nella seconda metà del Cinquecento, è quello della opposizione di Unità e Varietà nell'arte figurativa con le conseguenze che tale opposizione comporta([1]).

Leonardo da Vinci nel Libro sulla pittura (Codex Urbinas Latinus 1270)([2]) aveva affermato 'mi pare uno tristo maestro quello che sola una figura fa bene' e altrove 'sommo difetto è de' pittori replicare li medesimi moti e medesimi volti e maniere di panni in una medesima istoria'. In queste censure non è traccia di moralismo ma è notevole il fatto che, nel corso del secolo, autori che esprimono un'opinione ufficiale della chiesa cattolica in rapporto all'evoluzione del Concilio di Trento, rielaborino la tesi leonardesca.

Il Gilio soprattutto collega questo tipo di concezione all'idea che la pittura debba essere verosimile nel raffigurare il racconto evangelico e, contestando l'opera di Michelangelo proprio nella mancanza di verosimiglianza, scrive 'questa è la meraviglia che nissuna figura, che in questo ritratto vedete (è il Giudizio Universale. Nota mia) fa quello che fa l'altra e per questo fare ha messa da banda la devozione (se ne ricava così l'equazione concettuale *Varietas assenza di devozione* e conseguentemente *uniformità devozione*) la verità istorica e l'onore'. Del resto era antica la tesi che il demoniaco e quindi ciò che è l'opposto del devoto, si manifesta in forme proliferanti e diversificate in cui si identifica l'immagine visiva del male([3]).

Il Gilio intendeva additare a repulsione sia lo stile che l'apparato iconografico michelangiolesco che, nello stesso momento, veniva confutato con estrema determinazione da Pirro Ligorio([4]).

Basta mettere in positivo la critica del Ligorio ed emergono premesse dottrinali sulla cui base sarà elaborata l'iconografia francescana controriformata.

Nel Trattato sulla pittura, Ligorio affronta il tema 'delli sforzamenti degli atti del corpo delle mani delle braccia e coscie dell'uomo, tutte fatte senza proposito e con ogni sorte di storcitura poste in opera, che per fingere le figure pronte nell'atto, l'hanno fatte furiose con attitudini pazzesche e dispiacevole, più tosto minaccianti che suadente o dimostrante quel che la natura porge nell'occasione dell'istoire, avendo solamente pensato a far certi gruppi di figure confuse insieme e tanto discordi che non se ne puote ritrarre il significato. Si veggono chi tira di calci, chi par di se stesso si crucci o mostra come disperarsi senza proposito, o par che menacci, chi fa un atto troppo sforzato e torto, come il corpo suo fosse di pasta, o si vede il moto di un altro che non fa appunto proposito della meditazione che deveno esprimere. Atti certamente storti e mal pensati, fatti in luoghi fuor di tempo. Pare loro esser ogni cosa ben fatta purché dimostrino stufaroli col brachetto nelle rappresentazioni delle cose divine; facendo le figure sforzate in aria, in terra, assai manifestamente si vede come premeno più in demostrare l'arte *per variare l'attitudini* (torna il tema della uniformità e varietà) in far sforzamenti, mostrando il gnudo, non curano il metodo della istoria non nella modestia della prontezza studiano ma nella violenza, onde tutti gli atti semplici e nobilmente con gravità espressi, appo loro sono immodesti e di poca importanza; talché con concetti strani, con faccie orrende quelle persone che introducono sono secondo i loro animi e non secondo si ricerca nella materia della favola o della piana istoria e nella energia della bellezza delle forme e degli atti'.

È evidente, a parte i motivi polemici personali che potevano portare Pirro Ligorio a una simile requisitoria, l'esigenza di una drastica riforma della pittura, del resto in atto mentre l'erudito artista napoletano veniva elaborando le sue riflessioni.

Al tema del contrasto tra unitarietà e varietà della espressione figurativa, si collega quello del rapporto tra arte e scienza, già ampiamente discusso nell'età dell'Umanesimo ma ora riproposto con una accezione fortemente moralizzante.

A un Leonardo da Vinci, che all'inizio del Cinquecento poteva sostenere la sostanziale convergenza di arte e scienza, si contrapponeva la posizione aspramente polemica e proprio per questo nota e apprezzata, di pensatori quali Agrippa di Nettscheim, di cui, nel 1547, veniva pubblicata a Venezia la traduzione del trattato *De incertitudine et vanitate scientiarum*. Agrippa argomenta in questo senso: 'O stulti et impii, qui posthabentes dona

Spiritus Sancti, laboratis ut a perfidis philosophis et errorum magistris discatis ea, quae a Christo et Spiritu Sanctu suscipere debeatis'. La conclusione è 'Orate igitur ad Dominum Deum in Fide, nihil haesitantes, ut veniat agnus de Tribu Iuda, ac librum vobis aperiat signatum, qui agnus solus est sanctus et verus, qui solus habet clavem scientiae et discretionis, qui aperit et nemo claudit qui claudit et nemo potest aperire'.

Al tempo della teorizzazione del Gilio, superati i paradossi di Agrippa di Nettscheim, il dibatttito sull'arte riesamina il tema 'che cosa abbia la scienza comune o differente con l'arte' come suona il titolo di uno scritto di Ludovico Castelvetro ca. 1570.

Questa discussione termina con la definizione dell'arte data nel primo libro del *Riposo* di Raffaello Borghini, pubblicato a Firenze nel 1584: 'Diremo adunque l'arte non esser altro che un abito intellettivo, che fa con certa e vera ragione di quelle cose che non sono necessarie, il principio delle quali non è nelle cose che si fanno, ma in colui che le fa'.

Da queste premesse discende il dibattito sulla nobiltà cristiana dell'arte quale è affermata dal cardinale Gabriele Paleotti.

Il Borghini aveva notato, in logica deduzione dalle sue tesi, che nell'arte figurativa occorre guardare prima al fine che si intende raggiungere e poi al soggetto specificamente trattato. Il Paleotti sostiene che fine del pittore cristiano è appunto quello di acquistare la grazia divina il che permette al teorico bolognese di cogliere il senso ultimo della teorica cristiana sull'arte figurativa([5]). Fine dell'arte è la Fede e Paleotti, tirando le estreme conseguenze, afferma che la pittura cristiana si configurerebbe quale vera e propria virtù o meglio quale esercizio di virtù.

Secondo la definizione di S. Paolo le virtù teologali sono Fede, Speranza e Carità. La Fede in se per se è però difficile oggetto di rappresentazione e infatti il Paleotti, la cui teorizzazione ebbe notevole peso nell'ambito dell'Accademia dei Carracci, formula la teoria che la virtù corrispondente alla pittura sia la Carità: 'non avendo altra mira insomma tutte le sacre immagini, mediante gli atti religiosi che rappresentano, che di unire gli uomini con Dio, che è il fine della Carità; ne segue manifestamente che l'esercizio del formare immagini si ridurrà alla carità e perciò diverrà virtù dignissima e nobilissima'.

Tale tesi porta all'estremo grado di perfezionamento una teoria circolante in molti aspetti della dottrina cinquecentesca e definisce quell'idea dell'eccitamento alla devozione di cui parla il Bellori a proposito del Barocci, all'interno dunque del pensiero accademico bolognese (pensiero riformato in senso estetico per eccellenza) 'et al certo che il Barocci ebbe un particolar genio a dipingere l'immagini sacre; nel che tanto più merita di essere commendato, quanto più rare se ne veggono nelle chiese, che corrispondono al decoro e alla santità, per eccitare la devozione'.

L'impostazione teologale impressa dal Paleotti alla speculazione estetica aveva importanti precedenti. Se questa tendenza è già latente nel *Dialogo della Pittura* di Paolo Pino del 1546 è esplicita nel libro di Michelangelo Biondo del 1549 dove, citando Aristotele nel sesto libro dell'Etica, si sostiene con ampia argomentazione che l'arte è 'abito di far le cose con vera ragione' e già essa è definita 'virtù divina' e delineata secondo principi che confluiranno nel Paleotti.

Biondo argomenta che 'la pittura gli è un gran dono de l'altissimo Iddio fatto a' mortali, imperoché col mezzo de la pittura noi semo congiunti alli superni dei et agli angioli ancora'. È evidente che è qui in nuce la teoria per cui la pittura è assimilata alla virtù della Carità. È proprio nella elaborazione del concetto della Carità intesa nella sua formulazione estetica che si inserisce la questione della superiorità di Raffaello su Michelangelo nell'elaborazione dell'iconografia sacra([6]).

Ben presto infatti la pittura michelangiolesca (del maestro e dei molti seguaci) era stata avvertita quale disturbo all'attingimento del livello ottimale dell'espressione. Fu riproposto il problema dell'unità e della varietà, in quanto la molteplicità delle situazioni espresse da Michelangelo venne confutata come falsa varietà, portatrice di una comunicazione ambigua, diametralmente opposta alla retta forma di varietà che è riconducibile ad un centro unitario, definito poi dal Paleotti nella virtù della Carità.

Ludovico Dolce nella lettera a messer Gasparo Ballini argomenta 'dee procacciar il dipintore d'esser vario nelle cose sue, e non vi essendo non può dilettare compiutamente. Ora vedete se questa parte cotanto necessaria, si ritrova nell'opere di Michele Agnolo che tutte le figure che egli fa sono grandi, terribili e spaventose'.

Occorre distinguere infatti, nella teorica cinquecentesca tra questo tipo di esigenza di varietà e la molteplicità proliferante e demoniaca.

Sulla base di questa osservazione Ludovico Dolce compose un testo destinato a largo influsso nella cultura cinquecentesca, il *Dialogo della pittura intitolato L'Aretino*, pubblicato a Venezia nel 1557. Decisive, per tutta la teoria, sono le parole dell'Aretino a favore di Raffaello, logica conseguenza dopo le censure mosse fino a quel momento a Michelangelo: 'Raffaello è vago di pulitezza e di delicatezza sì come era eziandio pulitissimo e gentilissimo nei costumi'. Raffaello conclude il Dolce 'usò una varietà tanto mirabile, che non è figura che né d'aria né di movimento si somigli, tal ché in ciò non appare ombra di quello che da pittori oggi in mala parte è chiamata maniera, cioè cattiva pratica, ove si veggiono forme e volti quasi sempre simili'. Il contrasto tra l'identico e il diverso appare punto cruciale nei trattati d'arte del Cinquecento([7]).

Le critiche del Dolce verranno modificate e rielaborate dalla generazione successiva, ma resterà valida e anzi si approfondirà sempre più la confutazione del michelangiolismo da identificarsi con la 'maniera cioè cattiva pratica" stigmatizzata dal Dolce.

In tal senso la *Vite* del Vasari costituirono, già all'atto dalla prima edizione nel 1550 ma completamente all'atto della seconda nel 1568, una operazione culturale di retroguardia rispetto alle tendenze dominanti del tempo. Michelangelo, nella trattazione del Vasari, è l'apice stesso della linea evolutiva della storia dell'arte, ma, mentre lo storico aretino scriveva, sia nell'ambito della concreta produzione artistica, sia in campo speculativo, era in corso una revisione complessiva del michelangiolismo, il cui fascino indiscutibile era offuscato dall'abuso dell'idea dell'imitazione teorizzata dal Bembo a proposito del corretto uso della lingua latina([8]) e ripresa in pittura con colto e innovativo procedimento (come nel caso del Bronzino e poi di Marco Pino), ma vanificato dalle contraddizioni degli esponenti più audaci della seconda generazione dei michelangiolisti, come Battista Franco([9]) o Pellegrino Tibaldi([10]).

Venendo meno un consapevole programma estetico fondato sulla imitazione michelangiolesca, minato da una crisi insuperabile già nell'opera tarda di Daniele da Volterra([11]), si poneva l'esigenza di una riforma della pittura, che, prescindendo in tutto o in parte dal retaggio michelangiolesco, permettesse l'elaborazione di un'arte qualificabile come sacra, e intraprendesse consapevolmente l'elaborazione di una iconografia differenziata ma riconducibile a criteri unitari tali da giustificare poi in sede teoretica addirittura il richiamo all'esercizio di una virtù teologale.

1. *Taddeo Zuccari,* Ecce Homo, *1556. Roma, S. Maria della Consolazione.*

2. CONCETTO DI PITTURA RIFORMATA

Anche se non esiste la possibilità di sostenere con prove inequivocabili che nella seconda metà del Cinquecento si sviluppò un processo di riforma della pittura nel senso indicato dai teorici([12]), resta il fatto che poco dopo il 1555-60 aumentò progressivamente la produzione di opere a contenuto religioso. È da rimarcare l'elemento tematico-contenutistico, perché i dipinti a soggetto religioso, che sembravano la maggior parte di quelli prodotti nella prima metà del secolo, erano stati connotati da una certa ambiguità di senso. Un'opera che si pone a discrimine tra queste due fasi come la cappella Mattei in S. Maria della Consolazione in Roma (in ambiente dunque francescano), affrescata da Taddeo Zuccari entro il 1556, mostra come, ancora a questa data, un artista di formazione toscana, debitore a Daniele da Volterra e a Michelangelo, concepisse la tematica sacra in una accezione completamente estranea ad un qualunque indirizzo devozionale([13]). Nella scena dell'*Ecce Homo* sulla parete destra il Cristo è relegato sul fondo di un ampia fuga prospettica, dove le figure degli astanti sono sovraccaricate di senso, in un equilibrio di rapporti proporzionali, che elude le logiche aspettazioni percettive creando una tensione carica di arcane suggestioni che evocano un 'antico' reinventato da una fantasia inquieta e appassionata (fig. 1).

La riforma della pittura contestava proprio questo modo di comporre, basandosi sul principio che l'arte figurativa potesse e dovesse essere considerata quale equivalente del discorso verbale e letterario, per articolarsi in modo analogo, su livelli cioè alti medi e umili.

Del resto la pittura umanistica della fine del Quattrocento era stata messa in crisi dalla furia iconoclasta di un Savonarola e per lungo tempo la pittura prodotta a Firenze era stata una sorta di risposta audace e radicale alla provocazione del frate([14]). La tensione, il rovello interiore che percorrono le opere di Pontormo, Beccafumi, Bronzino, Rosso, sembrano originarsi anche da quella dura contestazione dell'arte in quanto tale([15]). Ma, esauritasi quella stagione dell'arte figurativa che aveva affiancato le vicende dell'aspro contrasto tra chiesa romana e riforma protestante, urgeva l'esigenza di fare nuovamente della pittura un muto linguaggio abbandonando gli eccessi del passato e ricercando quindi uno stile nuovo, magari meno colto di quello di un Taddeo Zuccari, ma più adatto a piegarsi ad esigenze comunicative.

Il passaggio alla pittura riformata si compie negli anni immediatamente precedenti alla metà del secolo. Nel febbraio del 1547 il Concilio di Trento approva il decreto sulla giustificazione, in cui viene opposto alla teoria protestante il concetto che le opere di bene sono necessarie alla salvezza e che la virtù teologale della Carità ha pari dignità rispetto alla Fede([16]). Dietro tale enunciazione teoretica, la cui importanza fu del resto decisiva per lo sviluppo della dottrina cattolica, era latente una terribile tensione politica, dipendente dal peso sempre maggiore che il potere dell'imperatore Carlo V stava assumendo nei riguardi della Chiesa ad appena un anno di distanza da una fase di apparente pacificazione, che aveva indotto, tra l'altro, il cardinale Alessandro Farnese a commissionare al Vasari l'affrescatura della Sala

2. *Gerolamo Muziano,* Resurrezione di Lazzaro, *1555. Città del Vaticano, Pinacoteca.*

dei Cento Giorni nel Palazzo della Cancelleria, ampia decorazione dove era espressa l'ipotesi di una sopravvenuta età dell'Oro (la Pace appunto) in cui la figura del Papa, equiparandosi in autorità politica a quella dell'Imperatore, diventava protagonista della storia e promotrice di quella cultura letteraria e figurativa che riportava il corso degli avvenimenti allo stadio ottimale raggiunto sotto Giulio II e annientato poi dal Sacco di Roma([17]).

Significativa fu la pubblicazione nel 1548 degli *Esercizi spirituali* di S. Ignazio, opera che meglio forse di tante altre, dimostra una situazione in via di transizione alla ricerca di diverse finalità nella vita morale e politica([18]).

Le *Vite* del Vasari, non a caso composte da chi aveva eseguito la sala dei Cento Giorni, escono nel 1550, quando il Concilio di Trento è interrotto, dopo essere stato trasferito a Bologna proprio per sfuggire alle forti ingerenze imperiali([19]). In questo momento nell'arte figurativa c'è una estrema tensione espressiva in cui sembra di vedere metaforicamente trascritta tutta l'energia creativa di un'epoca dilaniata da tensioni e contraddizioni insanabili. Maestri come Pellegrino Tibaldi e Francesco Salviati eseguono opere di eccezionale impegno intellettuale e persino fisico: cicli di affreschi colossali, dipinti di sostenuta energia grafica e di dimensioni colossali; un momento di fervore creativo che è impossibile vedere scisso dalle coeve vicende politiche, ancorché non vada letto quale passivo riflesso([20]).

Pochi mesi prima che questo mondo si trasformi con l'abdicazione di Carlo V all'inizio del 1556([21]), Gerolamo Muziano, un artista bresciano di vastissima cultura, esegue il grande dipinto con la *Resurrezione di Lazzaro* per la chiesa di Santa Maria Maggiore, un'opera emblematica quante altre mai che inaugura un modo nuovo di pensare e fare l'arte figurativa([22]) (fig. 2).

3. *Gerolamo Muziano*, Flagellazione, *1560 ca. Orvieto, Museo dell'Opera del Duomo.*

Naturalmente non mancavano i presupposti perché si arrivasse ad una opera del genere ma essa segnò l'inizio di una nuova fase. Con questo dipinto e con quelli che il Muziano eseguì successivamente, venivano implicitamente definiti alcuni principi su cui si sarebbe basata la riforma della pittura.

Ancorché sia latente l'omaggio al michelangiolismo imperante fino a quell'anno, Muziano cambia i termini della figurazione sia sotto il profilo ideologico che figurativo.

Egli formula una pittura che può ben dirsi religiosa e non solo e non tanto per il soggetto quanto per il senso effettivo. In primo luogo egli ripristina una diversa funzione protagonistica dell'immagine. Alla complessità stratificata della figurazione zuccaresca, contrappone una semplificazione radicale della tematica. Un protagonista dell'immagine c'è ed è il protagonista per antonomasia della pittura religiosa: Cristo. Dalla sua figura promana ogni aspetto del dipinto. Il soggetto è un miracolo e quindi giustificata è l'immagine della folla che attornia l'evento. La folla, vero e proprio personaggio, che commenta e indirizza l'attenzione, guida la percezione di chi si pone davanti al dipinto e suggerisce, come in una tacita spiegazione, il tono e il livello con cui l'opera va guardata e giudicata.

L'atto del Cristo nel contempo grandioso e umile, quotidiano e solenne, dà i parametri concettuali su cui si impianta un magistrale complesso stilistico. La tradizione padana della pittura religiosa confluisce verso la Roma michelangiolesca ma lo spunto michelangiolesco non è preponderante, come sarebbe stato logico fino a poco tempo prima. È invece 'moralizzato' dalla componente meditativa della luce veneta, che trasfigura in un'ansia di spiritualità sofferta la coralità dell'evento.

L'influsso di tale modo di pensare l'arte fu enorme e lo stesso Taddeo Zuccari non poté fare a meno di sentirlo se è vero che nell'ultima sua opera, la cappella Frangipane in S. Marcello in Roma, tenne in conto la figuratività muzianesca e se ne ispirò pur senza rinunciare al suo grandioso mondo espressivo([23]).

Nel 1556 inizia la decorazione del Duomo di Orvieto ed è decisivo il fatto che sia proprio il Muziano chiamato ad iniziare i lavori([24]). In quel cantiere la pittura italiana viene assumendo quel nuovo aspetto riformato, sottoposto poi ad ulteriore vaglio ed approfondimento. Ad Orvieto viene consacrata l'idea muzianesca che l'immagine protagonistica della pittura debba essere quella del Cristo che non è l'Imperatore della chiesa, secondo l'accezione farnesiana di Paolo III, ma il riferimento costante dell'immaginario cattolico. Cristo e i miracoli, la Passione di Cristo sono eletti a temi esclusivi della rappresentazione sembrando che in essi si esaurisca la potenzialità espressiva del fatto figurativo (fig. 3).

In effetti le vicende della storia sociale e politica sollecitavano verso questo indirizzo. Morto Carlo V nel 1558 e succedutogli Filippo II, nel 1559 è eletto pontefice Paolo IV che tra i primi atti promulga la bolla *Cum ex apostolatus*, con cui in sostanza dichiara deposti i sovrani che sostengono l'eresia. Emblematico è l'atto con cui il papa affida il governo ecclesiastico a Carlo Borromeo, l'austero arcivescovo di Milano([25]). Inizia una nuova fase contraddistinta, in quello stesso anno 1559, dalla pubblicazione dell'*Index librorum prohibitorum* e della *Istitutio christianae religionis* di Calvino.

È stipulato intanto il trattato di Cateau Cambresis che riassesta gli equilibri politici in Italia posta ormai sotto il controllo spagnolo.

È un momento drammatico di alta tensione morale, un'età di riforma che aspira a riplasmare le strutture sociali, economiche, culturali. A questo punto si apre la terza e ultima sessione del Concilio di Trento il 15 gennaio 1562.

È questa la fase più nota e talvolta troppo univocamente considerata del lunghissimo Concilio, culminata, dopo la chiusura del Concilio stesso, con la promulgazione, nel novembre del 1564, della *Professio Fidei Tridentinae*.

Erano stati già divulgati i decreti sull'arte figurativa miranti a ribadire e definire dottrinalmente le tendenze adombrate appunto dal Muziano e dagli artisti gravitanti nella sua cerchia.

C'era nei decreti e nelle prese di posizione finali del Concilio una istanza riformatrice che era la coerente formulazione concettuale di quanto stava avvenendo nell'arte figurativa. Tuttavia questo momento di equilibrio durava pochissimo. Già nel 1567 la rivolta antispagnola dei Paesi Bassi era tragico segno di tempi infausti e lacerati. Simbolo quasi di tale drammatica svolta che gli avvenimenti prendevano è da considerare un altro prodotto innovatore nell'ambito della pittura riformata: la *Deposizione* di Federico Barocci nel duomo di Perugia, un artista formatosi accanto a Taddeo Zuccari proprio nel periodo in cui Taddeo assisteva alla contestazione del suo stile([26]) (fig. 4).

La tragica visione del Barocci, in questo quadro decisivo, chiarisce come la pittura riformata, uscendo dai condizionamenti del michelangiolismo, non potesse prescindere dal trattare anche la parte 'negativa', dell'espressione pittorica. Un momento dialettico che si comporrà soltanto alla svolta ancora tanto lontana del Giubileo trionfalistico e solenne del 1600.

L'inizio della edificazione della chiesa del Gesù ad opera del Vignola nel 1568 è già il segno di un periodo nuovo.

In realtà le speranze di riforma cadevano progressivamente e aumentava il contrasto tra tragici fenomeni di intransigenza e intolleranza (la notte di S. Bartolomeo nel 1572) e tentativi di nuove impostazioni nella vita religiosa e sociale (fondazione dell'Oratorio di S. Filippo Neri, 1575).

Certo è che un diffuso pessimismo sulla effettiva possibilità di comporre i dissidi religiosi induceva gli intellettuali più consapevoli a pensare che il secolo, che si era aperto su prospettive di sviluppo culturale vastissimo, si chiudesse con il sospetto di un ritorno ad uno stato di imbarbarimento([27]).

Nel 1582 inizia la costruzione del Collegio romano mentre a Bologna apre l'Accademia privata dei Carracci. Comincia un periodo diverso improntato ad una rinnovata fiducia nell'arte e nella scienza, ma anche attraversato da forme di inquieti interrogativi sugli aspetti più oscuri del sapere([28]).

Sisto V Peretti assurge al pontificato nel 1585 un anno dopo la morte di Carlo Borromeo.

Con il nuovo pontefice, francescano, cambiano molte cose nel governo della chiesa e nella politica culturale. Si può anzi affermare che il papa fece suo il concetto ormai largamente diffuso ed operante della riforma della pittura orientandolo in senso nuovo e determinando un nuovo processo di sviluppo.

Il papa trasferì nella effettiva prassi pontificale una disposizione di fondo prettamente francescana mirante a ristabilire una unità sociale e culturale tramite atti esemplari sia sotto il profilo morale che civico. È con Sisto V che viene delineata una concezione di 'popolo', sollecitato ad assumere una funzione protagonistica nella storia così come era stato adombrato nelle prime opere pittoriche dell'arte riformata.

Il papa impostava la sua politica sociale proprio muovendo dall'analisi di un tema essenziale per un francescano, quello della povertà, dalla cui tragica sudditanza Sisto V mirò a liberare il popolo tramite il lavoro, riscattando quindi la situazione di subalternità in cui la plebe era caduta e che solo con interessata manipolazione avrebbe potuto spacciare per realizzazione dell'ideale pauperistico francescano.

Il 17 settembre 1585, appena eletto al pontificato, Sisto V con un avviso particolare manifesta uno straordinario progetto: dar lavoro ai poveri trasformando il Colosseo in un gigantesco laboratorio per la lavorazione della lana. Il progetto non ebbe esito ma è sintomatico per comprendere lo spirito con cui il pontefice affrontava la vita sociale della città e gli scopi che intendeva raggiungere con il suo apostolato. Così il papa intendeva combattere e duramente ogni forma di parassitismo sociale e di crimine. Fu lui ad abbassare a quattordici anni l'età perseguibile penalmente per acuire la lotta al banditismo([29]).

Accanto a un progetto di tipo utopistico ma indicativo delle intenzioni del suo pontificato, Sisto V prese anche provvedimenti concreti e clamorosi per combattere la miseria romana e fece costruire il gigantesco ospizio dei poveri presso ponte Sisto che 'costò circa 33000 scudi... cioè più del nuovo palazzo del Laterano... Duemila persone potevano stare comode nel nuovo edificio che godeva di una rendita annua ed era esente, per i propri acquisti, da imposte e dazi doganali. Volenti o nolenti, nel luglio 1587 i mendicanti vi si dovettero stabilire, poiché da quel momento era proibito qualsiasi accattonaggio per le strade'([30]).

Se si considera come fosse lo stesso pontefice ad avviare uno dei primi tentativi di industrializzazione della città, si può concludere che egli tese a creare vere e proprie forme di consenso sociale fondate su una nuova politica del reddito e della produzione.

È comprensibile come a tale criterio corrispondesse un progetto urbanistico ed estetico congruente.

Il Pontefice procedette ad una ristrutturazione urbanistica sviluppando ad esempio gli insediamenti nella zona nord della città e razionalizzò numerosi assi viari sia per favorire i pellegrini che attraversavano la città, sia per ordinare meglio le funzioni civiche del commercio e dello scambio. Concentrò la sua attenzione riformatrice nella zona intorno a S. Maria Maggiore dove c'era la sua villa e dove vastissimi, dentro e fuori la basilica, furono i suoi interventi([31]).

Ma fu proprio nella produzione pittorica, ampia ma di qualità sovente poco sostenuta, che il pontefice dispiegò il senso ideologico ultimo del suo pontificato, indirizzando la storia della riforma pittorica verso un obiettivo non previsto dagli stessi artisti che la avevano originariamente concepita.

Il papa, affidando l'esecuzione di vasti cicli decorativi alla direzione generale di Cesare Nebbia, artista orvietano di ampio ta-

4. *Federico Barocci,* Deposizione, *1569. Perugia, Cattedrale.*

5. *Pietro Perugino,* Pala di Vallombrosa, *1500. Firenze, Uffizi.*

lento, coaudiuvato dal parmense Giovanni Guerra(32), seguiva in modo puntuale e criticamente consapevole la strada maestra della riforma della pittura. Nebbia infatti era stato allievo ed effettivo seguace di Gerolamo Muziano se non addirittura il primo che ne aveva assimilato l'impostazione riformata, ampliandola nel cantiere di Orvieto.

Nell'arte di Muziano c'era una componente veneto lombarda che da un lato lo portò a privilegiare ambientazioni paesistiche (e come pittore di paesi era noto a Roma nella sua prima fase(33)) che ne fecero un caposcuola assoluto per quel tempo, dall'altro lo mise in condizione di espungere la componente michelangiolesca secondo i criteri espressi nel quadro del Vaticano.

Quando si procedette alla decorazione del Duomo di Orvieto i Soprastanti del Duomo individuarono in Muziano la personalità che più di ogni altra aveva escogitato i modi di una pittura moderna in cui struttura dello spazio, modalità dell'espressione, sostanza cromatica e stilistica in senso lato, ideologia, sensibilità, dimensionalità contribuivano a edificare un universo pittorico inusitato e di nuova bellezza.

È significativo che l'opera di Muziano potesse irraggiarsi e creare una scuola proprio a partire da un cantiere come quello di Orvieto. Già l'Umbria era stata in passato un ambiente da cui erano uscite proposte nuove di un'arte a specifico contenuto religioso.

Il retaggio lasciato dalla basilica di Assisi e dalle sue immani decorazioni aveva conservato una ideologia figurativa che, al mutare dei tempi, non cambiò mai.

Fu in Umbria e proprio a Orvieto che si verificò l'episodio cruciale della decorazione della Cappella di S. Brizio da parte di Luca Signorelli, epitome del pensiero figurativo religioso del Quattrocento, proiettata verso un futuro visionario e tanto Michelangelo che Raffaello guardarono a quest'opera capitale per i loro lavori in Vaticano.

Signorelli propose una idea dell'arte figurativa nuova e rivoluzionaria, basandosi proprio su quel contrasto tra contestazione savonaroliana e figuratività neoplatonica fiorentina che sembrava dovesse condurre ad una sorta di blocco espressivo e che invece apriva nuovi mondi.

Ancora una volta l'ambiente umbro definiva i nuovi criteri di un'arte improntata a devozione e a effettivo contenuto religioso con il Perugino, che arrivò a proporre prototipi imprescindibili per tutta la cultura italiana, e con il Pinturicchio, più tipicamente umbro nei suoi presupposti e nei suoi sviluppi.

Mentre l'arte a Roma, con le presenze di Raffaello e Michelangelo, prendeva una direzione completamente diversa, nell'ambiente umbro l'attività di scuole locali ancora connesse al retaggio peruginesco preservava una concezione dell'arte intesa primariamente quale fatto religioso, che preparava un secondo evento di portata pari a quella della cappella di S. Brizio, la decorazione del Duomo di Orvieto.

Essa durò molto a lungo e fu, da un punto di vista concettuale e fisico, una della imprese più colossali in campo artistico dell'Italia del tempo. Lo scompaginamento e la distruzione di gran parte del ciclo ha fatto sì che esso sia rimasto ignorato e non valutato per lungo tempo. Quel poco che resta in loco permette di poter asserire che fu a Orvieto([34]) che il Muziano trasse con logica deduzione le premesse adombrate nell'opera cruciale della *Resurrezione di Lazzaro* e intorno a tale ipotesi creò una scuola o una tendenza intorno a cui lavorarono artisti di provenienza diversa.

C'erano infatti a Orvieto pittori come Taddeo Zuccari e il fratello minore di Taddeo, Federico, che si adeguarono alle nuove idee figurative.

C'era Arrigo fiammingo, un pittore formatosi in patria ma giunto precocemente in Italia, che aveva già lavorato in Umbria e oscillava tra l'entusiastica adesione al michelangiolismo e una riformulazione di tale tendenza nelle maglie dello stile di Muziano([35]). C'era infine Cesare Nebbia, pittore locale, dotato di uno stile di base poderoso e drammatico e pronto più di ogni altro ad accogliere le indicazioni del Muziano([36]).

A Orvieto in sostanza fu inventata una tipologia specifica

6. *Luca Signorelli,* La Comunione degli Apostoli, *1520 ca. Cortona, Museo Diocesano.*

della pala d'altare che, pur avendo numerosi e vari presupposti nell'opera di Raffaello e Sebastiano del Piombo, non era mai stata puntualizzata ed eseguita con tanta chiarezza metodologica.

All'inizio del Cinquecento era stato proprio il Perugino, con una serie di opere, tra cui spicca la pala di Vallombrosa, datata appunto 1500, a fornire i nuovi modelli della pala d'altare con la definitiva enunciazione del criterio, già adombrato nella cultura precedente, del quadro strutturato a ripiani sovrapposti in cui ogni zona rappresenta un aspetto specifico della devozione (l'adorazione, la preghiera, l'immutabilità della Fede, la meditazione, la serenità dell'esistenza, l'umile abbandono nella Provvidenza) per farne esplicita e univoca illustrazione. L'equilibrio di antico e moderno era pensato figurativamente dal Perugino nel mantenimento della struttura arcaica del polittico, rapportabile ad un passato identificato con il 'vero' estetico, cautamente calato in una dimensione paesistica unitaria (fig. 5).

L'accento di convinta spiritualità emanato da un quadro del genere che compendia una intera tradizione, era riscontrabile anche nella coeva parabola di Luca Signorelli, con la differenze che il Signorelli, dopo il 1510, modificò profondamente il suo stile per formulare l'ipotesi di una espressione univocamente devota, basata sulla adorazione del Cristo, con una componente di acceso e tenebroso ascetismo che è impossibile pensare scisso dal drammatico esordio della riforma cattolica in Italia. Già la *Comunione degli apostoli* del museo civico di Cortona è un incunabolo di quello che sarà poi l'atteggiamento riformatore di cinquant'anni dopo (fig. 6).

Ma il modello maggiore della pittura riformata fu la *Trasfigurazione*([37]). Raffaello, sviluppando fino alle estreme conseguenze i presupposti di una pittura che aveva perseguito la ricerca di un retaggio grecizzante all'interno della cultura umanistica, concluse la sua parabola formulando una pala d'altare che era una compiuta trascrizione in termini visivi del concetto aristotelico della 'tragedia' così come è esposto dal filosofo nella *Poetica*, al centro in quegli anni di una esegesi gravida di conseguenza anche nella prassi figurativa([38]) oltre che in campo letterario.

La tesi aristotelica in base a cui il tragico è 'mimesi di una azione seria che attraverso casi di pietà e terrore conduce alla catarsi di queste passioni'([39]) è formulata visivamente da Raffaello in un dipinto dove la suddivisione in due zone non ha più nulla a che fare con il retaggio peruginesco da cui pure il maestro urbinate era partito.

Le due zone sono ora due sfere concettuali, due universi espressivi corrispondenti ai due aspetti del dilemma aristotelico.

In basso la zona della paura, del terrore, con l'episodio del fanciullo indemoniato, la cui cupa tensione non è riscattata sotto il profilo figurativo ma permane tale. In alto il momento della pietà, concentrata sulla figura di Cristo, pensata quale irradiazione luminosa, centro di convergenza della percezione, dove è depositato ogni rasserenamento del senso. L'opposizione classica dell'Apollineo e del Dionisiaco, su cui l'opera sembra impiantarsi, è reinterpretata secondo la poetica aristotelica. Sembra lecito così scorgere nel dipinto una metafora figurale del concetto stesso della Catarsi, secondo una accezione che non privilegia la sintesi degli opposti sensi di pietà e terrore in una composizione superiore e rasserenante, quanto piuttosto, secondo quella che sarà l'interpretazione cristiana culminante con il Paleotti, l'allontanamento, tramite l'azione deterrente delle due grandi passioni umane, di quei moti perturbatori che potrebbero impedire il concreto esercizio della virtù.

La *Trasfigurazione* è quindi, il modello di quella che sarà la pittura riformata sotto il profilo morale e conseguentemente figurale.

È con Raffaello dunque che si compie la transizione da un tipo di pala d'altare intesa quale Sacra Conversazione, spazio della immobilità meditativa, di cui estremo modello era stata a Venezia, quindici anni prima la pala di S. Zaccaria di Giovanni Bellini, ad un tipo nuovo esprimente il popolo figurativo in funzione protagonistica accanto all'immagine del Cristo.

In un primo momento le indicazioni di Raffaello, morto appena compiuta la *Trasfigurazione*, furono interpretate anche in chiave latentemente ereticale specie da Sebastiano del Piombo, attivo per un centro come Viterbo, attraversato da ideologie più o meno apertamente in contrasto con la chiesa di Roma([40]).

7. Moretto, Madonna col bambino e santi, *1540/45. Brescia, S. Clemente.*

Ma in effetti, compiuta la parabola del michelangiolismo che Sebastiano perseguì più di ogni altro in coerente sviluppo ([41]), fu la *Trasfigurazione* (opera eseguita per una chiesa francescana, S. Pietro in Montorio in Roma) a orientare i criteri della pala d'altare riformata.

Quando il Muziano poneva mano alla decorazione di Orvieto, riprendendo una tradizione di arte religiosa mai interrotta in quell'ambiente culturale, i suoi presupposti erano giunti a tale livello di maturazione da essere ormai calati in uno stile peculiare destinato a fare scuola e istituire una nuova tradizione.

Il Duomo di Orvieto è gigantesco e questo solo fatto implicava la scelta di dimensioni colossali sia per gli affreschi che per le pale d'altare, in parte su lavagna, riprendendo un criterio utilizzato proprio da Sebastiano del Piombo, che di per se stesso simboleggia la stabilità e durata materiale dell'opera d'arte destinata a percorrere tempi lunghissimi.

Muziano era nato a Brescia ed è possibile che la sua formazione sia avvenuta in patria e che comunque i suoi rapporti con l'arte della zona di origine restassero vivi.

Se si considera che la riforma muzianesca consistette in sostanza in una progressiva transizione dalla pittura di storia animata e varia alla pittura meditativa centrata sull'evento miracoloso, descritto non nella patologia dell'evento ma nella compostezza dell'avvenuto, si rintracciano i presupposti specifici di tale pensiero nell'arte del Moretto, uno dei maestri decisivi per tutta la storia della pala d'altare (fig. 7).

Moretto del resto veniva a sua volta da un ambiente ancora legato al retaggio belliniano. A Bergamo, dove avevano operato artisti come Palma il vecchio profondamente belliniano o maestri come Andrea Previtali che, si firma talvolta 'Bellini dissipulus', l'ambiente era decisamente orientato sulla tematica della Sacra Conversazione e della meditazione introspettiva.

Moretto partì da questi presupposti ma su questi innestò una dimensione naturalistica moderna per cui il nitore dei suoi dipinti acquista un crisma di certezza e di realtà che simboleggia l'assolutezza della Fede.

Su questa concezione Muziano impostò la sua maniera recuperando Raffaello. Elaborò così la pala quale immagine desunta da una azione di tipo teatrale e più propriamente oratoriale.

Ma, a questo punto della vicenda storica, il riferimento non poteva più essere quello alla tragedia, secondo la teoria aristotelica, ma quello, tipicamente umbro e certo ben gradito alla chiesa cattolica, relativo alla Sacra Rappresentazione.

In terra umbra sopravviveva ancora la Sacra Rappresentazione attraverso le Laudi francescane che fin dall'inizio avevano costituito una sorta di teatro embrionale. Ora questa tradizione veniva assunta dallo spazio pittorico([42]).

Al dibattito drammatico e appassionato della prima metà del secolo sul Tragico e sul retaggio della cultura greca e latina, si sostituiva un diverso modello culturale fondato sul Sacro. Su questa garanzia concettuale era dunque possibile procedere ad una vera e propria riforma pittorica, di cui Muziano e i suoi seguaci elaborarono la prima forma.

I lavori ad Orvieto terminarono nel 1575 sembra proprio con un'opera di Cesare Nebbia, la *Cattura di Cristo nell'Orto*.

Quale fosse il livello conseguito da questa prima fase riformata lo mostrano le opere che Nebbia eseguì a Roma dopo la fine dei lavori ad Orvieto. La *Vocazione di Pietro e Andrea* nella chiesa della Consolazione in Roma (1575/80 ca.), eseguita forse in collaborazione, è opera programmatica della nuova arte, basata sull'accordo tra ambientazione paesistica e solenne compostezza dell'evento, che Muziano aveva largamente affermato (fig. 8).

L'arte orvietana passava così a Roma. Si decoravano gli Oratori, e in quello del Gonfalone (1569-1576 ca.)([43]) e del SS. Crocifisso di S. Marcello (1580-1585 ca.)([44]) Nebbia ebbe parte ragguardevole mentre intorno alle nuove istanze riformate sorgevano tendenze diverse.

Ma ad onta degli sviluppi immediati e della molteplicità delle scuole presenti a Roma è essenziale il fatto che quando Sisto V decise di affidare ad una sorta di sovrintendenza generale le imprese pittoriche con cui avrebbe decorato i luoghi più santi della terra, dai Palazzi Lateranensi, alla Scala Santa, dalla biblioteca Vaticana alla Basilica di S. Maria Maggiore, scelse chi rappresentava la linea principale della riforma pittorica anche se affiancò a Nebbia l'emiliano Guerra, tenendo conto dell'altra tendenza dominante a Roma, soprattutto nella pittura profana, quella dei pittori educati nei fervidi cantieri emiliani e che, tramite la committenza farnesiana in primo luogo, avevano avuto largo spazio nella decorazione di Ville e Palazzi (la Villa di Caprarola in primo luogo)([45]). Il pontefice insomma mirava, quanto consapevolmente è impossibile dirlo, ad una conciliazione della via maestra della Riforma pittorica rappresentata dal suo esponente più illustre Cesare Nebbia, con quella della pittura profana, giunta a un alto livello di maturità espressiva (basti pensare a Bertoya o a Raffaellino da Reggio) cui sarebbe stato inopportuno rinunciare.

In effetti il risultato cui lo stile sistino pervenne fu proprio quello di una trascrizione dello stile riformato del Nebbia nelle gamme cromatiche e nella grafia della scuola emiliana con risultati che non cessano di sconcertare ancora oggi per l'effetto di coralità espressiva cui i due caposcuola riuscirono a indurre gran numero di artisti spesso dotati di personalità spiccate.

Il pontefice intendeva che le istanze riformatrici maturate da Muziano e sviluppate da Nebbia divenissero una metafora visiva della sua volontà primaria di rappresentare il consenso e l'unità sociale non minati da fenomeni di corrosione etica o economica ma prosperanti e felici. L'emergenza assoluta del tema della Fede che è il presupposto ideologico principale per l'approdo alle teorie riformate del Muziano, cedeva nello sviluppo dell'arte sistina ad una entusiastica arte narrativa, che è immagine metaforica del concetto di popolo cristiano pensato dal pontefice e preparava in immagine il Giubileo che, proprio su questo presupposto di tripudio e coralità, avrebbe dovuto essere celebrato dal papa francescano eletto nel 1585.

Sisto V invece moriva nel 1590 e la vicenda della pittura riformata assumeva una diversa fisionomia con il pontificato Aldobrandini([46]). Nello stile sistino poi era emerso, quale presenza latente e poi sempre più determinante, l'influsso di quella che può essere considerata l'altra personalità decisiva della riforma pittorica parallelamente a Muziano, quella di Federico Barocci, che divenne sempre più rilevante. Il pittore marchigiano cominciava più o meno nello stesso momento del Muziano ad impo-

8. *Cesare Nebbia e collaboratori,* La vocazione di Pietro e Andrea, *1575/80 (?). Roma, S. Maria della Consolazione.*

stare un discorso figurativo rinnovato, perché già nel 1557, mentre i lavori ad Orvieto erano appena iniziati, aveva dipinto il *Martirio di S. Sebastiano* per la Cattedrale di Urbino([47]), in cui il modulo latamente dossesco e beccafumiano della formulazione della figura era riplasmato secondo i criteri michelangioleschi nel contrapposto e nella posa serpentinata, che in definitiva potevano arrivargli da quello che la tradizione vuole fosse il suo maestro cioè Battista Franco. La remora michelangiolesca, che opera certo anche su Muziano ma che andava espunta per approdare alla pittura riformata, resta latente in Barocci e regredisce sempre più. Pure persino il cangiante cromatismo che diverrà sua tipica caratteristica scaturì forse quale mediazione tra il retaggio del *Tondo Doni* (che gli poté essere ribadito da Taddeo Zuccari) e quello padano del Correggio.

Muziano e Barocci esauriscono però soltanto un aspetto della Riforma, quello più strettamente connesso con un'istanza religiosa, ponendosi il Barocci quale autore orientato in senso mistico e visionario e il Muziano in senso cristologico e miracolistico.

La Riforma della pittura non fu motivata esclusivamente da fatti religiosi. Così come è inattendibile ed inesatto considerare la Controriforma, alla fine del Concilio, quale tendenza univoca e compatta, è altrettanto errato considerare pittura riformata solo quella che muove da presupposti squisitamente religiosi per trasformarli in dato estetico.

L'Abate Lanzi, che scrivendo in un'età attraversata da grandi riforme sociali, era particolarmente attento a questa fase della storia pittorica, spiega quello che potrebbe essere detto il secondo aspetto fondamentale della riforma pittorica cioè l'indagine orientata in senso naturalistico, in una celebre pagina sul Tintoretto([48]) il cui significato va oltre il riferimento al grande artista veneto. Dopo aver affermato che 'non aspirava egli come i precedenti ad esser detto tizianesco' (c'è qui una sorta di parallelo con l'antimichelangiolismo che determina la riforma di Muziano e del Barocci) il Lanzi spiega che il Tintoretto ambiva a creare lui una scuola che superasse quella tizianesca e 'le aggiugnesse ciò che mancavale'. Ecco il metodo del Tintoretto che può ben a ragione dirsi riformato: 'Usava spesso di disegnare i modelli a lume di lucerna per trarne ombre forti, e così addestrarsi a un fortissimo chiaroscuro. Per lo stesso fine facea modelli di cera e di creta, e vestitigli studiosamente, gli adattava in picciole case composte di cartoni e di assi, accomodandovi per le finestre de' lumicini che ne regolassero i lumi e l'ombre. Gli stessi modelli sospendea dal soffitto con fili in questa o in quell'attitudine, e disegnavali da vari punti di veduta per acquistare il possesso del sotto in su, non così cognito alla sua scuola, com'era già alla lombarda. Né intanto trascurava la notomia per conoscere a fondo la ragione de' muscoli e la struttura del corpo umano; e quanto potea disegnava il nudo in vari scorti ed in mosse diverse per rendere così varie le composizioni come varia è natura. Con tali studi egli disponeasi a introdurre fra' suoi il vero metodo degli studi, che comincia col disegnare l'ottimo, e coll'idea di quello stile procede a copiare il nudo e ad emendare i difetti'. Analoga è la situazione bolognese nel racconto del Lanzi dove i Carracci aprono un'Accademia' fornendola di gessi di disegni e di stampe... introducendovi scuola di nudo, di prospettiva, di notomia e di quanto richiede l'arte e guidandola con un accorgimento e un'amorevolezza da popolarla in poco tempo' tanto che 'ciascuno era libero a tener quella via che più gli piaceva; anzi era incamminato ciascuno per quello stile a cui la natura li guidava; ragione per cui tante maniere originali pullularono da un medesimo studio; ogni stile però dovea avere per base la ragione, la natura, l'imitazione'([49]).

In sostanza si tratta di intendimenti analoghi (e di simili se ne riscontrano nell'Accademia milanese di Giulio Cesare Procaccini([50]) o in quella romana di S. Luca di Federico Zuccari)([51]) che mirano a un recupero della ragionevolezza del fare connessa ad una indagine concreta sul naturalismo senza un fine esclusivamente devoto.

L'indicazione del Lanzi si attiene del resto alla sistemazione belloriana, che vide in Agostino Carracci la figura emblematica del riformatore in questa peculiare accezione, di cui è testimonianza l'analisi dell'opera fondamentale dell'artista la *Comunione di S. Gerolamo* databile ca. 1590([52]) (fig. 9).

Dopo il pontificato sistino, si delinea una diversa soluzione alla problematica della pala d'altare e della pittura sacra, oltre le posizioni del Muziano e del Barocci.

La *Comunione di S. Gerolamo* costituì il modello cui si ispirarono le nuove generazioni. Fu il Bellori che definì il quadro 'esempio ed opera fra le più lodevoli della moderna pittura' e la vita stessa di Agostino, descritto dal biografo quale virtuoso volto ad una sintesi di arte e scienza, permette di cogliere la nuova

9. Agostino Carracci, La Comunione di S. Gerolamo, *1590 ca. Bologna, Pinacoteca Nazionale.*

fase della riforma della pittura fondata su una sorta di razionalità estetica mirante a descrivere l'aspetto speculativo della sapienza cristiana tesa alla ricerca del vero nelle apparenze della natura e della storia.

La *Comunione di S. Gerolamo* fu, come è logico, un'opera dimostrativa esprimente un tipo di personaggio figurativo mai descritto così chiaramente.

Scompare l'afflato popolare che aveva caratterizzato l'arte riformata sistina e subentra una figura meditativa e grave, immersa nel silenzio interiore e in una estatica quiete cui si addice l'austero ideale cattolico ormai dimentico della tensione provocata dalla lotta contro il protestantesimo e di quello stesso Concilio tridentino divenuto un dato storico esso stesso.

10. *Ludovico Carracci,* Ascensione di Cristo, *1597. Bologna, S. Cristina.*

11. *Bartolomeo Passerotti,* Madonna col bambino e santi, *1565. Bologna, S. Giacomo Maggiore.*

Il nuovo ideale di cultura sostanzia l'opera del Domenichino, Reni, Lanfranco.

Alle origini stilistiche di tale rinnovamento ci fu l'influsso, determinante anche sotto il profilo ideologico, del Correggio, presente certo anche nel Barocci ma ora consacrato a modello dell'arte pittorica.

Nel Correggio i nuovi riformati scoprono quella 'intelligenza del lume e dell'ombra' quel 'tinteggiare all'uso lombardo', (Lanzi) che è una delle strade maestre del naturalismo europeo e su cui pochi anni prima aveva lavorato anche il Tintoretto.

La riforma pittorica, prima che il Caravaggio esordisca, passa quindi da una fase di attenzione al dato religioso intrinseco nella sfera dell'estetico ad una ricerca sul naturale, per una raffigurazione aderente ad esperienze percettive particolari, espressione della libertà mentale e figurativa dell'ambiente padano correggesco, indipendente dai condizionamenti devozionali.

Ma entro l'Accademia dei Carracci convivono impostazioni diverse tra loro come aveva ben notato il Lanzi. Tanto austera e meditativa è l'arte di Agostino, tanto drammatica e per certi versi affine alla ricerca tintorettesca è l'arte di Ludovico (fig. 10), tanto impostata sul tema della *Quies* rasserenante è l'arte di Annibale, inventore di temi iconografici destinati a grande diffusione come quello del *Domine quo vadis*, della Vergine Assunta, della Pietà[53].

All'avvicinarsi della fine del secolo, le tendenze riformate si complicano in un dibattito sempre più complesso intersecandosi tra loro e rimettendo in discussione il problema michelangiolesco.

L'esperienza fatta sul Correggio poteva portare ad esiti diversi a seconda che del maestro emiliano si guardasse alle pale d'altare estatiche e solenni o agli affreschi della cupola del Duomo e di S. Giovanni Evangelista.

Certo è che contrastano due tendenze, una connessa al retaggio del Muziano e del Barocci, l'altra al correggismo visto in un'ottica michelangiolesca. Naturalmente sulla base di questi presupposti si arriverà anche molto lontano dai maestri ma il contrasto tra componente meditativa e dilatazione del gigantismo è una realtà complessa che sfugge ad una definizione univoca (fig. 11).

Così se il Cigoli in ambiente fiorentino, il Vanni in ambiente senese e il Lilio in ambiente marchigiano (ma tutti e tre presenti a Roma) risentono a diverso titolo dell'esperienza baroccesca, il Passignano a Firenze, Bartolomeo Cesi a Bologna e Giovanni Battista Moroni nel bergamasco sviluppano idee figurative originatesi dall'esperienza muzianesca profondamente rielaborata da altri apporti.

Altri pittori, tramite il recupero del correggismo, mediato di volta in volta attraverso le esperienze in direzione michelangiolesca di un Tibaldi, un Vasari, un Salviati, elaborano una maniera mossa e tumultuante in cui, caduto il sospetto di fondo dell'eresia del caposcuola, riemergono l'energia grafica e il dinamismo intrinseco alla figurazione.

Molti lombardi si muovono in questo senso, da Giovanni Battista Paggi a Giulio Cesare Procaccini, dal Malosso al Cerano, da Aurelio Luini a Carlo Urbino a Isidoro Bianchi.

A Roma stessa, dopo le esperienze in senso tibaldiano di Tommaso Laureti([54]) dominano l'ambiente del Giubileo il Cavalier d'Arpino e i fratelli Cherubino e Giovanni Alberti([55]), artisti volti ad una colossale amplificazione del discorso figurativo attraverso complesse ricerche prospettiche, in parte mutuate dalla Cremona dei Campi, e dilatazioni della tematica narrativa e decorativa.

Ma questo terzo aspetto della riforma pittorica, pur denso di sviluppi, veniva contraddetto dall'emergere dell'esperienza caravaggesca.

Nello stesso anno giubilare 1600, mentre gli Alberti sono al lavoro nella sala Clementina in Vaticano opera di vastissimo impegno, Caravaggio ha eseguito la cappella Contarelli.

È canonica l'osservazione che con il Caravaggio non c'è più alcun atteggiamento riformatore ma si è di fronte ad una rivoluzione di carattere estetico.

Indubbiamente il maestro, nell'elaborare le proprie idee nel campo dell'arte sacra, assimilò l'essenza ideologica e figurativa delle tendenze riformate. Come il Muziano e i suoi discepoli, attuò l'idea della funzione protagonistica dell'immagine e come il Barocci considerò la pala sacra quale luogo di un evento visivo espresso nel suo acme essenziale. Infine dalle molte scuole di pittura monumentale tenne presente il principio della incombente fisicità nella formulazione della figura. Tuttavia nessuno di questi dati entra nella pittura caravaggesca in logica deduzione stilistica dalla pittura riformata.

C'è realmente un senso di folgorazione visiva, simboleggiato dall'elemento Luce, che induce a trovare nella cappella Contarelli e in ciò che seguì un recupero di quella dimensione simbolica del dato figurativo, che effettivamente contrasta nettamente con qualunque possibile estensione del concetto di riforma pittorica([56]).

3. IMMAGINE DI S. FRANCESCO IN AMBIENTE ROMANO

L'immagine di S. Francesco nella Controriforma si fonda su tre temi principali: 'il ritiro, la meditazione e l'estasi'([57]).

Si acuisce in tutto l'apparato iconografico il confronto tra la figura del santo e quella del Cristo, nel senso specifico della antica *Imitatio Christi*, da cui è tratta almeno l'idea figurativa del santo che porta la Croce, rinnovando la Passione del Redentore. Accanto all'immagine del Santo, si possono considerare temi francescani specifici quello del culto delle ferite del Costato, delle Stimmate, della Via Crucis e dell'Immacolata Concezione([58]).

All'inizio del secolo l'immagine del Santo appare raramente in figurazioni autonome relative ad episodi della vita, quanto piuttosto in contesti dotati di senso dottrinale.

Luca Signorelli lo rappresenta nella Volta dei Dottori della chiesa nella cappella di S. Brizio in posizione relativamente subordinata e nell'atto di ostendere le Stimmate, interpretato quale fatto sapienzale.

Nella *Natività* ora alla Galleria Doria Pamphili in Roma del pittore ferrare Benvenuto Tisi detto l'Ortolano, databile al 1520 ca.([59]), il Santo assiste alla Natività in estatica contemplazione, assumendo il significato simbolico della preveggenza della Passione di cui egli reca le Stimmate.

Nella Pala *Pesaro* di Tiziano, nella Basilica dei Frari a Venezia, compiuta nel 1526 ma già in lavorazione nel 1519, il Santo è posto in figura di mediatore tra l'epifania della Vergine e le umane e storiche presenze della famiglia Pesaro. Anche in questo caso c'è l'ostensione delle Stimmate ma in funzione salvifica per l'umanità che assiste al commovente manifestarsi dell'ultraterreno([60]) (fig. 12).

La connessione con la Passione di Cristo è sottolineata nella prima metà del secolo dall'iconografia del Santo che porta la Croce, particolarmente diffusa in area nord italiana, tra il Piemonte e la Liguria. Tra i prototipi è ragguardevole quello della pala di Martino Spanzotti per S. Francesco a Casale Monferrato ricostruita e datata da Giovanni Romano al 1502([61]). È uno dei pochi attributi iconografici particolari con cui il Santo è caratterizzato in età cinquecentesca, ne mette in evidenza l'aspetto mi-

12. *Tiziano,* Pala Pesaro, *1526. Venezia, S. Maria Gloriosa dei Frari.*

13. *Gerolamo Siciolante,* Madonna col bambino e santi, *1574 ca. Roma, S. Tommaso in Formis (già in S. Pietro).*

stico e meditativo che, in piena Controriforma, sarà interpretato come baluardo della virtù della Fede connessa all'esercizio della Carità. Le stesse Stimmate possono essere intese quale attributo iconografico come nella pala del seguace ferrarese di Dosso Dossi, il Calzolaretto, nella Pinacoteca nazionale di Ferrara, databile 1527 ca., in cui il Santo è raffigurato con S. Giacomo maggiore, S. Pietro Apostolo e S. Ludovico re([62]).

Il tema dell'Adorazione della Croce e quindi la componente di mistico patetismo che connota la figura del Santo in rapporto al momento culminante della sua esperienza religiosa, si ritrova in area umbra già nel quinto decennio, ad esempio nella scuola eugubina dei Nucci, tutori di una tradizione di severità espressiva risalente agli esempi del Costa e del Francia bolognese([63]).

Nel quinto decennio la figura del Santo compare anche in raffigurazioni connesse al michelangiolismo, in un'area culturale quanto mai aliena da una dimensione mistica e devota.

Bronzino intorno al 1541 raffigura il Santo in un celebre brano della volta della cappella di Eleonora di Toledo in Palazzo Vecchio([64]), proponendolo in uno scorcio intimamente contraddittorio (si tratta infatti della principale difficoltà dell'arte secon-

14. Niccolò Circignani, L'approvazione della regola da parte di Onorio III, *1583. Roma, S. Giovanni dei Fiorentini.*

15. Niccolò Circignani, Predica di S. Francesco di fronte al sultano, *1583. Roma, S. Giovanni dei Fiorentini.*

do la teoresi cinquecentesca) con la semplicità e l'immediatezza espresse dalla figura del Santo.

Così il Vasari, raffigurando le *Stimmate* per il Tempio Malatestiano di Rimini, nel 1548, connota l'immagine del Santo con strumenti stilistici prettamente michelangioleschi([65]). È un'opera sintomatica ed importante perché si pone a discrimine di due momenti contrastanti nella espressione sacra. Nel quadro vasariano sono presenti l'eco del mondo figurativo di Giulio Romano, la posa 'tormentosa' tipicamente michelangiolesca, ma anche una austerità espressiva che sembra preludere alla nuova coscienza religiosa del fatto figurativo a quel punto imminente.

Nella seconda metà del secolo inizia infatti il processo di riforma pittorica che si articolerà in varie fasi. Presenza unica e dominante, nel primo esordio a Orvieto, è quella del Cristo e poco rilevante quella dei santi in una chiesa cattolica in via di trasformazione dopo la crisi del luteranesimo. Fino al 1560 ca. non si riscontrano immagini di S. Francesco proprio nell'area più devota, quella umbro-laziale, ma il fatto è spiegabile con i presupposti dottrinali che si sono venuti esponendo.
All'inizio degli anni settanta Siciolante da Sermoneta raffigura il

16. *Jacopino del Conte,* S. Francesco stigmatizzato, *1590 ca. Roma, Monastero del Corpus Christi.*

Santo in una pala già in S. Pietro, oggi in S. Tommaso in Formis a Roma([66]). È una pala di evocazione medioevale (vi è raffigurato infatti il papa Bonifacio VIII) che richiama precocemente la spiritualità francescana rievocando un remoto passato in cui il Santo è proposto sotto il profilo dell'Adorazione (fig. 13).

Più o meno nello stesso periodo una commossa e appassionata presentazione delle Stimmate è quella di Giovanni de' Vecchi, uno dei riformatori della pittura, in S. Pietro in Montorio([67]). Anche in questo caso un esplicito arcaismo della formulazione (quasi un polittico) affianca alla presenza di Francesco quella di altri santi, in uno spirito di coralità che riporta la Stimatizzazione ad attributo iconografico.

È questo il momento in cui, superata la fase del Cristo come

17. *Paolo Rossetti,* S. Francesco (mosaico), *1594. Roma, S. Maria di Loreto.*

18. Gerolamo Muziano, Volta della cappella Ruiz *(particolare con S. Francesco che porta la croce), 1570 ca. Roma, S. Caterina dei Funari.*

19. Orazio Borgianni, La Vergine porge il Bambino a S. Francesco, *1608. Già Sezze, Chiesa del Cimitero.*

l'assoluto protagonista dello spazio pittorico, l'immagine di S. Francesco si qualifica in relazione ai misteri cruciali della vita di Cristo, assumendo le sembianze dell'astate o dell'orante.

Così Francesco, nella cultura figurativa centro meridionale, assiste all'*Annunciazione* (G. D. Catalano, *Annunciazione*, Gallipoli S. Francesco)([68]), adora la Vergine insieme con l'altro Francesco, S. Francesco di Paola, che in ambiente meridionale gli viene volentieri accostato (G. Imperato, *S. Francesco e S. Francesco di Paola adorano la Vergine del Carmelo*, Napoli Spirito Santo)([69]), assiste alla Passione di Cristo nel momento specifico della deposizione nel sepolcro (Malosso, *Pietà e santi*, Brera)([70]) appare miracolosamente in compagnia di S. Chiara o da solo (S. Ciburri, in Assisi, S. Maria degli Angeli)([71]), adora la Vergine con S. Agostino (Giuseppe Cesari, Roma, S. Trinità dei Pellegrini)([72]) con S. Giovanni Battista (L. Rodriguez, Napoli, Pinacoteca)([73]) e altri santi (Teodoro d'Errico, Pomarico Parrocchiale)([74]).

Nell'ambito della pittura riformata, dal nord al sud d'Italia, l'immagine del Santo quale mediatore di devozione, è presenza primaria nella pala d'altare in cui si manifesta la Vergine, cardine del sistema della chiesa cattolica, connotata dal carattere dell'umiltà adorante.

Questo aspetto, già orientato verso l'illustrazione del tema della Carità quale virtù primaria esprimibile nello spazio pittorico, si connette a quello della vita operosa e salvifica del Santo.

Una solenne illustrazione è fornita da Niccolò Circignani, detto il Pomarancio, in S. Giovanni dei Fiorentini in Roma([75]) (figg. 14-15) mentre Jacopino del Conte, nel tardo dipinto delle *Stimmate* già nel monastero del Corpus Christi (fig. 16), centra l'aspetto patetico e tormentoso dell'episodio, connettendolo ai modelli iconografici dell'Orazione nell'Orto per suggerire una lettura cristologica.

Così il patetico abbraccio della Croce nel mosaico di Paolo Rossetti, in S. Maria di Loreto([76]) (fig. 17) è un ulteriore tema iconografico che anche Muziano aveva utilizzato, collegandolo strettamente ai miracoli di Cristo, in S. Caterina dei Funari (fig. 18).

La vicenda biografica, ampiamente illustrata nel consunto ciclo del secondo chiostro di S. Pietro in Montorio, e la presenza del Santo nella fervida comunità dei credenti che adorano il manifestarsi della Vergine col figlio o la passione del Cristo, sono interpretate, almeno fino all'anno giubilare, secondo il criterio ideologico della *Caritas* su un registro stilistico che fa capo a tutti e tre i filoni dell'arte riformata.

Ma la cultura caravaggesca, estranea a un deduttivo sviluppo della riforma, separa nell'immagine del Santo la tematica sacra dal concetto riformato della Carità quale virtù figurativa per antonomasia, descrivendola nei termini di una nuova esperienza di Fede.

Caravaggio stesso già con il *S. Francesco* oggi ad Hartford, opera giovanile, mette in evidenza il tema della consolazione angelica([77]). Il Santo non è più visto quale membro della società de-

20. *Giovanni Battista Fiammeri (cerchia di)* Gloria dei santi, *1590 ca. Roma, S. Vitale.*

21. *Gerolamo Muziano,* S. Francesco stigmatizzato, *1575/80 ca. Roma, S. Maria della Concezione.*

gli eletti, cardine fisico e concettuale della chiesa cattolica, ma nel momento tormentoso e patetico seguente all'atto della Stimmatizzazione. Permane e si rafforza il paragone con Cristo ma, dove la pittura riformata aveva indirizzato la figurazione sulla partecipazione di Francesco alla natura divina del Cristo, quella caravaggesca la indirizza verso quella umana.

Nel quadro del Baglione raffigurante lo *Svenimento* datato 1601, già nella collezione Borghese, il Santo giace in un'estasi mistica assolutamente personale e introspettiva([78]). E l'immagine dell'angelo che lo consola col suono della viola da braccio emerge solo con riformati particolarissimi come il Cavalier d'Arpino e il Moncalvo.

L'Estasi e lo svenimento e in conseguenza la consolazione angelica e la quiete rassenerante, sono colti dalla generazione caravaggesca nella riscoperta di Francesco come uomo di Fede svincolato dalla comunità dei credenti, singolarmente solo.

Caravaggio stesso svolge questo tema nelle sue conseguenze estreme non consolatorie ma tragicamente mistiche.

La sua è l'immagine della meditazione sulla morte, lucida, in assoluta solitudine, secondo un senso profondo dell'*Imitatio Christi* ove natura umana e divina del Cristo rivivono nel momento estremo della contemplazione della fine.

Del resto, uscendo dal dibattito della riforma pittorica, Caravaggio carica l'immagine di sensi reconditi, che sollecitano la raffigurazione di esperienze non previste nell'ambito della riforma. Nel quadro di S. Silvestro in Capite, Gentileschi formula l'Estasi del santo nei termini dello sbalordimento di fronte all'annuncio dell'inconoscibile e nel quadro del precoce caravaggesco Niccolò Musso per S. Ilario a Casale([79]), il Santo abbraccia fervidamente la Croce di Cristo, reinterpretando in senso mistico il connotato iconografico della Croce.

Nella cultura caravaggesca emergono i temi francescani

22. Ferraú Fenzone, S. Francesco stigmatizzato, *1595 ca. Roma, S. Maria in Trastevere.*

23. Tanzio da Varallo, Madonna col bambino e santi, *1645. Varallo, Pinacoteca.*

dell'interiorità e della mistica più sofferta. Nel quadro di Borgianni a Sezze è formulata la ancora rara iconografia della Vergine che porge il bambino al Santo secondo una accezione di trascrizione del pensiero religioso in termini di affettuosa vita familiare destinati a grandi sviluppi futuri(80) (fig. 19).

Nella pala di Loano(81) Carlo Saraceni, propone l'episodio delle Stimmate (entro il 1614) con coinvolgimento emotivo che va oltre il dato patetico e dolente formulato almeno vent'anni prima da Durante Alberti (Roma, Palazzi Vaticani)(82), mentre nello stesso momento Guido Reni, nella cappella Paolina in S. Maria Maggiore a Roma, dipinge il Santo adorante secondo i criteri tipici dell'anno giubilare in rapporto all'antica iconografia dell'Orante della chiesa primitiva(83).

In sostanza in area caravaggesca emergono i temi dell'Estasi, della Consolazione e della Meditazione, mentre i pittori riformati più maturi come Reni recuperano nell'immagine del Santo la spiritualità della più antica chiesa di Roma, e dall'anno giubilare in poi, qualificano l'ultima fase della riforma stessa.

Il grandissimo numero di rappresentazioni delle Stimmate nella seconda metà del cinquecento è la più evidente dimostrazione che l'immagine del Santo, durante tutto lo sviluppo della pittura riformata, seguì coerentemente il criterio dottrinario fondamentale espresso dalla teorizzazione della chiesa ufficiale.

Se la pittura è esercizio di virtù e questa virtù è la Carità, l'immagine del Santo è in un primo momento vista nella comunità dei Santi e dei credenti. Viene poi meno l'immagine dottrinaria circolante all'inizio del secolo e si puntualizza quella di una presenza autorevole e consolatoria nella pala d'altare avente a sua tematica quella dell'Adorazione. S. Francesco, santo dell'umiltà ma paragonabile a Cristo stesso, è volentieri accetto anche al di fuori del suo stesso ordine, prova ne sia la presenza di raffigurazioni del Santo in ambiente gesuita. A S. Vitale in Roma per esempio due pale d'altare furono eseguite dal padre Giovanni Battista Fiammeri, gesuita.

Una di queste pale mostra S. Francesco nel Consesso dei santi (fig. 20) secondo una ipotesi dottrinale già formulata all'inizio del secolo mentre un'altra è una *Immacolata Concezione*. Nella stessa chiesa del Gesù la cappella della testata destra della navata, dedicata da Francesco Borgia è decorata con dipinti raffiguranti storie di S. Francesco secondo una accezione fervida e misticheggiante che non costituisce peraltro un tralignamento ma un coerente sviluppo della interpretazione del Santo in senso 'caritatevole', perfetto eroe simbolico della pittura riformata.

Nella interpretazione della generazione caravaggesca emergono invece tutti quei dati visivi che portano ad una interpretazione del santo quale simbolo della Fede che si fortifica attraverso le fasi della sofferenza e dell'Estasi. Certo alla base c'è la prepotente fisicità della cultura caravaggesca (S. Vouet a S. Lorenzo in Lucina giungerà a rappresentare la *Tentazione del Santo* in senso violentemente profano)([84]) ma c'è anche nel contempo il cupo e disperato afflato spiritualistico che percorre tutta l'opera del Caravaggio e di molti seguaci.

Nel passare da emblema della Carità a emblema della Fede, l'immagine francescana subisce uno spostamento significativo che è quello di una intera civiltà figurativa. La figura tormentata e isolata del Santo (anche se non mancano nella cultura caravaggesca momenti di serena contemplazione come nella pala di Honthorst per Frascati) riporta il dibattito estetico verso quel tema della unità da cui siamo partiti per tratteggiare i caratteri della pittura riformata. L'assolutizzazione di pochi prototipi, (figg. 21-22) oggetto di severo approfondimento, è in contrasto con la varietà di tendenza della pittura riformata. D'altra parte se l'immagine del Santo permane nei molti prodotti dell'Accademia carraccesca e della scuola lombarda fino a Tanzio da Varallo (fig. 23), quale protagonista nella pala d'altare dell'Adorazione della Vergine, ciò indizia una lunga sopravvivenza delle istanze riformate, pur dopo la piena affermazione della cultura caravaggesca, per un'immagine di S. Francesco come luogo di verifica e di illustrazione delle virtù teologali nel complesso spazio della pittura.

NOTE

(1) I testi considerati sono il Libro sulla pittura di Leonardo da Vinci (1500-1505 secondo Pedretti); *Degli errori e degli abusi dei pittori circa l'istorie* di Giovanni Andrea GILIO Camerino 1564; il *Trattato di alcune cose appartenente alla nobiltà dell'antiche arti e massime de la pittura...* di Pirro LIGORIO; il *De incertitudine et vanitate omnium scientiarum et artium* di Enrico Cornelio AGRIPPA; *Il Riposo* di Raffaele BORGHINI; il *Discorso intorno alle immagini sacre e profane* di Gabriele PALEOTTI, Bologna 1582; le *Vite de' pittori scultori e architetti moderni* di Giovan Pietro BELLORI; il *Della nobilissima pittura e della sua arte del modo e della dottrina di conseguirla* di Michelangelo BIONDO Venezia 1549; il *Dialogo della pittura intitolato l'Aretino* di Ludovico DOLCE, Venezia 1557. Ad eccezione del testo del BELLORI, utilizzato nella edizione Torino 1976 a cura di G. PREVITALI (introduzione) ed E. BOREA (commento) tutti gli altri testi sono stati letti nell'edizione a cura di P. BAROCCHI, *La letteratura italiana Storia e testi*, 32-1, Milano Napoli 1971 (riprodotto in Classici Ricciardi-Einaudi, 1978) con il titolo *Scritti d'arte del Cinquecento*.

(2) Opera compilata da allievi su brani autentici di Leonardo (L. GRASSI, *Teorici e storia della critica d'arte*, Roma 1970 p. 177).

(3) E. CASTELLI, *Il demoniaco nell'arte*, Milano-Firenze 1952 pp. 24-40.

(4) D. R. COFFIN, *Pirro Ligorio on the Nobility of the Arts*, in 'Journal of the Warburg and Courtauld Institutes' XXVII, 1964 pp. 192 segg. (data il trattato al 1570-80).

(5) P. PRODI, *Il Cardinale Gabriele Paleotti*, Roma 1959-67 (2 voll.). Ultimamente M. CALÌ, *Da Michelangelo all'Escorial*, Torino 1980 pp. 22-29 (anche in rapporto alla posizione di R. DE MAIO, *Michelangelo e la Controriforma*, Bari 1978).

(6) S. ROSSI, *Dalle Botteghe alle Accademie*, Milano 1980 pp. 89-145.

(7) Voce *Maniera* in L. GRASSI-M. PEPE, *Dizionario della critica d'arte*, vol. II, Torino 1978 pp. 296-297.

A. PINELLI, *La maniera: definizione di campo e modelli di lettura*, in Storia dell'arte Italiana, Parte II, Vol. II Tomo I, Torino 1981 pp. 97-105.

(8) J. SHEARMAN, *Mannerism*, Harmondsworth 1967 pp. 37-39.

(9) V. SGARBI, *Palladio e la Maniera*, Milano 1980 pp. 36-39.

(10) F. ALIBERTI GAUDIOSO-E. GAUDIOSO, *Gli affreschi di Paolo III a Castel Sant'Angelo*, Roma 1981 Vol. I pp. 31-37

(11) P. BAROLSKY, *Daniele da Volterra*, New York 1979 pp. 101-107.

(12) V. CASALE, *Ragione teologica e poetica barocca*, Libreria Editrice Canova 1973 pp. 49-92.

(13) H. VOSS, *Die Malerei der Spätrenaissance in Rom und Florenz*, Lipsia 1920, Vol. II, pp. 438-442.

(14) R. CORTI, *Pontormo a S. Lorenzo.: un episodio figurativo dello 'spiritualismo' italiano*, in 'Ricerche di Storia dell'arte' 6, 1977 pp. 5-36.

(15) V. I. STOICHITA, *La sigla del Pontormo: il programma iconografico della decorazione del coro di S. Lorenzo*, in 'Storia dell'Arte' 38/40 1980 pp. 241-256.

(16) H. JEDIN, *Storia del Concilio di Trento*, (4 voll.) Brescia 1949, pp. 15-55.

(17) *Giorgio Vasari*, cat. della Mostra di Arezzo, Firenze 1981 pp. 121-123 (di J. Kliemann).

(18) P. TACCHI VENTURI, *Storia della Compagnia di Gesù in Italia*, (due voll.) Roma 1910-1922 pp. 100-118.

(19) P. SARPI, *Istoria del Concilio Tridentino* ed Firenze 1966 pp. 401-470.

(20) In particolare la decorazione del Salone di Palazzo Farnese in Roma su cui ora I. CHENEY, in *Le Palais Farnèse*, Roma 1981 Vol. I, pp. 243-267.

(21) H. TREVOR ROPPER, *Principi e artisti*, (trad. it. Torino 1980) pp. 3-50.

(22) U. PROCACCI, *Una vita inedita del Muziano*, in 'Arte veneta' 1954 p. 243. L'opera è firmata.

(23) J. GERE, *Taddeo Zuccari. His development studied through his drawings*, Londra 1969 pp. 206-223.

(24) A. SATOLLI, *Quel bene detto Duomo*, (con una appendice di Documentazione inedita sugli interventi cinquecenteschi nel Duomo scomparsi nei restauri del 1877), in 'Bollettino dell'Istituto storico orvietano, XXXIV-1978, Orvieto 1980 pp. 73-160.

(25) L. vonRANKE, *Storia dei Papi*, (trad. it. Firenze 1965) pp. 211-257.

(26) H. OLSEN, *Federico Barocci*, Copenhagen 1962 pp. 152-53.

(27) F. BRAUDEL, *Civiltà e imperi del mediterraneo nell'età di Filippo II* (trad. it. due vol. Torino 1953 pp. 10-36).

(28) M. BONICATTI, *Studi sull'Umanesimo*, Firenze 1969 pp. 141-175.

(29) J. DELAUMEAU, *Vita economica e sociale di Roma nel cinquecento* (trad. it. Firenze 1979 p. 104).

(30) DELAUMEAU *op. cit.* p. 106.

(31) DELAUMEAU *op. cit.* p. 83; M. FAGIOLO, *La Roma di Sisto V e la matrice del policentrismo*, in 'Psicon' 1976 - 9 pp. 25-39.

(32) L. SPEZZAFERRO, *Il recupero del rinascimento*, in Storia dell'arte italiana, Parte II, Vol. II, Tomo I, Torino 1981 pp. 200-206.

(33) J. GERE, *Girolamo Muziano and Taddeo Zuccaro...*, in 'The Burlington Magazine' 108. 1966 pp. 102-104.

(34) L. FUNI, *Il Duomo di Orvieto,* Firenze 1866 pp. 537-38.

(35) G. SAPORI,*Perugia 1565-75: Girolamo Danti*, in 'Bollettino d'arte' 11. 1981 pp. 7-8.

(36) E. MACK ROSAMOND, *Girolamo Muziano and Cesare Nebbia at Orvieto,* in 'The Art Bullettin' 3, 1974 pp. 410-13.

(37) C. GOULD, *Raphael versus Giulio Romano: the swing back*, in 'The Burlington Magazine' CXXIV 953, 1982 pp. 479-487.

(38) A. PINELLI, *op. cit.* pp. 138-146.

(39) Aristotele, *Poetica* (ed. a cura di A. ROSTAGNI, Torino 1945 pp. 56-80).

(40) M. CALÌ, *op. cit.* pp. 116-154.

(41) M. HIRST, *Sebastiano del Piombo,* Oxford 1981 pp. 41-68.

(42) L. RUGGERI, *L'Arciconfraternita di S. Lucia del Gonfalone,* Roma 1866 pp. 100-127.

(43) K. OBERHUBER, *J. Bertoya in Oratorium von S. Lucia del Gonfalone in Rom,* in 'Romische Historische Mitteilungen' 1958-59 p. 249.

(44) J. Von HENNEMBERG, *L'oratorio dell'Arciconfraternita del Santissimo Crocifisso di S. Marcello,* Roma 1974.

(45) I. FALDI, *Il palazzo Farnese di Caprarola,* SEAT Torino 1981 pp. 15-52.

(46) L. SPEZZAFERRO, *op. cit.* pp. 185-199.

(47) *Federico Barocci,* cat. della Mostra, Bologna 1975 pp. 53-56 (di A. EMILIANI).

(48) L. LANZI, *Storia pittorica della Italia dal risorgimento delle Belle arti fin presso al fine del XVIII secolo,* Bassano 1799 Scuola veneziana. Epoca seconda. R. PALLUCCHINI, in *Tintoretto. Le opere sacre e profane,* I Milano 1982 pp. 109-114.

(49) A. W. BOSCHLOO, *Annibale Carracci in Bologna. Visibile reality in art after the Council of Trent,* The Hague 1974, Vol. I pp. 38-53.

(50) H. BRIGSTOCKE, *Giulio Cesare Procaccini reconsidered,* in 'Jarbuch der Berlinen Museen' 18. 1976-77, pp. 84-133.

(51) *L'Accademia Nazionale di San Luca,* Roma 1974 pp. 5-14 (di C. PIETRANGELI).

(52) *I Carracci,* cat della Mostra, Bologna 1956 pp. 146-150 (di M. CALVESI).

(53) D. POSNER, *Annibale Carracci. A study in the reform of italian painting around 1590,* (due voll.) New York 1971 Vol I p. 126.

(54) L SPEZZAFERRO, *op. cit.* 249-252.

(55) K. HERMANN FIORE, *Giovanni Alberti Kunst und Wissenshaft der Quadratur. Eine Allegorie in der Sala Clementina des Vatikan,* in 'Mitteilungen des Kunsthistorisches Institutes in Florenz' 1978 pp. 61-84.

(56) M. CALVESI, *Caravaggio o la ricerca della salvazione,* in 'Storia dell'arte' 9/10, 1971 pp. 93-141.

(57) L. BRACALONI, *L'arte francescana nella vita e nella storia di settecento anni,* Todi 1924 p. 304.

(58) V. FACCHINETTI, *Iconografia francescana,* Milano 1924 pp. 82-83.

(59) L'opera non è datata in quanto secondo E. A. SAFARIK, G. TORSELLI, *La Galleria Doria Pamphili a Roma,* Roma 1982 p. 65 'la data MDXXVII, apposta presso il margine inferiore, sotto la cornice, si riferisce allo spostamento del dipinto da Ferrara a Roma'.

(60) H.E. WETHEY, *The paintings of Titian*, Londra 1969 Vol. I p. 101.

(61) G. ROMANO, *Casalesi del Cinquecento,* Torino 1970 pp. 7-13.

(62) G. FRABETTI, *Manieristi a Ferrara,* Milano 1972 p. 35.

(63) *Produzione artistica francescana. Memoria e conservazione,* Guida alla mostra, a cura della Soprintendenza per i Beni AA AA AA SS dell'Umbria, Assisi 1982 (scheda di V. GARIBALDI).

(64) C. H. SMYTH, *Bronzino as draughtsman. An introduction.* New York 1971.

(65) *Giorgio Vasari,* cat della mostra cit. p. 337 (scheda di P. G. PASINI).

(66) I. TOESCA, *Due opere del Siciolante,* in 'Paragone' 187. 1965 pp. 16-17.

(67) A. PINELLI, *Pittura e Controriforma. 'Convenienza' e misticismo in Giovanni de' Vecchi,* in 'Ricerche di storia dell'arte' 6. 1977 pp. 49-60.

(68) M. S. CALÒ, *La pittura del Cinquecento e del primo Seicento in terra di Bari,* Bari 1969 p. 171

(69) G. PREVITALI, *La pittura del Cinquecento a Napoli e nel Vicereame,* Torino 1978 p. 114.

(70) A. VENTURI, *Storia dell'Arte Italiana,* IX, 7, 1936 p. 746.

(71) AA. VV., *Pittura del '600 e del '700. Ricerche in Umbria 2,* Treviso 1980 n. 203.

(72) In *Attività della Soprintendenza alle Gallerie del Lazio,* Roma 1969 p. 26 (scheda di M. V. BRUGNOLI).

(73) G. PREVITALI, *op. cit.*, p. 116.

(74) *Arte in Basilicata,* (a cura di A. GRELLE IUSCO) Roma 1981 p. 93.

(75) AA. VV., *Via Giulia,* Roma 1973 pp. 231-232 (di L. SALERNO).

(76) S. BENEDETTI, *S. Maria di Loreto,* Le chiese di Roma illustrate, Roma 1968 p. 112.

(77) Su cui P. ASKEW, *The angelic Consolation of St. Francis of Assisi...,* in 'The Journal of Warburg and Courtauld Institute XXXII', 1969 pp. 280-306.

(78) R. E. SPEAR, *Caravaggio and his Followers,* New York 1975 pp. 10-15.

(79) G. ROMANO, *Nicolò Musso a Roma e a Casale,* in 'Paragone' 225, 1971 pp. 44-60.

(80) C. BRANDI, *Disegno della pittura italiana,* Torino 1980 pp. 466-468.

(81) In *Musei del Piemonte. Opere d'arte restaurate,* cat. della mostra, Torino 1978 pp. 57-59 (scheda di M. DI MACCO).

(82) F. TODINI, *Durante Alberti pittore devoto,* in 'Antologia di Belle Arti' II - 6, 1978 p. 121.

(83) A. ZUCCARI, *La politica culturale dell'Oratorio romano nella seconda metà del Cinquecento,* in 'Storia dell'Arte ' 41, 1981 pp. 77-112.

(84) W. R. CRELLY, *The painting of Simon Vouet,* Yale U. P. 1962 pp. 209-211.

LA VITA DEVOTA DEL PITTORE FEDERICO BAROCCI

Dante Bernini

Nel vasto campo di discussione rappresentato dal rapporto tra la fede religiosa e l'arte figurativa, un posto singolare tiene la vicenda personale di Federico Barocci, che – a mio parere – non ha trovato ancora una collocazione soddisfacente nella complessa corrente di idee da cui è attraversata, per tutta la seconda metà del Cinquecento e oltre, la Chiesa, da una parte, e dall'altra la Pittura. A questo incrocio, ambiguamente si pone la personalità problematica e, tutto sommato, sfocata di Federico Barocci, pittore lambiccato eppure di grande fervore inventivo, uomo illanguidito dalla nevrosi eppure animato sempre da una tenacia ammirevole e da una passione per la ricerca che non si è arrestata se non all'estremo termine della vita fisica.

A proposito di questo pittore si è parlato sempre di arte devota, fin dai suoi contemporanei. Si veda ad esempio che ne dice il Baglione: "E di vero egli nelle sue virtuose fatiche era vago, e divoto; e come nell'una parte gli occhi dilettava, così con l'altra componeva gli animi; & i cuori a divotione riduceva". Tolgo la citazione dal volume di Harald Olsen[1], dove il capitolo finale sulla "Fortuna critica" del Barocci è proprio la parabola della concezione della sua pittura come arte devota che si svolge per tutto il corso della storia dell'arte in Italia, dal Baglione appunto, attraverso il Bellori e il Baldinucci, fino al Lanzi che assertivamente ci informa come "il suo pennello servì alla religione, e parse fatto per quella": dopo del quale, fattasi più scaltra, la critica d'arte si dedica più strenuamente alla ricerca filologica e al rilevamento dello specifico artistico, cioè dei valori estetici e dei caratteri stilistici: il "vago" annunciato dal Baglione, di sotto al quale l'intonazione storicistica e sociologistica dell'ultima critica ha cercato nuovamente di estrarre il "divoto".

Ma sarà opportuno cercare di dare al termine un contenuto meno generico di ciò che comunemente intendiamo per arte sacra o arte devota. Ciò che da tutti risulta affermato è la religiosità del Barocci, la sua adesione incondizionata ai problemi della fede e alla loro estrinsecazione nei confronti del cattolicesimo, la sua professione, in sostanza, di uomo pio e obbediente alla dottrina della Chiesa romana. Più complesso si presenta il problema quando si tratta di stabilire quale fosse il concreto atteggiamento del Barocci nelle diverse professioni che si andavano elaborando, da parte delle varie congregazioni o dei vari raggruppamenti a sfondo religioso e culturale, in un'epoca caratterizzata dalla grande crisi che investendo alla base l'organizzazione della Chiesa, determinò quella lunga turbolenza spirituale che va sotto il nome di riforma e controriforma, il cui percorso storico è tutt'altro che lineare, al di là evidentemente delle inevitabili schematizzazioni della storiografia. Soprattutto difficile e problematico riesce il tentativo di stabilire un rapporto chiaro e univoco tra le professioni spirituali dell'artista e il suo concreto operare di pittore; e il discorso, – com'è ovvio – non si può restringere al caso singolo del Barocci ma investe latamente il rapporto tra l'arte e la fede religiosa, rapporto che assume connotazione diversa ed è passibile di interpretazioni diverse, a seconda del mutare degli atteggiamenti critici e del prevalere dell'una o dell'altra istanza nel continuo svolgersi della storiografia artistica. Tutto ciò per avvertire che gli accostamenti dell'opera del Barocci all'una o all'altra corrente del pensiero cattolico, all'una o all'altra esperienza da altre personalità artistiche svolta nello stesso tempo in cui egli si trovò a vivere e operare, malgrado gli sforzi interpretativi fin qui condotti, non danno alcuna garanzia di precisione e possono in qualunque momento essere revocati in dubbio, e modificati o sostituiti.

Stare dunque a riesaminare partitamente gli accostamenti finora fatti non ci pare un'operazione utile, almeno in questa sede, e pertanto ci limiteremo a dire che nessun riscontro obiettivo è stato offerto tra la concreta opera pittorica del Barocci e le varie posizioni che andavano assumendo le correnti di pensiero religioso che si formavano nell'ambito francescano, o in quello gesuitico, o in quello oratoriano dei padri filippini. Appellarsi, come si è fatto, a un generico "pietismo controriformistico", vuol dire rifugiarsi nella tautologia, senza alcun vero accrescimento storico. Se a tutte queste posizioni spirituali corrispondesse un manifesto artistico, troveremmo probabilmente in calce a ciascuno – o a nessuno – l'adesione del Barocci: le sue relazioni coi francescani, e in particolare con le "famiglie" più legate al voto di povertà, sono incontestabili([2]): le commesse da parte dei filippini sono notissime([3]); con la sua raffinata capacità di fondere in un'unica, appassionata ricerca le caratteristiche salienti delle diverse scuole pittoriche, secondo le tendenze eclettiche teorizzate poi dal Bellori, egli può sembrare il più vicino, almeno

1. Giuseppe Valeriani e Scipione Pulzone, Visitazione. *Roma, Chiesa del Gesù.*

2. Federico Barocci, Visitazione. *Roma S. Maria in Vallicella.*

programmaticamente, a quell'ideale di "regolata mescolanza" che fu elaborato dai gesuiti([4]), dalla cui "arte devota" pure – è bene dichiararlo subito – il Barocci sembra quanto mai lontano. Ma da ciascuno di questi rilievi sembra eccessivo poter trarre una precisa conclusione circa la vera posizione speculativa del Barocci; e d'altra parte nessuna precisa scelta nel campo della pittura si ricava, per esempio, dai poemi "in lode della pittura" di Bernardino Baldi([5]), studioso poligrafo e teologo, contemporaneo e intrinseco del Barocci. Se qui può passare, quasi per paradosso, proporrei di adattare all'artista urbinate il famoso aneddoto riferito ad Annibale Caracci, che – secondo mons. Agucchi – osservò: "noi altri dipintori abbiamo da parlare con le mani"([6]); il cui riscontro in campo strettamente religioso ritroviamo, non per nulla, in un tipico rappresentante della controriforma, il santo vescovo di Annecy, Francesco di Sales, contemporaneo del Barocci, che alla *vita devota* dedicò una guida di grande successo, dove fin dalle prime pagine si avverte che "la devozione si confà ad ogni vocazione e professione", e che pertanto il comandamento di Dio ai cristiani è "di produrre frutti di devozione, ciascuno secondo la propria qualità e vocazione"([7]).

Secondo tale comandamento Federico Barocci espresse la sua religiosità "con le mani", attraverso la sua opera pittorica, senza eccessive preoccupazioni di trovare una perfetta corrispondenza tra quanto egli aveva da esprimere e quanto invece concettualmente s'andava formulando negli studi teologici. I dipinti del Barocci, nella loro tormentata e lunga elaborazione, sono i suoi stessi pensieri religiosi, non la traduzione del pensiero altrui, non l'oggettivazione di concetti nati altrove, che al pittore, quasi manovale della fede religiosa, spettava solo di tradurre in atto: i disegni del Barocci, i suoi pastelli e acquerelli e olii, tutto il lungo travaglio operativo che dalla prima idea portava all'opera conclusa, eppure mai veramente finita, sono i segni esteriori della dolorosa meditazione dell'artista sui grandi temi religiosi che costantemente occupavano la sua mente, Non so se una qualche volta conseguì, ma dubito molto che mai la "cristiana letizia" sia stata al termine di quella penitenza alla quale il Barocci si adattava diuturnamente nel suo sforzo di comprensione della passione del Cristo. Quel suo stesso considerare la sua opera come mai definitivamente compiuta sta proprio a dimostrare l'inesauribilità della meditazione religiosa, che solo la morte può interrompere.

Almeno in sette grandi dipinti, dalla *Crocifissione* coi Dolenti per la cappella Bonarelli nella chiesa del Crocifisso di Urbino, fino al *Lamento sul Cristo morto* rimasto incompiuto, attraverso circa mezzo secolo si svolge la meditazione religiosa del Barocci sulla passione e morte di Gesù Cristo; e quei sette o più dipinti ([8]) sono punteggiati da una serie di studi preparatori, in cui si esprime non solo l'ansia di perfezione dell'artista ma anche la sua totale e inesauribile capacità di confidarsi alla figura del Cristo, di immedesimarsi e annullarsi in essa. È questa l'attività artistica del Barocci, e insieme la sua pratica religiosa, che non ha niente a che fare con l'arte sacra, con l'esteriore esibizione di immagini che debbono servire al culto, o anche ad ammaestramento delle plebi; non c'è qui la "regolata mescolanza" ad uso catechistico dei gesuiti, non c'è la loro "arte senza tempo", come è stata efficacemente definita. Il Barocci non assicura l'elaborazione di un prodotto anonimo, che deve servire per sempre e per tutti; anzi, rispetto al momento comune della pratica devozionale, egli esalta nella meditazione ascetica il momento individuale, privato. E forse in questa chiave va interpretata l'ossessiva presenza di Urbino e del paesaggio urbinate in quei dipinti, termine temporale e locale per un ancoraggio del mistero della fede a un dato momento e a un certo luogo, che poi sono quelli in cui si verifica l'esperienza personale del pittore.

In tale interpretazione più ampia si disperdono evidentemente i singoli riscontri che sono stati fin qui tentati, e in questo senso le presenti osservazioni possono anche essere accusate di rappresentare un passo indietro nella comprensione del Barocci, di essere afflitte da quella genericità che poco avanti è stata rifiutata. Di fatto, l'apparente genericità è riduzione dell'arte del Barocci a una concreta dimensione di atto religioso, di testimonianza di fede, di "confessione", che va ben al di là di un pedestre esempio di pietismo, per diventare vero atto di pietà.

Non vorrà sembrare una indiscreta forzatura l'ipotesi che in questa dimensione religiosa dell'attività artistica del Barocci vada vista anche la sua decisione di abbandonare Roma per far ritorno nella piccola patria, a Urbino, che offriva senza dubbio un clima più raccolto e idoneo alla meditazione religiosa, e insieme esaltava, contrariamente a quanto si può pensare, il vero, nativo talento dell'artista. La vera arte non si faceva a Roma, dove infatti si diffondeva una mediocre pittura, tutta costruita su concettini di ordinaria catechèsi, e si trascuravano gli autentici problemi dello spirito, fra i quali si pone anche la ricerca artistica. Il Barocci, conscio dell'alta qualità del suo talento e del suo intelletto, rifiuta il livellamento che nella pittura stava producendo l'azione catechistica svolta innanzi tutto dai gesuiti: l'appiattimento era contrario, oltre che al giusto sviluppo dell'arte, anche ad una adeguata esplicazione dello spirito religioso. La piccola, emarginata Urbino consentiva all'artista di applicarsi al suo lavoro senza dover sottostare ad alcun obbligo verso le gerarchie ecclesiastiche, le autorità teologiche; gli consentiva cioè di salvare insieme il suo destino di artista e la sua posizione di uomo pio, chiamato alla testimonianza della fede. Solo in questo senso il Barocci può essere considerato l'artista fuori tempo, riflesso nell'immagine fin qui accreditata dalla critica. Egli di fatto fu, nel bene e nel male, un uomo del suo tempo, figlio di quella grande crisi religiosa da cui fu travagliato il suo tempo, al quale non fece nulla per piacere anche se molto piacque. Non anticipò niente, come non svolse alcuna azione di retroguardia: non fece in definitiva arte sacra, ma semplicemente visse in pittura quell'esperienza religiosa che fu il dato fondamentale della sua vita, inverandosi nella mirabile esperienza artistica che ne fa senza dubbio il più grande pittore appunto del suo tempo.

3. *Giuseppe Valeriani e Scipione Pulzone,* L'Assunta *(particolare). Roma, Chiesa del Gesù.*

4. *Federico Barocci,* Assunzione *(particolare). Urbino, Galleria Nazionale delle Marche.*

NOTE

(1) H. Olsen, *Federico Barocci*, Copenhagen 1962; il capitolo sulla *Fortuna critica* è alle pp. 253-7.

(2) Furono eseguite dal Barocci per chiese e comunità francescane le seguenti opere: *Madonna di S. Giovanni* e *Madonna di S. Simone*, entrambe oggi nella Galleria nazionale di Urbino, rispettivamente provenienti dalla Chiesa dei Cappuccini di Crocicchio e dal S. Francesco di Urbino; la perduta *Madonna col Bambino e i Ss. Giovanni e Francesco*, dipinta per i Cappuccini di Fossombrone; il *Perdono di Assisi*, ancor oggi nella Chiesa di S. Francesco di Urbino, donde proviene l'*Immacolata Concezione*, oggi nella Galleria di Urbino; dalla Chiesa di S. Francesco di Cagli proviene la *Madonna e Santi* conservata a Roma presso il Sodalizio dei Piceni; per la Chiesa dei Cappuccini di Urbino, sul colle omonimo, fu fatta la grande *Stigmatizzazione* oggi nella Galleria nazionale delle Marche, mentre è bene avvertire qui che la più piccola *Stigmatizzazione* del Museo civico di Fossombrone, bozzetto o studio compositivo, fu fatta per i padri oratoriani, altri privilegiati committenti del pittore; infine, proveniva dalla Chiesa di S. Francesco di Pesaro la pala della *Beata Michelina*, residuata dalle turbolenze napoleoniche alla Pinacoteca Vaticana.

(3) Il quadro più celebre eseguito dal Barocci per i padri della Congregazione filippina è la *Visitazione della Vergine a S. Elisabetta*, opera prediletta dallo stesso S. Filippo Neri che davanti ad essa amava ritrarsi in preghiera; circa un ventennio più tardi fu fornito dal pittore l'altro suo quadro conservato nella Chiesa Nuova, la *Presentazione della Vergine al tempio*, datato 1603. Pertanto all'origine dei rapporti degli Oratoriani col Barocci dovrebbe porsi proprio la *Stigmatizzazione* di Fossombrone, ricordata alla nota precedente.

(4) Non poche soluzioni baroccesche sono infatti avvertibili in alcune almeno delle storie della Vergine nella cappella a lei dedicata nella Chiesa del Gesù a Roma, quelle storie che è tradizione attribuire al Pulzone e al padre Valeriani, condotte tuttavia secondo schemi che non possono considerarsi estranei del tutto all'esperienza del Barocci: si vedano infatti le consonanze fra questa e la *Visitazione* della Chiesa Nuova (figg. 1-2), tra l'*Assunzione* presso i gesuiti e quella, tanto più mossa e ricca, lasciata incompiuta dal pittore urbinate ma pur sempre nota attraverso il grande bozzetto, olio su tela, recentemente passato in proprietà della Galleria di Urbino (figg. 3-4), come dalla relativa scheda in *Opere d'arte restaurate a Urbino 1979/80*, catalogo della mostra, Firenze (Centro Di), s.d., p. 65. Forse non è improprio richiamare possibili contatti del Barocci con gli ambienti romani dove si elaboravano le figurazioni appropriate alla crisi in atto e agli sbocchi che ad essa si tendeva a dare, come esiste precisa testimonianza a proposito appunto dell'urbinate, al quale i padri oratoriani avevano fornito un "memoriale" di come volevano il quadro della *Visitazione* che gli chiedevano di fare, e per la cui esecuzione avevano sollecitato l'intercessione del duca Francesco Maria II (si veda la lettera al duca del suo ministro a Roma Baldo Falcucci, pubblicata da G. Gronau, *Documenti artistici urbinati*, Firenze, 1936, p. 156, doc. CCII).

(5) Pubblicati in H. Olsen, op. cit., pp. 246-250. Non si riesce a tacere la delusione che è talvolta riservata dalla lettura del Baldi, dove le notizie su Urbino, sul suo favoloso palazzo ducale e sugli stessi personaggi che ancora nel Cinquecento ne portavano il nome nel mondo dell'arte, risultano alla verifica non di rado estremamente generiche, se non errate, sicché vien quasi da dar ragione alla diffidenza con la quale per solito il duca Francesco Maria II, ombroso e suggestionabile per suo conto, trattò l'abate di Guastalla, di cui in effetti non accettò mai nulla, neppure quegli scritti che gli sollecitava in quella sua estrema campagna encomiastica intrapresa per la salvezza del ducato.

(6) L'aneddoto è ricordato da D. Mahon, *I Carracci e la teoria artistica*, nel cat. della *Mostra dei Carracci*, Bologna 1956, p. 54.

(7) San Francesco di Sales, *Introduzione alla vita devota*, trad. ital., Milano 1956. Il capitolo III della Prima parte dell'*Introduzione* s'intitola appunto: *La devozione si confà ad ogni vocazione e professione*, e avverte che "la devozione deve essere diversamente praticata dal gentiluomo, dall'artigiano, dal valletto, dal principe, dalla vedova, dalla zitella e dalla maritata; non solamente, ma occorre adattare la pratica della devozione alle forze, agli impegni e ai doveri di ciascuno in particolare", in quanto... "la vera devozione... non solo non guasta nessuna sorta di vocazione o di impegni, bensì, al contrario, li adorna ed abbellisce".

(8) La "meditazione" sulla passione di Gesù Cristo è documentata per il Barocci, oltre che da decine e decine di fogli disegnati, dai seguenti dipinti, non tutti pervenuti fino a noi: *Crocefissione e dolenti*, Galleria Nazionale di Urbino, eseguito per la Chiesa del Crocifisso di Urbino; prossima a questa doveva essere un'altra *Crocefissione* destinata ad Arcevia dove non è stata più rintracciata; si conservano invece nella Cattedrale di Perugia la *Deposizione* e nella Chiesa della Croce in Senigallia la *Sepoltura di Cristo*, praticamente rifatta dallo stesso pittore a distanza di circa un quarto di secolo dalla prima posa in opera avvenuta nel 1582; la *Crocefissione coi dolenti e S. Sebastiano* è nella Cattedrale di Genova e il *Cristo spirante*, oggi conservato al Prado, proviene dall'eredità di Francesco Maria II che non se ne staccò fino alla morte; un'altra *Crocefissione coi dolenti* si conserva da sempre nell'Oratorio della Compagnia della Morte di Urbino, entro l'incorniciatura che ne disegnò lo stesso pittore; forse fu Federico Borromeo a volere per la Cattedrale di Milano il *Lamento sul Cristo morto*, oggi nella Biblioteca dell'Archiginnasio di Bologna; infine, secondo il Bellori, l'ultima opera alla quale il Barocci lavorò, e che è perduta ma nota attraverso la copia che se ne conserva a Brera, fu un *Ecce Homo*.

FRANCESCANESIMO E PITTURA RIFORMATA IN ITALIA CENTRALE

Simonetta Prosperi Valenti Rodinò

Le motivazioni storiche, sociali e religiose che caratterizzarono la produzione artistica dell'Italia centro-settentrionale negli ultimi decenni del Cinquecento sino ai primi anni del Seicento – termini cronologici prefissati per questa mostra –, con particolare riferimento a opere svolte in ambito francescano, sono state analizzate in profondità nel saggio che precede da Claudio Strinati ([1]).

Nelle pagine che seguono, perciò, ci limiteremo a dare un panorama delle committenze francescane nei centri più attivi dell'Italia centrale – da Firenze, a Siena, a Loreto e Urbino nelle Marche e ad Assisi – senza avere la pretesa di offrire, con questo rapido *excursus*, un'analisi approfondita delle direttive determinate in campo artistico dall'Ordine francescano negli anni della Controriforma.

Ripercorrere le tappe dell'iconografia francescana nella pittura fiorentina della seconda metà del Cinquecento significa in un certo senso ritessere la trama complessa delle tendenze più disparate che caratterizzarono lo sviluppo della cultura figurativa di quel tempo. Accanto al persistere della tradizione manieristica basata su un costante riferimento al linguaggio formale michelangiolesco, che ritroviamo nel Vasari e nella sua folta schiera di seguaci, si venne sempre più affermando nella pittura fiorentina di quegli anni l'esigenza di semplificare il linguaggio figurativo per tornare alla purezza neoprimitiva del primo classicismo cinquecentesco.

Mentre l'epigono del manierismo rinnovava con decorazioni profane le sale di Palazzo Vecchio, il nuovo orientamento artistico ebbe vasta applicazione nelle opere di carattere religioso, perché coincideva con la normalità di rappresentazione promossa dalla Controriforma, più aderente alla realtà e facile ad essere compresa dalle masse dei fedeli.

Un simile programma di propaganda cattolica era sorretto e guidato da una precettistica che andava sempre più diffondendosi nell'ambiente artistico dell'Italia centro-settentrionale, con il dialogo del Gilio del 1564, le regole di San Carlo Borromeo del 1577, con il *Figino* del Comanini del '91 sino al più tardo Paleotti, guida all'aspirazione controriformistica dei Carracci a Bologna([2]). Il fatto che accenni a motivi contenutistici e moralistici delle opere d'arte si trovino sin dal 1584 nel *Riposo* del Borghini ([3]), amico del Vasari, è indice del determinarsi di crisi di "tendenze", delineatasi già nello Studiolo di Francesco I ([4]), ultimo manifesto della cultura manieristica vasariana, e tendente verso una maggior castigatezza compositiva in Maso da San Friano, una scoperta di luce e verità epidermica nel Macchietti e Cavalori e soprattutto un tentativo di riforma normalizzante nelle figure feriali e nella verosimiglianza di rappresentazione che ritroviamo in Santi di Tito.

A questi artisti e ai loro seguaci si rivolsero le committenze dell'Ordine francescano degli ultimi decenni del Cinquecento, che riflettono e in un certo modo contribuiscono a creare il mutato clima artistico della città.

Se le corpulente *Stigmate* dipinte dal Vasari nel 1548 per il tempio Malatestiano di Rimini preludono, pur nell'impianto ancora totalmente manieristico delle figure in contrapposto e nella luce irreale e intellettualistica, ad un mutamento di clima artistico, addirittura sorprendente nel severo spirito precontroriformistico appare il *San Francesco che riceve le stigmate* affrescato dal Bronzino nella cupola della Cappella di Eleonora di Toledo a Palazzo Vecchio tra il 1541 e il '45([6]). La figura del Santo campeggia in un perfetto scorcio di sottinsù, su un cielo d'un azzurro metafisico e sembra racchiudere nel suo gesto scarno ed essenziale tutto lo spirito di rinuncia e di mortificazione proprio delle raffigurazioni francescane della più tarda pittura italiana e spagnola.

La prima grande impresa programmatica dell'Ordine francescano a Firenze fu la decorazione delle navate laterali della chiesa di Santa Croce iniziata dal Vasari a partire dal 1565 e che rispondeva, come è stato chiarito di recente dalla Hall([7]), a nuove esigenze di culto, a istanze di semplificazione e di messaggio sociale. Insieme al rifacimento degli altari laterali della domenicana basilica di Santa Maria Novella, quest'impresa fu una delle più significative azioni di rinnovamento di un edificio sacro eseguita in quegli anni, a danno della decorazione a fresco medioevale.

Senza alcun rispetto per le opere anteriori, il Vasari distrusse infatti le pitture trecentesche per fare spazio ai suoi severi altari già controriformati, che dovevano racchiudere pale raffiguranti storie della Passione.

Fu senz'altro il criterio di 'riutilizzo' e di 'ammodernamento' che caratterizzò e ispirò le imprese decorative e architettoniche eseguite dall'Ordine francescano in quegli anni. In contrasto con gli Ordini nuovi, quali i Gesuiti, i Teatini, gli Oratoriani e altri, i vecchi Ordini dei Domenicani e dei Francescani, pur segnalandosi anch'essi per un rinnovamento dei loro edifici, dietro la spinta delle teorie innovatrici dettate dal Concilio di Trento, sia per mancanza di fondi, sia per l'importanza storico-artistica degli antichi monumenti, si volsero a riadattare le chiede medioevali, spesso bisognose di restauro, senza eccessivi scrupoli o rispetto per le pur celebri decorazioni dei secoli precedenti.

Assistiamo quindi in questi anni a un fenomeno di ridecorazione di chiese francescane, dove ampli cicli di affreschi moderni si sovrapponevano a quelli medioevali, oppure grandi pale controriformate venivano a sostituire pitture più antiche; questo è il caso più frequente in Toscana, da San Francesco a Pisa e a Siena sino a Santa Croce a Firenze.

Se gli affreschi del Chiostro grande di Santa Maria Novella, terminati intorno al 1582, sono ritenuti il segno del mutamento della situazione artistica a Firenze a quel tempo, il passaggio cioè dall'imperante manierismo vasariano ad una pittura più rigorosa ad opera dell'azione di riforma normalizzante attuata da Santi di Tito, fu in realtà in Santa Croce che il Titi attuò pubblicamente per la prima volta il suo programma. Qui lo vediamo protagonista principale con i suoi tre dipinti – la *Cena in Emmaus*, la *Crocifissione* e la *Resurrezione* – distinguersi nettamente dagli ultimi inguaribili manieristi quali Jacopo Coppi, Andrea del Minga e lo Stradano, tutti impegnati nella decorazione della chiesa francescana([8]).

È in queste opere che l'artista dimostra come sentisse consone alla sua ispirazione le esigenze della Controriforma di chiarezza espressiva e capacità narrativa a scopo didattico, raggiungendo attraverso un colore chiaro, chiuso entro gli ideogrammi del disegno, un purismo neoquattrocentesco.

Furono questi i motivi per cui i francescani si rivolsero di nuovo al Titi nel 1593 per la grande pala delle *Stigmate* in San Francesco a Pisa ([9]) (fig. 1) – che le grandi dimensioni e l'esser dipinto su tavola non hanno permesso di esporre in mostra – austera e 'classica' come un'opera del primo Cinquecento.

Accanto ad una raffigurazione così canonica come le *Stigmate*, è da sottolineare una curiosità iconografica che si ritrova nel percorso artistico di Santi di Tito: dalla giovanile *Natività* in San Giuseppe a Firenze alla *Pietà* di Scrofiano (cat. 46), l'artista pone accanto al Cristo e alla Vergine l'anacronistica figura di San Francesco, allo scopo di rendere più accostante e vicino a chi guarda la sacra rappresentazione, in perfetta aderenza con lo spirito di normalizzazione contenutistica voluto dalle teorie della chiesa controriformata.

Accanto al Titi, la cui personalità pur senza prevalere spiccava nella situazione artistica fiorentina degli anni di crisi del manierismo, cui la morte del Vasari (1574) aveva inflitto il colpo fatale, altri artisti – risentendo spesso la sua influenza – affrontano in quegli anni soggetti francescani. L'attenzione che l'aristocratico Alessandro Allori mostrò negli ultimi decenni della sua attività per gli interni borghesi non fu senza l'influsso del Titi, ma l'Allori raramente si cimentò nelle sue macchinose pale d'altare coll'iconografia francescana. Considerato uno dei più fertili artisti nella produzione figurativa a Firenze intorno agli ultimi decenni del secolo e certamente uno dei pittori più affermati – aveva ereditato la bottega del Bronzino –, anche egli non poteva

1. *Santi di Tito,* Stigmate di S. Francesco. *Pisa, Chiesa di S. Francesco.*

tuttavia eludere citazioni di San Francesco nelle sue numerose opere dipinte. Nella serena ambientazione intimistica che avvolge la *Madonna col bambino e Sant'Anna*, una tela dipinta su commissione dell'allora cardinal Ferdinando de' Medici e oggi conservata al Museo del Prado di Madrid ([10]), l'artista fa partecipi anche San Giuseppe e San Francesco a questa sacra conversazione domestica. Nel San Francesco, ritratto con gli altri personaggi sacri in dimensione feriale senza gli attributi divini dell'aureola, l'artista cela le sembianze del suo committente, il futuro Granduca di Toscana, compunto e devoto in tacita adorazione della Vergine.

Indipendente da Santi di Tito, ma generato dallo stesso humus culturale, in quegli anni a Firenze si veniva già delineando la 'maniera soda' di Jacopo da Empoli, prezioso e lucido come un pittore spagnolo del Seicento, che raggiunse uno dei suoi punti più alti di rigore formale nelle *Stigmate* dei Cappuccini di Montughi (cat. 47).

È questo forse l'unico esempio di iconografia francescana rintracciabile nella pur fertile attività dell'artista, insieme alla *Madonna che porge il bambino al Santo* del 1619 dipinto nella volta del Duomo di Livorno ([11]); l'immagine del Santo tornerà spesso nelle numerose pale di chiesa raffiguranti *Madonne e Santi* dipinte dall'artista e dalla sua bottega per Firenze e per il contado ([12]), ma questo aspetto rientra nel più tradizionale schema iconografico della pittura sacra.

La nuova generazione dei pittori riformati – Cigoli, Pagani, Boscoli per citare i più noti – crebbe nella frequentatissima bottega di Santi di Tito, dove circolavano le idee delle nuove precettistiche della Controriforma. In quel periodo di grande rinnovamento di chiese e conventi e chiostri, quasi tutti questi pittori si imbatterono in commissioni francescane e seppero spingersi oltre i limiti di una pedissequa ripetizione di iconografie abusate, sino a reinterpretare temi vecchi alla luce di un nuovo spirito.

Se è da assegnare al Pagani il monumentale *Incontro di San Domenico e San Francesco* affrescato a Montughi (cat. 53), come ci pare affermi giustamente la Thiem([13]), anche questo artista si è cimentato con un tema caro agli Ordini vecchi, che veniva a sancire una avvenuta conciliazione ormai in atto da tempo.

Anche il Boscoli, notoriamente il più estroso e geniale dei pittori fiorentini dell'ultima decade del Cinquecento, si è cimentato con il tema del San Francesco nel dipinto oggi nel Museo Nazionale di Pisa (cat. 51), ma ha saputo dare una interpretazione personalissima e vibrante che si avvicina allo spirito severo della pittura spagnola del XVII secolo. L'artista sceglie uno dei momenti più intensi della preghiera del Santo, raffigurato di notte, al buio, sdraiato su una stuoia, in estasi mistica. È attraverso la luce – elemento nuovo della pittura fiorentina del tempo – che il Boscoli riesce a sottolineare il potenziale emotivo della composizione sacra, creando una delle pagine pittoriche più interessanti del tardo Cinquecento fiorentino, che ha suggerito al Venturi paralleli con il gusto caravaggesco([14]).

Nel periodo più tardo di attività nelle Marche, il pittore recupera una sorta di 'neomanierismo' caratterizzato dalla influenza della pittura arrovellata e enfatica di Andrea Lilio, da cui sembra recuperare anche un colore più stridente e acidulo con forti contrasti chiaroscurali di lontana derivazione baroccesca. Nella *Madonna della Cintola* oggi nella Pinacoteca di Macerata([15]) la presenza umile e devota del Santo costituisce un elemento di normalizzazione tipicamente toscana; mentre nella confusa *Assunta e Santi con San Francesco* dipinto per la chiesa di San Francesco a San Ginesio([16]), commissioni avute dall'Ordine, il Boscoli mostra evidente il processo di involuzione già riscontrato dalla critica nella sua tarda attività marchigiana.

L'artista sembra invece ritrovare la vena fiorentina del tono narrativo umile alla Santi di Tito nella *Natività* oggi nella Pinacoteca di Fabriano([17]); come già il Titi nel suo quadro di soggetto analogo in San Giuseppe a Firenze, anche il Boscoli pone anacronisticamente la figura di San Francesco in raccoglimento accanto alla Vergine, con l'intento di rendere più accostante la scena.

Fra i pittori fiorentini della generazione riformata colui che più si cimentò con soggetti francescani fu Ludovico Cigoli, che dette inizio a iconografie che tanto seguito ebbero poi nella pittura toscana del Seicento.

I temi che il Cardi predilesse e che replicò egli stesso varie volte sono le *Stigmate* – note nella prima versione su tavola oggi agli Uffizi del 1593([18]) (fig. 2) – e il *San Francesco in preghiera*, (cat. 54) i soggetti senza dubbio più utilizzati dal repertorio iconografico della pittura tardocinquecentesca dell'Italia centrale. L'elemento nuovo introdotto dal Cigoli e derivato probabilmente dalla contemporanea produzione dei Carracci, è una emotività sottile, che si trasmette alle mani, alle foglie, al paesaggio; una introspezione interiore, visibile nello sguardo rivolto al Crocifisso; un senso teatrale nuovo di questa estasi – passione, particolarmente visibile nelle Stigmate, che si allinea al carattere mistico di tanta produzione controriformata romana e bolognese, e prelude alla grande enfasi trionfalistica del misticismo barocco.

Fu proprio questo carattere così anticipatore a decretare il successo delle composizioni cigolesche, ammorbidite e fuse da un colore caldo e dorato, già seicentesco. Se le numerose raffigurazioni di San Francesco che ritroviamo nel Seicento fiorentino partono tutte da questi prototipi, fu soprattutto Cristofano Allori a riprendere letteralmente la citazione del suo maestro, per approfondirne in modo ulteriore lo spirito edonistico di macerazione e di sofferenza([19]).

Nel panorama vasto della pittura fiorentina del tempo, un interessante *unicum* iconografico è costituito da una grande pala nel Duomo di Montecompatri raffigurante la *Morte di San Francesco*([20]) di Domenico Passignano (fig. 3), artista per il resto scarsamente interessato a temi francescani. Lontanamente ispirato alla tavola della *Morte del Santo* incisa dal Galle, sebbene con mol-

2. *Ludovico Cigoli,* Stigmate di S. Francesco. *Firenze, Galleria degli Uffizi.*

3. *Passignano,* Morte di S. Francesco. *Montecompatri (Roma), Duomo.*

te varianti, l'artista raffigura il Poverello nudo al centro della scena attorniato da numerose figure di frati e astanti: su tutto domina una atmosfera di compostezza un po' tetra, che si risolve in un rigore compunto, in una solennità timida da funerale campagnolo, dove la vena narrativa toscana ripropone in tono feriale antiche citazioni giottesche, quale quella del giovane frate che bacia la mano del Santo([21]).

Di questa composizione sembra aver tenuto conto il pittore Fabrizio Boschi, impegnato qualche anno più tardi a Firenze nella decorazione a fresco di una lunetta dello stesso soggetto nel chiostro della chiesa francescana di Ognissanti.

L'artista maggiormente utilizzato a Firenze per commissioni francescane fu il veronese Jacopo Ligozzi, trasferitosi nel capoluogo toscano sin dal 1578, ma mai assimilato completamente con l'ambiente artistico della città.([22])

Nell'anno 1600 questi fu protagonista assoluto della maggior impresa decorativa avviata dai francescani a Firenze, la decorazione del chiostro di Ognissanti, con la quale l'Ordine pagava il suo tributo al gusto imperante in Toscana di narrazione ciclica della vita dei Santi nei chiostri e nei conventi. Innumerevoli sono gli esempi di questo tipo di decorazione, già in uso a Firenze nel Quattrocento, ripreso dalla Chiesa alla fine del Cinquecento per proporre in forme narrative facilmente accessibili esempi edificanti di miracoli e vite dei Santi. Per realizzare quest'impresa il Ligozzi probabilmente guardò la decorazione del Chiostro Grande di Santa Maria Novella, iniziato nel 1568 e finito intorno all'82, dove Santi di Tito e la sua scuola avevano avuto modo di affermare la felice soluzione della loro 'riforma' pittorica.

Il motivo per cui l'Ordine si rivolse al Ligozzi, piuttosto che a Bernardino Poccetti maestro in questo genere pittorico, va cercato nel rigore formale delle sue composizioni, nello spirito aspro e severo con cui intese aderire alle nuove istanze della pittura controriformata, nel suo interesse naturalistico derivatogli dalla formazione nordica, elementi tutti che potevano consentirgli una interpretazione profonda dei fatti della vita di San Francesco.

L'insieme della decorazione però non risulta troppo organico e riuscito. L'artista si sforza di far combinare in una regolata mescolanza elementi desunti dalla sua cultura settentrionale – e le parti affidate al paesaggio risultano le più felici nel *Bacio al lebbroso* e nella *Vestizione dei primi seguaci*, come ha sottolineato la Bacci([23]) –, dalla vena narrativa tipica toscana che si confonde talvolta negli interni per la presenza inutile di troppi personaggi non fusi – è il caso dell'*Approvazione della Regola* o del *San Francesco che fonda il nuovo Ordine* – o dalla ambizione di eseguire una grandiosa scenografia, particolarmente evidente nella scena raffigurante *Innocenzo III che conferma l'Ordine*([24]).

Una maggior semplicità nel racconto mostrano invece episodi quali la *Nascita del Santo* o il *Crocifisso parla a San Francesco* (figg. 4-5-6-7) in cui l'artista sembra essersi attenuto a certi schemi iconografici più raccolti e intimistici fissati dalle stampe della *Vita* del Santo, edite in quegli anni. In particolare nella *Nascita* ritorna la stessa impostazione della prima tavola della serie incisa da Francesco Villamena, così puntuale da sembrare improbabile una coincidenza casuale.

Qualche anno più tardi, nel 1607, l'artista stesso si cimenterà con disegni di soggetti francescani da tradurre in rami, essendo stato prescelto da fra Lino Moroni quale illustratore delle ventitré tavole della *Descrizione del Sacro Monte della Vernia* edito a Firenze nel 1612 con incisioni realizzate da Domenico Falcini e Raffaello Schiaminossi (cat. 118).

Lo studio delle stampe, in particolare quelle nordiche, doveva essere pratica assai familiare al Ligozzi, che ne traeva la tendenza ad una descrizione minuziosa di particolari anatomici e paesistici. Un riflesso di questo interesse si coglie nella intensa raffigurazione del *San Francesco in preghiera* davanti al crocifisso, dipinto dall'artista a Firenze e spedito a Roma per la chiesa di San Giovanni dei Fiorentini intorno al primo decennio del Seicento([25]).

Ampiamente utilizzato nelle commissioni francescane, il Ligozzi mostra di aderire alla povertà di concezione religiosa dell'Ordine che traduce in una semplicità di impostazione assai essenziale. Nell'*Apparizione della Vergine a San Francesco* oggi a Pitti([26]), egli pone in evidenza la larga toppa del saio con intento realistico che prelude le interpretazioni di scene simili fornite dai pittori spagnoli del secolo XVII.

Una citazione analoga a quella ligozziana si ritrova in una austera *Morte di San Francesco* oggi nel Museu Nacional de Arte Antiga di Lisbona([27]) dipinta nel 1593 da Bartolomeo Carducho, artista fiorentino trasferitosi in Spagna dove nella sua ampia produzione presenta un linguaggio affine ai pittori 'riformati' toscani, con sorprendenti anticipazioni dallo stile asciutto e severo della pittura seicentesca spagnola.

Uno dei temi più ricorrenti nel pensiero e nella predicazione francescana dal Medioevo sino al periodo della Controriforma, fu l'identificazione di Francesco con Cristo, tema che ebbe una grande ripercussione nella pittura di soggetto francescano dal Trecento sino al Seicento.

Quest'aspetto è stato assai approfondito dagli studiosi per quanto riguarda il risvolto iconografico nel periodo medioevale([28]), ma esso propone interessanti esempi anche negli anni post-tridentini.

Nell'episodio delle Stigmate l'assioma *Franciscus alter Christus* portò a sottolineare il fatto che il Santo, come Cristo, sopportò moralmente e fisicamente la passione, portando sul suo corpo i segni delle ferite.

Accanto alla più tradizionale raffigurazione del Santo che riceve le Stigmate inginocchiato davanti al Serafino, seppure rivissuta alla fine del Cinquecento alla luce di una nuova sensibilità in chiave mistica, questa impostazione di pensiero francescano dettò in alcuni casi iconografie assai inconsuete, che sconfinano talvolta nell'eterodossia religiosa. L'esempio più celebre della produzione toscana, sebbene eseguito e influenzato dall'ambiente siciliano, è costituito dalle *Stigmate* dipinte da Filippo Paladini per la chiesa dei Cappuccini di Messina (cat. 88), in cui il Santo è raffigurato in croce mentre angioletti gli trafiggono mani, piedi e il costato.

Dallo stesso principio di identificazione di Francesco con Cristo sembra derivare un altro interessante ed inconsueto esempio di iconografia post-tridentina prodotta in Toscana, che si caratterizza tra l'altro per uno spiccato arcaismo. Si tratta della tavola di Cosimo Gheri – uno sconosciuto pittore così affine a Santi di Tito da poterlo considerare suo allievo – dipinta per la chiesa di San Pancrazio in Val di Pesa nel 1596, con *San Francesco che mostra le stigmate*, avvolto in una mandorla luminosa, in piedi sul globo – raffigurante curiosamente la Val di Pesa – fra Sant'Antonio e San Bartolomeo con il ritratto del committente in primo piano([29]). È già stato sottolineato il carattere neomedioevale di questa interessante iconografia, probabilmente diffusa in Toscana, se il Borghini cita un dipinto di soggetto analogo, oggi perduto, di Alessandro Fei del Barbiere per il convento dei frati Zoccolanti di San Miniato al Tedesco([30]).

La carica emotiva e sentimentale presente nella produzione artistica fiorentina di carattere religioso a partire dagli ultimi decenni del Cinquecento, inevitabile sottofondo della pittura controriformata, si traduce o si potenzia a Siena in una sorta di decadente, sdolcinata sensualità.

Assai più di Ventura Salimbeni, artista cimentatosi spesso in decorazioni di palazzi di soggetto profano, fu Francesco Vanni il

4. *Jacopo Ligozzi*, Nascita di S. Francesco. *Firenze, Chiostro di Ognissanti.*

5. *Jacopo Ligozzi*, Il crocifisso parla a S. Francesco. *Firenze, Chiostro di Ognissanti.*

6. *Jacopo Ligozzi,* S. Francesco rinuncia ai suoi beni. *Firenze, Chiostro di Ognissanti.*

7. *Jacopo Ligozzi,* Cristo detta la regola a S. Francesco. *Firenze, Chiostro di Ognissanti.*

pittore ufficiale delle più importanti commissioni di carattere religioso della città negli ultimi decenni del secolo.

Legato a influenti personalità del mondo ecclesiastico a Siena e a Roma([31]), il Vanni fu largamente utilizzato anche dall'Ordine francescano: nella sua produzione si riscontrano numerose citazioni del Santo Poverello d'Assisi – ad esempio, la tela con la *Madonna e Santi francescani* nella chiesa dei Cappuccini ad Arcidosso([32]) –: dal momento che la presenza del Santo, sebbene ricorrente nei suoi quadri, rientra nello schema più consueto delle sacre conversazioni con Madonne e Santi tipiche della pittura controriformistica, di maggiore interesse è l'aspetto del Vanni diffusore di iconografie più tipicamente francescane. Il culto dell'Immacolata Concezione, ad esempio, fu una delle posizioni più difese dai francescani nella Riforma perché negato dai protestanti; di questo il Vanni ci ha lasciato una poeticissima traduzione pittorica nel Duomo di Montalcino([33]) con una ricca simbologia mariana, affine alla versione iconografica data dal Cavalier d'Arpino nella tela oggi a Madrid([34]).

Nel caso invece della celebre invenzione del *San Francesco consolato dall'angelo musicante*, tradotta in rame all'acquaforte dallo stesso artista (cat. 101), e largamente copiata a partire da Agostino Carracci (cat. 100), va sottolineato il ruolo di diffusore di tematiche francescane svolto dal Vanni in quegli anni.

L'esempio più notevole e programmatico fra le commissioni offerte al Vanni dall'Ordine fu certamente il grande *Perdono d'Assisi* dipinto per la chiesa di San Francesco a Pisa (cat. 68), che documenta in modo inconfutabile l'influenza esercitata dal Barocci sul pittore senese, tanto da un punto di vista iconografico che stilistico. La grande tela riprende infatti lo schema del dipinto di soggetto analogo dell'urbinate, conosciuto forse attraverso l'incisione (cat. 94); ma il confronto con la pala del Barocci offerto dalla mostra, attesta come la dinamica serrata e geniale della composizione dell'urbinate si traduca nel senese in un apparato di festa paesana, documentando in fondo che l'influenza baroccesca rimase per il Vanni solo un fatto esteriore, legato a una ripresa di iconografia e di tipologie nelle figure, senza costituire mai una totale adesione al suo linguaggio artistico([35]).

In questo rapido *excursus* sulla pittura di tematica e committenza francescana degli ultimi decenni del Cinquecento, Federico Barocci spicca indubbiamente quale massimo rappresentante artistico, non solo per le numerose opere affidate a lui da chiese e conventi delle varie famiglie francescane – dalla giovanile *Madonna e Santi* per la chiesa dei cappuccini di Fossombrone (cat. 27), al *Perdono di Assisi* per il Duomo di Urbino (cat. 28), alle varie versioni delle *Stigmate* (cat. 35, 37) –, quanto per la sua totale adesione, come condotta di vita e vocazione religiosa, all'impostazione pragmatistica dei Minori e dei Cappuccini.

Ci sembra superfluo soffermarsi ora sulle opere dell'artista – tutte in qualche modo presenti alla mostra e per le quali rinviamo alle relative schede – e sulla sua profonda coscienza morale e religiosa, ciò che altri han fatto in questa sede([36]) e su cui la critica storico-artistica ha indagato a fondo([37]).

Vogliamo solo sottolineare la vasta influenza esercitata dall'artista sulla pittura contemporanea di tutta l'Italia, che determinò un esteso dilagare del fenomeno del "baroccismo": dalle Marche, ove ovviamente accanto ai suoi più diretti collaboratori Alessandro Vitali o Antonio Viviani, anche Adrea Lilio e i più modesti Filippo Bellini, Giovan Battista Lombardelli furono travolti dalla portata del suo linguaggio; all'Umbria, dove se ne risentono echi in Benedetto Bandiera; sino a Firenze, dove fu studiato dal Pagani, dal Boscoli e dal più moderno Cigoli; per giungere a Siena, dove contò i seguaci più pedissequi in Francesco Vanni – come abbiamo visto – e in Ventura Salimbeni.

La scuola del Barocci, importante per le Marche e in particolare per Urbino, dove l'artista nacque e operò, non può dirsi peraltro pienamente rappresentativa della cultura pittorica di questo periodo; ma è il concetto stesso di "pittura marchigiana" che viene posto in discussione nello scorcio del XVI secolo, e ciò sia per le vicende storiche che assorbono sempre più compiutamente la regione nello Stato Pontificio – con l'eccezione ancora di Urbino –, sia più in generale perché la cultura negli ultimi decenni del Cinquecento in Italia va al di là di stretti limiti regionali([38]): la maggior parte degli artisti marchigiani gravitarono su Roma, dove apportarono e succhiarono elementi culturali, dando origine ad una koiné di linguaggio figurativo assai vario e difforme. L'artista che maggiormente rappresentò e rispecchiò nella sua vita questo linguaggio di cultura internazionale fu senz'altro Federico Zuccari, marchigiano di origine, romano di formazione, attivo quindi a Firenze, a Venezia e infine in Spagna([39]).

Accanto al polo culturale urbinate, ma da esso ben distinto e per noi interessante dal punto di vista francescano per l'influenza che ebbe sul complesso umbro di Santa Maria degli Angeli, assume particolare rilievo nel territorio di Montefeltro il grande Santuario di Santa Maria di Loreto; direttamente gestito dalla curia pontificia romana, esso rappresentò un punto nevralgico della spiritualità religiosa e della cultura artistica del Cinquecento molto al di là dei confini delle Marche. La rilevanza del Santuario sotto il profilo religioso contribuì infatti a far sì che da un punto di vista artistico la basilica divenisse negli ultimi decenni del XVI secolo uno dei centri più rappresentativi e aggiornati della pittura italiana, dove confluirono gli esponenti della cultura più ufficiale e ben accetta all'autorità religiosa romana.

A Loreto infatti troviamo opere di Pellegrino Tibaldi, di Gerolamo Muziano e del suo collaboratore Cesare Nebbia, esponenti a Roma del più aggiornato linguaggio figurativo in adesione alle nuove teorie della chiesa controriformata; di Federico Zuccari, normalizzato nei suoi affreschi della Cappella dei Duchi d'Urbino come un pittore fiorentino; del Barocci – la celebre *Annunciazione* oggi nella Pinacoteca Vaticana – ed infine, già oltre le soglie del Seicento, Cristoforo Roncalli da Pomarancio affrescò riccamente con *Storie della Vergine* la Sacrestia

(1605-10) per incarico conferitogli sin dal 1598 dal pontefice Clemente VIII.

È ovvio che il rinnovato fervore spirituale dell'Ordine francescano trovasse in Umbria il suo ambiente più naturale anche nella ripercussione che questo risveglio ebbe nel campo architettonico e figurativo. Le tappe salienti di tale processo furono l'opera di rinnovamento nella basilica di San Francesco ad Assisi e la ricostruzione del Santuario di Santa Maria degli Angeli, la laboriosissima fabbrica iniziata intorno al settimo decennio per volere del pontefice Pio V, che segnò senza dubbio un importante rilancio nel mondo cattolico della spiritualità francescana.

Come già nel caso di Loreto, quest'impresa fornì una importante occasione per l'ambiente umbro di far confluire ad Assisi artisti di varie culture e provenienze, che portarono nella città di provincia i segni dello stile artistico più moderno e aggiornato([40]). Per definire l'impianto architettonico fu chiamato Galeazzo Alessi da Genova, artista già ampiamente impegnato in fabbriche di chiese gesuitiche in Italia centro-settentrionale([41]) mentre per la decorazione pittorica delle cappelle, iniziata nell'ultimo decennio e protrattasi per tutto il secolo successivo, si registrarono le presenze degli artisti più in voga del tempo: da Siena giunse Ventura Salimbeni, che lasciò in palazzo Vigilanti ad Assisi una delle sue più squisite decorazioni di soggetto profano([42]); dalle Marche artisti barocceschi assai affini a Giovan Battista Lombardelli; ed infine da Roma Baldassarre Croce, Antonio Pomarancio e Cristofano Roncalli, le presenze più prestigiose, che si mostrano aggiornati sugli esempi delle più recenti decorazioni romane, quali gli affreschi del transetto della basilica Lateranense effettuati per l'anno giubilare 1600([43]).

A differenza della eclettica e aggiornata "cultura di Santa Maria degli Angeli" come la definisce Bruno Toscano([44]), per la decorazione della basilica di San Francesco ad Assisi l'Ordine preferì rivolgersi ad artisti locali, di cultura talvolta assai modesta, ma che seppero interpretare con estrema chiarezza di rappresentazione il programma ideologico e le tipologie figurative volute dai frati.

È il caso di artisti quali Dono Doni, nativo di Assisi, Durante Alberti, Ascensidonio Spacca, Simeone Ciburri, e il più tardo Cesare Sermei tutti permeati da una cultura tardo manieristica riformata di lontana ascendenza romana, ma caratterizzati indistintamente da una forte componente arcaizzante.

Fra questi il più significativo fu senz'altro il Doni, che ricoprì il ruolo di pittore ufficiale delle decorazioni francescane nella sua città: dipinse nel Duomo, nel refettorio del Convento di Santa Maria degli Angeli (1561), e negli ultimi anni di attività, si dedicò a decorare la Basilica su commissione dei frati, lasciando una ampia serie di monocromi con le *Storie di San Francesco e Santa Chiara* nel chiostro grande (1564-70), oggi perduti in gran parte, una *Ultima Cena* nel refettorio del Sacro Convento (1573) e gli affreschi incompiuti per il sopraggiungere della sua morte, nella Cappella di San Ludovico nella basilica inferiore (1574-75).

Uno degli aspetti più interessanti e validi dell'attività del Doni, è la ripresa da parte dell'artista di iconografie diffusesi in Umbria nei secoli anteriori: citiamo il *San Francesco ai piedi della croce* e le *Stigmate* (cat. 44) del Museo di Assisi e ancora più marcato il *Cristo e San Francesco che portano la croce* affrescati a monocromo sopra la porta della basilica inferiore, ripreso dalla miniatura della *Franceschina* del XV secolo. L'ispirazione a testi arcaici sta a dimostrare come l'artista intendesse reagire in modo ingenuo agli abusi profaneggianti della pittura contemporanea; quanta importanza questi attribuisse alla tradizione locale tre-quattrocentesca, tanto da riesumarla talvolta in strettissima aderenza formale; e come ritenesse di trovare nelle opere medioevali un più intenso spirito di devozione e un messaggio religioso più comprensibile e meno intellettualistico. È probabile che questa strada gli fosse indicata dai teorici dell'Ordine francescano, perché è assai notevole trovare in ambito provinciale un'anticipazione del linguaggio figurativo semplificato in direzione arcaizzante, che diverrà elemento determinante della più tarda produzione artistica controriformata romana, ad opera di personalità quali il cardinal Baronio indirizzato al recupero della spiritualità paleocristiana nella pittura catacombale.

Morto il Doni, il posto di pittore ufficiale dell'Ordine francescano viene occupato dall'eclettico Cesare Sermei (Orvieto 1584 – Assisi 1668), artista recentemente rivalutato nei suoi limiti culturali da Bruno Toscano([45]), che ne sottolinea il carattere di 'primitivismo' e gli elementi arcaizzanti intesi come recupero del potenziale emotivo esistente nell'arte devota della prima cristianità, accanto ad un timido affacciarsi di elementi naturalistici. Largamente attivo in Umbria e in particolare ad Assisi, si devono a lui gli affreschi nelle cappelle di Santa Caterina e di Sant'Antonio nella basilica inferiore, in due cappelle in Santa Maria degli Angeli, e particolarmente celebre, il poco riuscito *Giudizio Universale* (1623) nel catino dell'abside della basilica inferiore, dove confluiscono elementi non digeriti di cultura baroccesca e romana desunta dal d'Arpinio.

Sebbene il linguaggio figurativo del Sermei sia aderente allo spirito della pittura riformata tosco-romana, con un tardivo aggiornamento al naturalismo del Baglione, non si documenta la sua attività in questa sede perché essa travalica troppo i limiti cronologici prefissatici per quest'indagine.

NOTE

(1) C. STRINATI, *Riforma della pittura e Riforma religiosa*, in catalogo.

(2) G. A. GILIO, *Due dialoghi... degli errori de' Pittori*, Camerino 1564; C. BORROMEO, *Instructiones fabricae et supelectilis ecclesiasticae*, 1577; G. COMANINI, *Il Figino*, Mantova 1591; G. PALEOTTI, *Discorso intorno le immagini sacre e profane*, Bologna 1582.

(3) R. BORGHINI, *Il Riposo*, Firenze 1584.

(4) Queste crisi di tendenze furono individuate da R. LONGHI sin dal 1927 (*Un San Tommaso del Velasquez e le congiunture italo-spagnole tra il Cinque e il Seicento* in "Saggi e Ricerche. 1925-28", pp. 119-122).

(5) *Mostra di Giorgio Vasari*, Arezzo 1981, cat. 20, p. 337, fig. 285.
(6) E. BACCHESCHI, *L'opera completa del Bronzino*, Milano 1973, cat. 37.
(7) M. B. HALL, *Renovation and Counter-Reformation. Vasari and Duke Cosimo in S.ta Maria Novella and S.ta Croce 1565 - 1577,* Oxford 1979.
(8) HALL, *op. cit.*, 1979, passim.
(9) G. ARNOLDS (*Santi di Tito pittore di Sansepolcro,* Arezzo 1934, p. 81) lesse dubitivamente la data 1593 nel dipinto di Pisa e propose anche la lettura dell'anno 1598 (?). È probabile che dopo il restauro, in corso da parte della Soprintendenza ai Beni Ambientali, Artistici e Storici di Pisa, sia possibile una lettura agevole della data.
(10) A. FORLANI TEMPESTI, in *Il Primato del Disegno,* Firenze 1980, cat. 13.
(11) S. DE VRIES, *Jacopo Chimenti da Empoli* in "Rivista d'Arte", 1933, cat. 46; il dipinto è stato replicato dall'autore anche in San Michele e Gaetano a Firenze (DE VRIES, *op. cit.* cat. 26).
(12) Citiamo il dipinto in Santa Lucia de Magnoli e quello della SS. Annunziata (cfr. cat. 50) a Firenze.
(13) C. THIEM, *Gregorio Pagani*, Stuttgart 1970, pp. 47-48.
(14) A. VENTURI, *Storia dell'arte italiana,* Milano, IX, 7, 1934, p. 731.
(15) A. FORLANI, *Andrea Boscoli,* in "Proporzioni", 1963, IV, fig. 81.
(16) FORLANI, *op. cit.,* 1963, fig. 82.
(17) FORLANI, *op. cit.,* 1963, fig. 70.
(18) M. BUCCI, *Mostra del Cigoli e del suo ambiente,* San Miniato 1959, cat. 15.
(19) M. CHAPPELL, *Cristofano Allori's Paintings depicting St. Francis,* in "The Burlington Magazine", 1971, pp. 444-455.
(20) A. TANTILLO in *Un'antologia di Restauri,* Roma, 1982, cat. 18.
(21) Lo spunto iconografico deriva puntualmente dall'affresco con la Morte di San Francesco nella Cappella Bardi in Santa Croce a Firenze. Nella scena giottesca il San Francesco morente appare vestito, quindi è da sottolineare che l'iconografia del Santo morente nudo è cinquecentesca, e deriva quasi certamente dalla tavola corrispondente della Vita di Philip Galle, come ipotizza la Tantillo (*op. cit.,* 1982, p. 58, nota 3).
(22) M. BACCI, *Jacopo Ligozzi e la sua posizione nella pittura fiorentina* in "Proporzioni", IV, 1963, pp. 46-84.
(23) BACCI, *op. cit..* 1963, p. 65, figg. 21-24 e M. BACCI in *Il Primato del Disegno,* Firenze 1980, cat. 275-276.
(24) VENTURI, *op. cit.,* IX, 7, fig. 265.
(25) BACCI, *op. cit.,* 1963, p. 67.
(26) VENTURI, *op. cit.,* IX, 7, p. 473.
(27) M. CHIARINI in *Il Primato del Disegno,* Firenze, 1980, cat. 148.
(28) Su questo argomento si veda H. W. van OS, *St. Francis of Assisi as a Second Christ in Early Italian Painting,* in "Simiolus" VII, 1974, pp. 115-132 (con ampia bibliografia); A. SMART, *The Assisi Problem and the Art of Giotto,* Oxford, 1971, p. 18; E. J. MUNDY, *Franciscus Alter Christus. The Intercessory Function of a Late Quattrocento Panel,* in "Record of the Art Museum, Princeton University" XXXVI, 1977, pp. 4-15.
(29) C. D'AFFLITTO in *Il paesaggio nella pittura fra Cinque e Seicento a Firenze,* Firenze 1980, cat. 33.
(30) BORGHINI, *op. cit.,* 1584, p. 632.
(31) B. SANTI, in *L'arte a Siena sotto i Medici (1555-1609),* Siena 1980, p. 122.
(32) SANTI, *op. cit.,* 1980, cat. 51.
(33) SANTI, *op. cit.,* 1980, cat. 48.
(34) H. RÖTTGEN, *Il Cavalier d'Arpino,* Roma 1973, cat. 36, p. 113.
(35) SANTI, *op. cit.,* 1980, p. 121.
(36) D. BERNINI, *La vita devota del pittore Federico Barocci,* in catalogo.
(37) H. OLSEN, *Federico Barocci,* Copenhagen 1962 e A. EMILIANI, *Mostra di Federico Barocci,* Bologna 1975.
(38) Si veda a questo proposito L. ARCANGELI in *Pittori nelle Marche tra '500 e '600. Aspetti dell'ultimo Manierismo,* Urbino, 1979, p. 9 ss.
(39) Cfr. C. STRINATI, *Gli anni difficili di Federico Zuccari,* in "Storia dell'Arte", 1974, n. 21, pp. 85-116.
(40) B. TOSCANO, *Trasformazioni nell'"Umbria Santa"* in *Pittura del '600 e '700 Ricerche in Umbria. 2,* Treviso, 1980, p. 34.
(41) G. ALGERI, *Alessi in Umbria* in "Galeazzo Alessi e l'architettura del Cinquecento", Atti del convegno Genova 1974, pp. 193-202.
(42) *Ricerche in Umbria, 2, cit.,* 1980, cat. 131-136.
(43) TOSCANO, *op. cit.,* pp. 31-34.
(44) *Ibidem,* p. 35.
(45) *Ibidem* pp. 40-44.

Guglielmo Caccia detto il Moncalvo
Montabone 1560 ca. - Moncalvo 1625.

1.
San Francesco sorretto dagli angeli

Roma, Galleria Spada.
Olio su tela, cm. 114×85.
Bibl.: Zeri 1954 p. 48

Attribuito al Moncalvo da A. Porcella, *Le pitture della galleria Spada*, Roma 1931 p. 13. Una variante di dimensioni più grandi è conservata presso la pinacoteca Sabauda di Torino (cm. 159×241. Già in S. Tommaso di Torino. Cfr. V. Viale 1939 pp. 284-285). Secondo F. Zeri, 1954 p. 48, l'opera è databile al 1610 ca.

Importante l'iconografia che somma il tema dell'Estasi propriamente detta a quello della consolazione angelica ponendo del resto l'immagine del Santo, sempre in base al rapporto primario con il tema della Redenzione, in relazione a quella del Cristo appunto, nell'iconografia del Cristo morto sorretto dagli angeli derivata da un prototipo zuccaresco noto certo al Moncalvo che poté essere a contatto con Federico Zuccari nel periodo del soggiorno di quest'ultimo presso la Corte Sabauda (D. Heikamp, *I viaggi di Federico Zuccaro*, in 'Paragone' 105, 1958 pp. 40-63).

La datazione e il riferimento stilistico sembrano confermati da un evidente rapporto con la coeva attività di Giulio Cesare Procaccini in una fase di intenso sviluppo del patetismo che iconograficamente copre un'area vastissima, dal francescanesimo all'arte prodotta per l'ordine domenicano (lo *Svenimento di S. Domenico* nel chiostro di S. Maria Sopra Minerva in Roma ha stretti rapporti con questo dipinto ed appartiene ad una mano affine a quella del Moncalvo nello stesso momento stilistico e cronologico).

c.s.

2.
Madonna col Bambino e Santi

Firenze, Gabinetto Disegni e Stampe degli Uffizi Inv. 1886 F.
Tracce di matita nera inchiostro bruno acquerellato su carta bianca ingiallita, tagliato e riattaccato lungo i piedi della Madonna mm. 415×280.

Il disegno raffigura la Madonna incoronata dagli angeli che offre il cingolo a S. Francesco attorniato da altri santi tra cui Carlo Borromeo. Nel verso a sanguigna sono raffigurati due studi di puttini che giocano con gli attributi della Passione di N.S.

Già riferito al Muziano, il disegno è stato attribuito al Moncalvo da P. Pouncey (1966 annotazione apposta sul passepartout del disegno stesso).

Il riferimento appare condivisibile ancorché non sia nota la pala cui il disegno farebbe riferimento. È possibile peraltro che l'opera sia stata eseguita in un periodo prossimo all'allegoria francescana di Moncalvo, recuperata da G. Romano (cfr. Romano, Torino 1970, n. 84) nel primo decennio del Seicento.

c.s.

Luca Cambiaso (cerchia di)
Moneglia 1527 - Madrid 1585.

3.
San Francesco stigmatizzato

Firenze Gabinetto disegni e Stampe degli Uffizi Inv. 2141 F.
Penna e acquerello bruno su carta beige, controfondato mm 390×275.
Bibl.: Suida Manning - Suida 1958 p. 182.

Singolare versione del tema da parte di un artista della cerchia del pittore genovese, per un dipinto non identificato.

Il Crocifisso che appare al santo è circondato da un'aureola e non propriamente raggiante, all'immediato ridosso della figura del Santo. Interpretazione coinvolgente che configura il miracolo quale entusiastico accoglimento, in linea con l'ideologia figurativa del pittore, sempre connesso all'originaria matrice tibaldesca e teso quindi a una interpretazione costantemente emotiva e spinta ai limiti della liceità iconografica, nella definizione degli attributi propri ai Santi.

c.s.

Bernardo Strozzi detto Il Cappuccino
Genova 1581 - Venezia 1644.

4.
San Francesco adora il Crocifisso

Genova, Palazzo Rosso.
Olio su tela cm. 110×60
Bibl.: Mortari 1967 p. 118 (con bibliografia precedente).

Lo Strozzi, divenuto frate cappuccino, eseguì logicamente numerosi dipinti con l'immagine del Santo, con diverse iconografie tutte centrate però sul tema della venerazione del Crocifisso o comunque sulla preghiera espressa in forma interiorizzata e descritta nell'immagine del Santo a mezza figura isolato da ogni altra presenza. Del quadro di Palazzo Rosso, databile nel secondo decennio del seicento, esistono almeno due varianti note, una a Voltaggio nel Convento dei Cappuccini, ed un'altra a Modena, Galleria Estense. Rispetto a questa tipologia la variante principale è quella esemplificata dal dipinto della Pinacoteca di Siena in cui il tema dell'Adorazione è sostituito da quello della preghiera e della meditazione.

Se tipica della cultura ligure è l'impostazione del quadro in cui si sovrappone il tema dell'Adorazione a quello dello Stimmate (il Santo adora infatti l'immagine del Crocefisso ostendendo le Stimmate in una sorta di perenne replica dell'atto miracoloso) è notevole il rapporto con la tematica iconografica di origine gesuitico-filippina che riesuma l'immagine dell'orante paleocristiano (cfr. A. Zuccari, 1981, 41, pp. 77-105) particolarmente sentita in ambiente cappuccino e qualificante uno degli aspetti dell'elaborazione iconografica francescana nel primo ventennio del secolo.

c.s.

Giovanni Battista Paggi
Genova 1554-1627.

5.
La Trinità e Santi

Firenze, Gabinetto Disegni e Stampe degli Uffizi, inv. 13.309 F. mm. 368×242

Il soggetto di questo disegno, bell'esempio delle qualità grafiche del Paggi, rientra nello schema più tipico delle pale controriformate e raffigura la Trinità con il mondo in alto, la Vergine sulla sinistra che presenta al figlio una lunga schiera di Santi che fanno corona tutt'intorno: Santa Caterina d'Alessandria, San Gerolamo, San Sebastiano, San Francesco che si rivolge a San Lorenzo, Sant'Antonio Abate e altri due Santi (San Giovanni Evangelista e Battista?) di difficile identificazione.

Un quadro di questo soggetto non è menzionato dalle fonti nel lungo elenco di opere dipinte dall'artista per chiese della Liguria e della Toscana, le due regioni che lo videro più attivo.

Le figure di San Francesco e altri Santi tornano in altre composizioni grafiche dell'artista, come quella pubblicata dalla Newcome (*Genoese Baroque Drawings*, New York 1972, cat. 19) raffigurante Sant'Osvaldo che rende omaggio a San Francesco e che non è stilisticamente lontano dal foglio fiorentino. La studiosa mette ipoteticamente in rapporto il foglio americano con la pala del Paggi nel Duomo di Pisa, raffigurante una croce in gloria e Santi vari, fra cui Francesco, Antonio, Rocco e Sebastiano in primo piano. Senza voler avanzare ipotesi troppo ardite per il nostro foglio, notiamo che anche qui si ripetono alcuni dei Santi citati nel dipinto pisano.
Alla formazione strettamente cambiasesca, il pittore genovese sovrappone l'esperienza della pittura toscana riformata, in particolare quella del Cigoli, del Passignano e del Ligozzi, così da divenire al suo rientro nella città ligure, il caposcuola dell'indirizzo più aggiornato della pittura genovese.
Nel gusto per le partiture geometrizzanti e semplificate e per l'eleganza ancora manieristica del segno, addolcita dalle delicate acquerellature, il foglio che si espone appare fortemente dipendente dalla grafica del Cambiaso.
Nell'attività del Paggi va citata una tela con le Stigmate di San Francesco firmata e datata 1608 nella chiesa del Monte Carmelo a Loano (cfr. V. Belloni, *Pittura genovese del Seicento dal manierismo al Barocco*, Genova 1969, p. 104).

s.p.v.r.

Scuola ligure (?) fine XVI secolo.

6.
San Francesco e i simboli della Passione

Firenze, Gabinetto Disegni e Stampe degli Uffizi, inv. 7.330 S
Penna e sanguigna su carta bianca, mm. 360×240

Proveniente dalla collezione Santarelli, il foglio reca una assai improbabile attribuzione al Paggi, ma il segno franto e angoloso dell'anonimo autore di questo schizzo non presenta alcuna affinità con lo stile cambiasesco e toscaneggiante insieme, tipico della grafica dell'artista genovese.
L'opera è forse avvicinabile al raro pittore genovese Simone Barrabino (Valpolcevera 1585 ca. – ?) attivo all'inizio del seicento, allievo di Bernardo Castello e operoso nella fase giovanile per il Convento francescano di Pegli dove lasciò un'*Ultima Cena* che è notevole esempio dello sviluppo della maniera del Tavarone.
L'interesse del foglio è prevalentemente iconografico, perché esso propone una tematica poco consueta nel repertorio francescano: il Santo è raffigurato in estasi, circondato da angioletti che recano in mano i simboli della Passione del Cristo, la Croce, la scala, il bacile di Pilato, l'asta, la corona di spine e il velo della Veronica. Accanto al Santo, quasi posato sul suo braccio, forse una raffigurazione del Cristo risorto in sembianze di giovinetto, che gli indica la Croce.
È assai facile sottolineare l'intento programmatico di quest'iconografia, basata sulla identificazione fra Francesco e il Cristo, tema assai tipico e sfruttato dall'Ordine, sino ad arrivare a forzature teologiche al limite dell'eretico.

c.s.

Giovanni Battista Crespi detto il Cerano
Cerano 1575 ca. – Milano 1632.

7.
Apparizione di San Francesco ad un moribondo

Milano, Civici Musei del Castello Sforzesco.

Olio su tavola, cm. 44×26.
Bibl.: Bora 1973 Vol. I p. 25.

L'opera insieme con la seguente (cat. n. 8) fu riunita da N. Pevsner, *Die Gemälde des G.B. Crespi gennant Cerano*, in 'Jahrbuch der preussichen Kunstsammlungen' 1925 p. 14-16, con altre due tavolette di identiche dimensioni conservate presso la Pinacoteca di Brera che le acquisì con il Legato Oggioni nel 1885 dopo che le raccolte del Castello Sforzesco avevano ricevuto questa e l'altra storietta francescana con il legato Tanzi del 1881. Secondo M. Gregori, 1950 p. 47 i quattro quadretti avrebbero potuto far parte di una ipotetica incorniciatura della grande pala raffigurante il *Voto dei Santi Francescani*, datata 1600 eseguita dal Cerano per la Chiesa dell'Immacolata (detta Immacolata Nuova) a Milano, rimossa nel Settecento e distrutta nell'incendio della Pinacoteca di Berlino, dove era conservata, nel 1945.
Anche se l'ipotesi della Gregori non è provata da dati storici inequivocabili, è legittima sotto il profilo stilistico e quindi attendibile. Se infatti in quest'opera la maniera del maestro appare matura nell'intenso contrasto luministico e nella pregnanza degli scorci che drammatizzano in modo essenziale la vicenda, è altrettanto vero che tali elementi sono formulati con uno stile di ascendenza tibaldiana ancora presente nelle *Storie di S. Carlo* eseguite per il Duomo di Milano tra primo e secondo decennio del secolo.
Notevole il raro tema dell'apparizione al malato che rientra nella iconografia salvifica connessa all'interpretazione cristologica del Santo che nella scena sintetizza il concetto della salvezza tramite l'abbandono incondizionato alla Fede e alla preghiera dipendente da una dimensione spirituale tipica della Milano Borromea e più volte richiamata, nelle pale lombarde, dal confronto diretto tra S. Francesco e S. Carlo Borromeo.

c.s.

8.
San Francesco risana un ammalato

Milano, Civici Musei del Castello Sforzesco.
Olio su tavola cm. 44×26.
Bibl.: Bora 1973 vol. I p. 25 (con bibliografia precedente).

Fa parte della serie discussa nella scheda precedente. Iconograficamente segue l'impostazione dei miracoli di Cristo secondo schemi di tipo 'orvietano' largamente diffusi anche in area lombarda specie tramite il Moncalvo il cui influsso è giudicato dal Bora, (op. cit.) su un passo critico di M. Rosci, *Mostra del Cerano*, cat. Novara 1964 p. 36 'un'esperienza culturale... tale da servirgli come freno alle ridondanze romane'.

c.s.

9.
Disegno di frontespizio

Milano, Biblioteca Ambrosiana, cod. F. 235 INF n. 1.014.
Penna e acquerello bruno su carta preparata mm. 243×178.
La scritta sul cartiglio: Consecro, tibi primo Gonzaga Minister/Post decies quintu sextus at ipse patri/Octo sustinui quos annos mille Labores/Tum successores haec monitura meos/Annue Francisci Voto Franciscе tousq./Servare aeternum scripta notata... Gio Batta Crespi f.
Bibl.: Bora 1973 p. 24 (con bibl. prec.)

Studio, di cui non è nota la realizzazione, per un frontespizio di un volume presumibilmente raccogliente testi francescani presentati al Generale dell'Ordine.
L'iconografia è interpretabile quale consegna del testo da parte di Francesco al Gonzaga secondo un modo stilistico esprimente prioritariamente il concetto dell'umiltà. Eseguito presumibilmente intorno all'anno 1600 in cui il Cerano compie il *Voto dei francescani.*

c.s.

10.
San Francesco

Milano, Biblioteca Ambrosiana Cod. F 235 INF n. 1017.

Matita nera, sanguigna sfumata, rialzi in gessetto bianco su carta verde azzurra (restaurato agli angoli) mm 333×236.
Bibl.: Bora, 1973 p. 24 n. 59

Collegato dalla Spina Barelli 1959 alla pala della *Madonna di S. Celso con i Ss. Francesco e Carlo* (iconografia tipica dell'ambiente e trattata anche da Giulio Cesare Procaccini e da Tanzio da Varallo), l'opera esempio dell'immagine del Santo trattata secondo la formula dell'Adorazione estatica connessa al tema dell'epifania della Vergine, è dunque databile intorno al 1610, data presunta della pala di Torino.

c.s.

Giulio Cesare Procaccini
Bologna 1574 – Milano 1625.

11.
San Francesco sorretto dagli angeli

Firenze, Gabinetto Disegni e Stampe degli Uffizi inv. 1499 F.
Sanguigna su carta avorio, riquadrato a penna mm. 131×95

Interessante versione del tema della consolazione angelica in un disegno presumibilmente giovanile del maestro non legato ad alcun dipinto noto. L'impostazione iconografica sottolinea che l'evento si svolge all'immediato seguito della Stimmatizzazione. Il Santo è in effetti ancora in presenza dell'Immagine del Crocifisso da cui, secondo il racconto della *Legenda minor* di S. Bonaventura da Bagnoregio, escono i raggi che provocano il miracolo. Interpretazione nel contempo patetica e devota riscontrabile in ogni aspetto dell'arte del maestro lombardo nella produzione sacra.

c.s.

Aurelio Luini
Milano 1530 ca. – 1593.

12.
Madonna col Bambino adorata da S. Francesco e S. Giovanni Battista

Penna e acquerello bruno, quadrettato a matita su carta ocra mm 360×240.
Bibl.: Bora, 1973 p. 18 n. 9.

Attribuito dal Bora ad Aurelio Luini, figlio del pittore Bernardino. Reminiscenze della maniera paterna pur innervate in una grafia tesa e mossa inducono a considerare l'opera databile negli anni settanta quando tra l'altro il pittore lavora con Carlo Urbino nella decorazione della Madonna di Campagna a Pallanza sul Lago Maggiore, una delle imprese decorative di maggior rilievo dell'intera area lombarda (cfr. Bora, in "Arte Lombarda", 52, 1979 pp. 90-106.
Significativa l'iconografia, prettamente controriformata e diffusa in tutto l'ambiente italiano, nell'accostamento della figura del precursore a quella di Francesco, perfetto seguace di Cristo, immagine simbolica di una convergenza di intenti nell'Italia post Conciliare.
Non è noto alcun dipinto derivante da questo disegno.

c.s.

Jacopo Palma detto il giovane (cerchia di)
Venezia 1544-1628

13.
San Francesco sorretto dagli angeli

Gorizia, Museo Provinciale.
Olio su tela cm 104×122.
Bibl.: Ivanoff-Zampetti, 1980 p. 538 (con bibl. prec.)

Opera tarda (1615 ca.) di Palma (e collaboratore) significativa in quanto tratta una tematica relativamente estranea all'area veneta ma sentita dall'artista la cui cultura di base tintorettesca, aveva notevoli agganci con l'ambiente post michelangiolesco dell'Italia centrale.
La riforma tintorettesca ebbe in Palma uno degli esponenti più consequenziali come ricorda il Boschini (ultimamente su questa tematica R. Pallucchini, *La pittura veneziana del Seicento*, I, Milano 1981, pp. 30-37). Nell'ambito dell'iconografia è da notare che Palma oltre a seguire il Tintoretto nello specifico stilistico, ne seguiva anche l'impostazione generale sul problema dell'immagine sacra e delle sue implicazioni concettuali.
A differenza dell'area centro italiana, a Venezia, tramite appunto il Tintoretto, c'era stata una persistenza della antica tematica del confronto tra Vecchio e Nuovo Testamento culminata (Tolnay) con la decorazione della Scuola di S. Rocco e basata sul tema dell'Eucarestia, la cui implicita esaltazione (oggetto del resto del quadro tardo del Maestro eseguito per S. Giorgio Maggiore e posto di fronte ad una *Caduta della Manna*) diventa esplicita nel ciclo di Palma per la Sagrestia vecchia di S. Giacomo dell'Orio (1581) (cfr. *Per la storia del manierismo a Venezia*, Milano 1981 pp. 330-336, testi di P. Rossi e S. Mason Rinaldi).
In Palma la tensione biblica ed eucaristica che informa l'opera tintorettesca, si allenta in una forma di naturalismo contenuto ancorché calato in pieno nel criterio formale della generazione precedente. L'attenzione così sulla figura di Francesco è avvertita da Palma quale simbolo, primariamente, della Passione con la messa in evidenza di quanto, da questa immagine, sollecita una religiosità dolente che viene veramente dopo la fase epica del dispiegamento delle energie tintorettesche, rientrando in una quiete spirituale estranea a ogni sospetto di eresia.

c.s.

14.
San Francesco consolato dall'angelo musicante

Roma, Museo Francescano, inv. 560.
Penna e acquerello bruno su carta bianca, riquadrato a penna, mm 194×120.
In basso a destra cartiglio applicato con scritta moderna *Palma il Giovane.*

Disegno tipico della produzione grafica matura dell'artista, il foglio attesta il gusto palmesco desunto da schemi iconografici controriformati per i facili effetti, per i gesti retorici e le espressioni patetiche – si veda il volto del Santo e la sua posizione estatica –. L'acquerellatura sottolinea il segno rapido e franto della penna e ne determina le ombreggiature. Non si conoscono dipinti del Palma di questo soggetto, che riprende il noto tema iconografico di San Francesco consolato dall'angelo musicante.
L'artista ambienta la scena al chiuso, come nel dipinto del Piazza inciso dal Sadeler e in quello al Redentore a Venezia, riprendendo la tradizione narrata da San Bonaventura del Santo ammalato, che volle sentire musica e fu esaudito da un angelo.

s.p.v.r.

Orazio Sammachini
Bologna 1532-1577.

15.
Incoronazione della Vergine e Santi

Firenze, Gabinetto Disegni e Stampe degli Uffizi Inv. 1.481 F.
Tracce di matita nera, penna inchiostro bruno acquerellato su carta bianca leggermente quadrettata a matita nera mm 362×244.
In basso a destra a matita Samacchini, nel verso scritta antica a penna Sanmachino.
Bibl.: Johnston 1973, p. 27 f. 6.

Il disegno, proveniente dalla collezione di Leopoldo de' Medici, è studio preparatorio con varianti, della pala dell'altar maggiore della Abbazia dei Ss. Naborre e Felice a Bologna ora

in Pinacoteca (EMILIANI, 1967 p. 260 fig. 158).
Tipica opera del pittore bolognese di forte ascendenza tibaldiana ma sensibile anche alla coeva scuola fiorentina e in particolare al Vasari e alla sua cerchia con cui il Sammachini insieme con Lorenzo Sabatini operò in varie imprese tra cui la Sala Regia in Vaticano.
Notevole il tema dell'*Incoronazione della Vergine* connesso alla presenza di S. Francesco e S. Chiara in una pala ispirata al concetto del martirio per la presenza dei due santi martiri in primo piano in rapporto alla figura del Battista sullo sfondo. Si delinea qui il problema iconografico ancora vigente nel settimo decennio del cinquecento (in cui il disegno va indubbiamente datato) dell'interpretazione delle Stimmate e della conseguente Adorazione della Croce quale atto connesso al Martirio. Culminato in anni posteriori (ultimo decennio del secolo) il vero e proprio culto dei martiri, con conseguenze ragguardevoli sulla impostazione della pala d'altare secondo la tematica di un recupero di atteggiamenti arcaici; il tipo di pala d'altare formulato in un disegno come questo scompare e scompare anche l'ambigua interpretazione delle Stimmate intese solo quale Martirio, rientrante in quel sospetto ereticale nella esasperazione del confronto tra Cristo e Francesco di remotissima origine ma sottoposto anch'esso a revisione critica e razionalizzazione.

c.s.

Bartolomeo Passerotti
Bologna 1528-1592.

16.
San Francesco adora il Crocefisso

Bologna, Pinacoteca Nazionale.
Olio su tela cm. 82×80. Iscritto Paserotto Inv.

Tipica opera del pittore bolognese (proveniente dalla collezione Zambeccari) tra ottavo e nono decennio del secolo per l'energico innesto stilistico di movenze baroccesche sull'impianto tibaldiano mai contraddetto dal pittore per tutta la sua carriera.
Iconograficamente è importante il fatto che nell'opera si verifica una fase di aggiustamento tematico tra i due argomenti concomitanti dell'Adorazione della Croce e della meditazione sulla morte tipica dell'area cappuccina e dilagante poi nella impostazione dei cimiteri dove, con procedimento concettistico, le ossa dei morti sono utilizzate per comporre disegni di carattere floreale o comunque decorativo in uno stridente e tragico contrasto tra bellezza ed orrore.
Passerotti educato su un'arte vitalistica e di prorompente energia grafica non ha un diretto ed esplicito rapporto con tale tematica e tuttavia è notevole che egli sia tra i primi a trattare la figura del Santo isolato, in atteggiamento tra l'estatico e il meditativo, con una accentuazione del "memento mori" che si riscontra nell'immagine del teschio descritto con cruda evidenza.

c.s.

Dionisio Calvaert
Anversa 1540 – Bologna 1619

17.
San Francesco stigmatizzato

Firenze, Gabinetto Disegni e Stampe degli Uffizi Inv. 3.853 S.
Matita nera su carta azzurra, quadrettato a sanguigna mm 256×172 (reintegrato nell'angolo in alto a destra).

Già attribuito ad Agostino Carracci (come si legge nell'angolo in basso a destra) il disegno è stato riferito al Calvaert dal Bodmer (scritta sul passepartout). Si tratta effettivamente di un'opera che si trova in posizione intermedia tra le prospettive stilistiche della prima accademia carraccesca e quelle della fase matura del Calvaert che dei Carracci, come è noto, fu proprio il più fiero oppositore, stando almeno al racconto del Malvasia e non volle adeguarsi, come avrebbe fatto in parte Bartolomeo Cesi, alla tematica riformata dei nuovi accademici.
La grafia mossa e fluida e il modellato che suggerisce una trasposizione pittorica trascolorata e cangiante fanno effettivamente propendere per il riferimento al Calvaert in un momento prossimo al noto dipinto raffigurante la *Vigilanza* della Pinacoteca di Bologna databile al 1590 ca.

c.s.

18.
San Francesco Stigmatizzato adora la Vergine

Bologna, Pinacoteca Nazionale.
Olio su tela cm 112×80.

Il dipinto fa pendant con un altro raffigurante la *Vergine adorata da S. Brunone*.
Opera tipica del pittore nel suo periodo maturo tra nono e decimo decennio del cinquecento quando contrastò con l'Accademia dei Carracci fornendo una sua particolare versione di quel contatto col Barocci cui allude A. EMILIANI, 1967 n. 175 che non escludeva però rapporti con la pittura energica e grandeggiante dei Passerotti e dei Sammachini.
Iconograficamente è interessante il fatto che sia proprio il pittore fiammingo (e malgrado il lunghissimo soggiorno in Italia mantenutosi sempre "affiammingato" come volle il MALVASIA, *Vite de' pittori bolognesi*, Bologna ed. 1971 p. 63) a trattare tra i primi la variante tematica del rapporto affettuoso tra il Santo Stimmatizzato (e quindi in rapporto diretto ed esclusivo con la figura del Cristo) e la Vergine che, da un punto di vista strettamente dottrinale è scarsamente connessa con la figura di Francesco. È un dato di fatto che più si va verso la fine del secolo e più aumentano le rappresentazioni della Vergine mentre regredisce parallelamente il ruolo assolutamente protagonistico della figura del Cristo maturato negli anni cinquanta e predominante fino a tutto l'ottavo decennio. È vero del resto che fu caratteristico di molti tra i fiamminghi, ovunque fossero operosi in Italia, di rimarcare la dimensione patetica e coinvolgente nella rappresentazione del sacro (è emblematica la vicenda di Teodoro d'Errico a Napoli studiata da G. PREVITALI, *La pittura a Napoli e nel Vicereame*, Torino 1978 pp.44-46) e il Calvaert fu in questo senso veramente un esponente di rilievo.
È qui l'incunabolo di un modo di pensare ed eseguire la pala d'altare che avrà sviluppi all'inizio del Seicento, ancorché secondo la declinazione carraccesca che espungeva le tipologie di Calvaert ancora legate ad un ambiente che aveva avuto il suo apice nel settimo decennio del secolo e che dopo la *Comunione di S. Girolamo* di Agostino e la decorazione di Palazzo Magnani dei tre Carracci (cfr. C. VOLPE, *Sugli inizi di Ludovico Carracci*, in 'Paragone' 1976 pp. 115-129) potevano essere considerate superate.

c.s.

19.
Visione di Fonte Colombo

Bologna, Chiesa del Corpus Domini.
Olio su tela cm. 165×85

Tradizionalmente attribuita al Calvaert, l'opera, di notevole interesse iconografico, va mantenuta invece nella cerchia del maestro di cui riflette certamente il ben documentato culto dell'impostazione paesistica e la matrice prima del suo stile, in rapporto a Prospero Fontana e Lorenzo Sabatini, senza poter essere riferito con certezza ad alcuno di questi artisti e della cerchia relativa.
Opera databile comunque ancora nell'ottavo decennio, è interessante per l'interferenza iconografica tra la vicenda della *Visione di Fonte Colombo* in cui il Santo ha per la prima volta l'immagine della regola Francescana e quella canonica dello *Stimmatizzato* della Verna. Il paesaggio infatti, pur in una genericità che non

permette riferimenti diretti è effettivamente analogo a quello reale della località di Fonte Colombo nel reatino mentre l'impostazione generale del dipinto è certamente quella del momento delle Stimmate. Alla base la suggestione che i due momenti di fatto coincidano in una unità concettuale che prepara i futuri sviluppi iconografici, del Santo colto da solo nell'atto di una meditazione che è nel contempo, al mutare posteriore dell'iconografia, interiore e dottrinale.

c.s.

Bartolomeo Cesi.
Bologna 1556-1629.

20.
La Vergine col bambino adorata da S. Benedetto, S. Giovanni Battista e S. Francesco.

Bologna, S. Giacomo Maggiore.
Olio su tela cm. 285×160
Bibl.: GRAZIANI 1939 p. 86; BENATI 1980 p. 16

Opera cruciale del Cesi collegata dal Graziani al disegno n. 12.727 degli Uffizi di composizione analoga. Pur mancando evidenze documentarie sembra possibile la datazione ormai accreditata, ad un momento immediatamente prossimo al 1590 forse connesso con il viaggio a Roma nel 1591 tra i cui esiti è da annoverare la pala con *S. Anna orante* ora nella Pinacoteca di Bologna presumibilmente databile nell'anno giubilare 1600.
Interessante il rapporto che il Cesi istituisce in quest'opera con la cultura tosco-romana da un lato e con il suo stesso ambiente dall'altro. In particolare è notevole come il quadro del Cesi sia in rapporto diretto con una delle pale d'altare più innovative e sorprendenti elaborate dai pittori della generazione che lo aveva preceduto e che si trovava nella stessa chiesa di S. Giacomo Maggiore: la *Madonna e Santi* del Passerotti del 1565 (cfr. ripr. in questo catalogo). Il confronto tra le due opere mette in evidenza un passaggio decisivo nella cultura controriformata. Nella pala di Passerotti, a sua volta connessa con prototipi genghiani e quindi sostanzialmente non ortodossi, la pala d'altare cattolica veniva dilatata al limite estremo di tolleranza iconografica attraverso una inserzione, nel contesto fervido ma violentemente paganeggiante, di una figura quale quella centrale del Battista, rievocante le crudezze dello spogliato ellenistico con un soprassalto di profanità ostentata nell'ambito della pala d'altare che, nella fase stessa in cui il Gilio componeva e pubblicava il trattato degli *Errori dei pittori*, manifestava un intento contestativo esplicito ed audace.
A distanza di una generazione il Cesi citava proprio questa figura inaudita ed inquietante del Passerotti, ma in funzione moralizzata, da un lato descrivendo l'epifania celeste non come quella di un idolo totemico, sorta di statua vivente a diretto contatto con i Santi e i committenti; ma come quella di una inattingibile e serafica apparizione celeste di fronte a cui i tre santi sono in ginocchio e nell'atto, portato a compiuta definizione proprio in questa pala, della preghiera estatica liberi dagli attributi che li contraddistinguono che giacciono a terra in primo piano con quella evidenza di Natura morta cosí tipica dell'ambiente bolognese e proprio del Passerotti in prima persona, ma anch'essi moralizzati nella funzione di incentivare la decifrazione dell'opera in chiave di sommessa interiorità che annulla il gigantismo prepotente della maniera passerottiana e con esso il sospetto di eresia circolante nell'ambiente padano. L'immagine del Santo è qui espressa secondo una formula stilistica di ufficialità quale fondatore dell'ordine paragonato tramite la presenza mediatrice del Precursore, a quella di S. Benedetto, per cui la pala assume il senso dell'immagine visiva dell'incardinamento della struttura ecclesiastica ai fondatori dei grandi Ordini sulla base del concetto che le origini della chiesa e il presente coincidono nello spazio rasserenato del quadro.

c.s.

Pietro Faccini
Bologna 1562-1602.

21.
La visione di San Francesco

Roma, Gabinetto Nazionale delle Stampe, inv. FC 73.066.
Acquaforte, mm 338×240.
Bibl.: BARTSCH, XVIII, n. 1, p. 272.

Sappiamo dal Malvasia (1686, p. 337, ediz. 1969, p. 230) che il Faccini dipinse "le due storie di S. Francesco, nelle finestre laterali" della Chiesa dei Cappuccini di Bologna. L'Emiliani nel commento al testo del Malvasia, afferma che esse raffiguravano San Francesco che riceve il Bambino Gesù dalla Vergine, e l'angelo che appare al Santo (per errore è detto Gesú) suonando la viola. I dipinti erano già andati perduti alla fine del XVIII secolo, come si legge in una nota manoscritta alla guida del 1782.
Il primo di questi due soggetti ci è stato tramandato dallo stesso artista, che ha voluto incidere all'acquaforte la sua composizione "avec beaucoup de science" e ad imitazione del Barocci, come afferma il Bartsch (XVIII, p. 272). Senza soffermarci sulla straordinaria resa stilistica dell'incisione, ottenuta liberamente con un segno morbido e giustamente contrastata nelle ombre da sapienti incroci di linee, è da sottolineare anche l'importanza documentaria dell'opera che ci consente di recuperare integralmente un testo perduto. È interessante sottolineare le eleganze ancora manieristiche parmensi della Vergine avvolta su se stessa, e lo spirito intimistico e cordiale, alla Ludovico Carracci, di questa Sacra Conversazione, elementi che fecero del Faccini uno degli esponenti più brillanti della cultura bolognese del Cinquecento.
L'opera del Faccini presenta anche un grande interesse iconografico: la raffigurazione di San Francesco inginocchiato in adorazione, che prende in braccio il Bambino Gesù, affidatogli dalla Vergine è uno dei temi nuovi della iconografia francescana inaugurato dalla Controriforma e del tutto assente nelle rappresentazioni del Santo nel periodo medioevale e quattrocentesco. Elemento caratteristico dei soggetti agiografici di questo periodo è la interpretazione in chiave mistica, che privilegiò le raffigurazioni di estasi e visioni e che diverrà elemento caratteristico dell'arte seicentesca in Europa. Nel caso particolare della raffigurazione di San Francesco che riceve il Bambino dalla Vergine, assistiamo ad una sorta di "contaminazione" iconografica con la figura di Sant'Antonio di Padova, cui realmente si riferisce questa apparizione (cfr. REAU, III, 1, 1958, p. 121) tanto sfruttata nella pittura barocca.

s.p.v.r.

22.
San Francesco addormentato

Firenze, Gabinetto Disegni e Stampe degli Uffizi, inv. 6200 F
Carboncino e gessetto bianco su carta avorio, mm 595×425.
In alto scritta a penna seicentesca: *di Pietro Facini × il dipinto e da un lato del altar maggiore / de capucini di Bol:a.*

La scritta antica in calce al disegno, attesta che si tratta dello studio preparatorio per il dipinto già nella Chiesa dei Cappuccini a Bologna, realizzato dal Faccini intorno alla fine del secolo.
L'atteggiamento del San Francesco, in meditazione davanti al Crocifisso, ci autorizza a avanzare l'ipotesi che lo studio sia per la seconda composizione, l'Angelo che appare al Santo suonando la viola.
Il grande modellino, in cui l'artista studia con accuratezza di particolari la figura intera e la parte inferiore del Santo, si pone tra le realizzazioni grafiche più alte del Faccini disegnatore, assai noto per i suoi bozzetti a penna e acque-

rello, ancora vibranti di echi emiliani tardo-cinquecenteschi.
Gli studi di figure, realizzati a carboncino o a gesso colorato, non sono davvero da meno e si caratterizzano per un senso plastico o volumetrico assai marcato, come nel nostro foglio. Anche in questo caso, è superfluo sottolineare l'importanza documentaria del disegno, che ci consente di ricostruire il dipinto, con la sola esclusione dell'angelo musicante, probabilmente posto in alto sulla sinistra della composizione.
L'iconografia di questa scena è più consueta della precedente e ripropone un tema assai sfruttato nel tardo-cinquecento: ci sembra sia da sottolineare però l'interpretazione intimistica del Santo in meditazione, in dialogo assorto e confidenziale con il crocifisso, elemento caratteristico del linguaggio artistico bolognese di questo periodo, che si differenzia dalle raffigurazioni più macerate e visionarie della Lombardia o rigidamente austere della produzione romana e meridionale.

s.p.v.r.

Ludovico Carracci
Bologna 1555-1619.

23.
San Francesco in ginocchio adora il Crocifisso

Roma, Galleria Capitolina.
Olio su tela cm. 111×80.
Bibl.: Arcangeli 1956 p. 105; Bruno 1978, p. 52

Proveniente dalla collezione Sacchetti con l'attribuzione ad Antonio Carracci, fu restituita correttamente a Ludovico dall'Arcangeli e datata intorno al 1582 nel periodo in cui i Carracci eseguono le Storie di Giasone in Palazzo Fava a Bologna (terminate nel 1584) e il Cardinale Paleotti (il cui influsso su Ludovico fu certo notevole) elaborava il *Discorso intorno alle Immagini sacre e profane*.
Tipica opera giovanile di Ludovico riveste interesse iconografico per il trattamento del tema, ampiamente divulgato nelle stampe, dell'Adorazione del Crocifisso nella variante della Croce poggiata a terra. È qui la sovrapposizione della tematica morale dell'umiltà con quella miracolistica delle Stimmate, tendente a fornire una immagine scarsamente dottrinale e appassionatamente devota del Santo, impostazione che tuttavia fu tralasciata, venendo meno, con l'approssimarsi della fine del secolo, quella tendenza di carattere generale indirizzante la devozione popolare verso forme di corale consenso con il privilegiamento invece di una razionalizzazione del concetto del "devoto" verso forme interiorizzate e mistiche. Significativo dunque che proprio un artista come Ludovico, di ardente e appassionata maniera, sia stato tra i pochi a elaborare in pittura questa variante del soggetto dell'Adorazione e proprio all'inizio di una carriera improntata all'accentuazione dell'elemento drammatico e turbinoso nella illustrazione del soggetto sacro.

c.s.

24.
Madonna degli Scalzi

Bologna Pinacoteca Nazionale.
Olio su tela, cm. 219×144.
Bibl.: H. Bodmer, 1939 pp. 37-38 p. 124; J.R. Judson, 1967 pp. 387-89.

L'opera proviene dalla cappella Bentivoglio nella chiesa della Madonna degli Scalzi a Bologna. Si tratterebbe della maggiore opera giovanile del maestro eseguita a breve distanza dalla cosidetta *Madonna dei Bargellini* per la cappella Boncompagni già nella chiesa delle Monache Convertite, firmata e datata 1588. La *Madonna degli Scalzi* si situerebbe subito dopo (nel 1590 ca.) in concomitanza con i lavori eseguiti dai tre Carracci (in una perfetta concordanza di intenti stilistici ed espressivi secondo le fonti coeve) con il fregio di Palazzo Magnani a Bologna. Manca però qualunque evidenza documentaria per confermare la datazione di quest'opera in cui il Malvasia scorgeva, nella figura di S. Gerolamo in particolare, quell'accordo stilistico tra la potenza michelangiolesca e lo stile correggesco tipico di Ludovico. In effetti questa figura rivestì un notevole significato per il pittore che la ripeté pressoché identica, anche se più marcata nell'effetto chiaroscurale, nella Pala dell'*Ascensione* in S. Cristina a Bologna, nella figura dell'apostolo che chiude la composizione in basso a destra, databile 1597 il che potrebbe indurre a spingere più avanti la datazione della stessa *Madonna degli Scalzi* (cfr. la ripr. in questo catalogo).
Giustamente l'Arcangeli richiamava, analizzando la composizione, la *Madonna Sistina* (Dresda Gallerie) di Raffaello Sanzio che a quell'epoca era a Piacenza e poteva quindi essere esaminata da Ludovico (Arcangeli, 1956 p. 46).
Lo stesso Arcangeli (*op. cit.* p. 47) tendeva a connettere quest'opera alla *Pietà con S. Francesco* di Annibale Carracci oggi nella Pinacoteca di Parma di pochi anni anteriore (cinque se si accetta una data dell'opera di Ludovico intorno al 1590) e certamente connessa a quel culto neocorreggesco cui lo stesso Ludovico fu debitore.
Su una linea di pensiero figurativo non contradditoria all'impostazione del Calvaert, Ludovico ingigantisce il discorso centrando non tanto il tema della Vergine che appare a San Francesco che ormai stava assumendo sempre maggiore importanza, quanto quello dell'*Immacolata Concezione* che si manifesta al Santo. Ma l'interpretazione figurativa di Ludovico è più complessa di quella del Calvaert in quanto egli proietta l'epifania celeste, tutta sotto l'immagine dell'ultraterreno abolendo la concezione, portata proprio da artisti bolognesi come Sammachini o Passerotti a forme molto complesse, dell'apparizione della Vergine col bambino ai Santi. Qui l'ipotesi suggerita dal quadro è quella di un unico ambiente (già adombrato dalla *Madonna Bargellini*) trasfigurato in un corposo ed evidente Regno dei cieli in cui l'immagine di San Francesco non più condizionata dall'attributo iconografico essenziale dello stimmatizzato si configura quale quella simbolica del Cristo nell'ultraterreno.

c.s.

Annibale Carracci
Bologna 1560 – Roma 1609.

25.
S. Francesco mostra la Croce

Venezia, Gallerie dell'Accademia.
Olio su tela, cm 96×79.
Bibl.: Posner, 1971 p. 96 (con bibliografia precedente).

Attribuita ad Annibale Carracci da Roberto Longhi, l'opera (di cui si conoscono almeno due copie nella Galleria Nazionale di Roma e nella Galleria Liechtenstein di Vaduz) sembra spettare effettivamente all'attività giovanile (1585 ca.) di Annibale come sostenuto da G.C. Cavalli (*Mostra dei Carracci*, 1958). Interessante la variante iconografica del tema trattato da Ludovico nel quadro della galleria Capitolina (n. 23) in quanto al tema della venerazione della Croce susseguente al momento delle Stimmate, si sostituisce quello della ostensione della Croce e del teschio, limite massimo di una tematica patetica e "popolare" condivisa dai Carracci nella prima fase di fondazione dell'Accademia e poi tralasciata da Annibale e reinterpretata da Ludovico anche in periodi posteriori. È possibile che tra le due versioni del tema intercorra una interpretazione differente nel trattamento iconografico del tema della Fede che sottende ovviamente sia il dipinto di Annibale che quello di Ludovico. Mentre in Ludovico, con anticipazione di tutta quella che sarà la sua tematica posteriore, è proprio il tema della fede in quanto tale ad essere esibito alla meditazione del riguardante, in Annibale sembra di poter adombrare l'intento di illustrare il tema della conciliazione della Fede e della Carità la cui difficile attuazione è certo simboleggiata dai rovi che si frappongono tra l'immagine del Crocefisso poggiato sulla nuda terra e quella del teschio, evidente allegoria di un "memento mori" che si riferisce alle aspre lotte dell'esistenza con una tematica analoga a quella dell'*Ercole al Bivio* del Camerino Farnese (oggi Napoli Galleria Nazionale di Capodimonte).

c.s.

Ferraù Fenzoni
Faenza 1562-1645

26.
San Francesco inginocchiato

Firenze, Gabinetto Disegni e Stampe degli Uffizi, inv. 12.676 F
Matita nera e gessetto bianco su carta azzurra, mm 394×266, macchie grasse di colore ad olio.
Bibl.: Scavizzi, 1966, p. 19.

Il disegno reca una attribuzione antica a Ferraù Fenzoni, che lo Scavizzi mostra di accettare includendolo nella lista di fogli originali dell'artista.
Lo stile del foglio non si ricollega tanto alla grafica giovanile angolosa del pittore, degli anni 1588-91, periodo in cui egli era attivo a Roma nel gruppo degli artisti della Scala Santa, del palazzo Laterano e della Biblioteca Sistina insieme al Lilio e al Salimbeni.
Il segno sempre acuto e vibrante, ma ammorbidito per un evidente influsso della pittura bolognese dei primi decenni del Seicento, e in particolare di Ludovico e Annibale Carracci, porta a datare il foglio al periodo più tardo dell'artista.
Una punta esemplare raggiunta dal Fenzoni nel soggetto più tipicamente francescano, è il *San Francesco sorretto dall'angelo*, anch'esso del periodo più tardo, reso noto dallo Scavizzi (*Sugli Inizi del Lilio...*, in "Paragone" 1961, n. 317, fig. 32: ubicazione ignota), che sembra rifarsi genericamente alla composizione caravaggesca e riflette, in certe durezze metalliche della luce, l'impronta delle stampe di tale soggetto diffuse a partire dalla fine del XVI secolo.

s.p.v.r.

Federico Fiori detto il Barocci
Urbino 1535-1612.

27.
Studio per San Francesco inginocchiato

Firenze, Gabinetto Disegni e Stampe degli Uffizi, inv. 11322 F
Carboncino e gessetto bianco su carta azzurra, mm. 229×166.
Bibl.: Schmarsow, 1909, p. 26; Olsen, 1962, p. 151; Gaeta Bertelà, 1975 (2), cat. 18, fig. 19.

Della *Madonna sulle nuvole adorata da San Giovanni e San Francesco*, dipinta per la Chiesa dei Cappuccini di Fossombrone, ed oggi dispersa, ci sono pervenuti vari studi preparatori: un bozzetto con l'intera composizione, conservato al British Museum (n. 1873-12-13-1937), numerosi studi per la figura di San Giovanni, che documentano le varie fasi di studio e i ripensamenti dell'artista, ed infine un solo foglio per il San Francesco, che presentiamo. Questo è da considerare fra i disegni più intensi del Barocci, caratterizzato insieme dal segno forte e vigoroso del carboncino e dall'estenuata morbidezza del tratteggio e del gesso bianco, posti a evidenziare i trapassi luminosi.
La datazione del dipinto è fissata dall'Olsen agli ultimi anni del settimo decennio del secolo.
Sulla storia di questo dipinto, – la prima commissione francescana del Barocci – si sono aperte varie ipotesi: Livia Carloni ritiene che il dipinto tutt'ora *in loco* nella Chiesa dei Cappuccini di Fossombrone possa essere l'originale baroccesco, pesantemente ridipinto al punto da non rendere possibile un'analisi stilistica.
È probabile che la tela, già rovinata e trasportata a Milano durante le spogliazioni napoleoniche, si sia danneggiata ulteriormente tanto che non fu mai esposta nei Musei della città. Forse per queste sue cattive condizioni di conservazione, l'opera venne restituita al suo luogo di origine – si ignora la data di questo trasferimento – dove subì una ridipintura così pesante da renderla illegibile.
Un restauro in corso da parte della Soprintendenza per i Beni Storici e Artistici di Urbino verificherà l'attendibilità o meno dell'ipotesi della Carloni, generosamente comunicatami in occasione di questa mostra.

s.p.v.r.

28.
Il Perdono di Assisi

Urbino, Chiesa di San Francesco.
Olio su tela, cm 427×236.
Bibl.: Olsen, 1962, pp. 159-160 (con bibl. precedente); Emiliani, 1975, cat. 75, pp. 93-100.

Il *Perdono di Assisi* fu una delle opere che impegnò più a lungo il Barocci: il Bellori parla di sette anni, ma certamente l'artista vi lavorò dal 1574 al 1576.
La sua importanza iconografica è attestata dalle copie realizzate da questo tema, diffuso grandemente dall'incisione ricavatane nel 1581 dallo stesso autore, e dalla copia a bulino fattane dal Villamena.
L'episodio raffigurato si riferisce alla celebre indulgenza plenaria, ottenuta da Onorio III direttamente da San Francesco, per tutti coloro che si recassero ad Assisi il 1° e 2 agosto. Tralasciato dall'agiografia francescana del Medioevo, questo tema viene ripreso efficacemente nella seconda metà del Cinquecento – lo ritroviamo anche fra le incisioni di Philip Galle del 1587 sulla vita di San Francesco – riscuotendo un grande successo nel clima di recupero delle antiche tradizioni della chiesa.

Il Barocci, che aderì alla religiosità pragmatistica dei Cappuccini, mostra di aver compreso a pieno il nuovo spirito di religiosità francescana, che riportò l'Ordine ad un vivace risveglio a partire dalla metà del Cinquecento. Fu soprattutto la rilettura del messaggio di San Francesco, basato sulla semplicità di un rapporto dialettico e personale con Dio, e sulla prassi evangelica rivolta ad opere di carità e di assistenza, a "sviluppare una politica culturale assai più collettiva che individuale" (Emiliani, 1975 p. 98) in accordo con gli indirizzi propagandistici promossi dalla Chiesa dopo il Concilio di Trento.
L'importanza iconografica dell'opera del Barocci consiste nell'aver saputo organizzare in modo così nuovo e intelligente l'episodio in cui il Santo chiede per i suoi fedeli l'indulgenza direttamente da Cristo, che gli appare con la Vergine nella Chiesetta della Porziuncola.

I numerosi disegni e il bozzetto per l'opera consentono di ricostruire il processo che portò il Barocci ad articolare la composizione. Il disegno n. 11.504 F degli Uffizi attesta la prima versione che mostra Cristo e la Vergine che appaiono a San Francesco, inginocchiato sulla destra, tutti posti su uno stesso piano.

Successivamente si sviluppa nell'artista l'idea di una composizione architettata in senso verticale, su due piani nettamente distinti, l'uno soprannaturale occupato dal Cristo, dalla Vergine e da un Santo, e l'altro inferiore, dove campeggia San Francesco. Questi, attraverso una numerosa serie di disegni, viene concepito in una prospettiva totalmente diagonale, in modo che tanto il corpo, posto di traverso, che le braccia aperte e la testa posta all'indietro e lo sguardo, diretto verso l'alto, contribuiscano a sottolineare il moto ascensionale del Santo verso la divinità. L'Emiliani (1975, p. 97) chiama in causa per questa figura il San Francesco ai piedi della Madonna di Foligno di Raffaello: è comunque una soluzione assai felice che il Barocci adotterà anche nell'incisione delle *Stigmate*.

Assai raffaellesca è anche la figura di Cristo, che incede dall'alto sulle nuvole con un balzo improvviso: anche a questo personaggio il Barocci ha dedicato numerosi studi, documentati in questa mostra dai fogli inv. 11.374 F. e 11.396 F degli Uffizi, che si soffermano più a fissare il movimento repentino del Cristo, tra-

smesso alle vesti, che non i particolari del volto o degli elementi anatomici.
Il bozzetto ad olio per l'opera mostra già la composizione esattamente definita nella sua stesura, salvo nella presenza di Santa Chiara, che era francescana, sostituita poi nel dipinto dalla figura di San Nicola di Bari. L'Olsen (1962, p. 159) ritiene che questo cambiamento iconografico dei due Santi sia dovuto al fatto che il dipinto fu commissionato da Nicolò Ventura detto il Fattore, il quale, probabilmente, volle apporre nel dipinto il suo Santo eponimo.
Per la testa di San Francesco il Barocci ha usato un espediente tecnico che ritroviamo in altre sue opere: la testa è dipinta su carta, incollata successivamente sulla tela. Questo artificio è stato escogitato dall'artista per ottenere un effetto di maggior morbidezza nel volto del Santo, perno dell'intera composizione: a tale scopo infatti si era esercitato nello studio, con pastelli colorati, la sua tecnica preferita, della testa del Santo, oggi conservato nella National Gallery di Edimburgo (GAETA-BERTELÀ, 1975 cat. 73).

s.p.v.r.

29.
Bozzetto per il "Perdono di Assisi"

Urbino, Galleria Nazionale delle Marche.
Olio su tela, cm 100×71.
Bibl.: OLSEN, 1962, p. 158, n. 27 (con bibl. precedente); EMILIANI, 1975, cat. 74.

Il Barocci era solito eseguire bozzetti di vario tipo per le sue opere, per studiare a fondo i problemi cromatici del dipinto e la struttura luminosa dell'insieme.
Rispetto alla versione finale nella Chiesa di San Francesco, la tela presenta la figura di Santa Chiara sulla destra, sostituita poi da San Nicola. Il bozzetto era probabilmente conservato nella casa dell'artista alla sua morte.

s.p.v.r.

30.
Schizzo per "Il Perdono di Assisi"

Firenze, Gabinetto Disegni e Stampe degli Uffizi, inv. 11.504 F.
Carboncino, matita nera su carta bianca controfondata, mm 152×131.
Bibl.: SCHMARSOW, p. 13; OLSEN, 1955, pp. 62, 126; OLSEN, 1962, pp. 62-63, 160; GAETA-BERTELÀ, 1975, cat. 69.

Il disegno offre la primissima formulazione dell'opera, con le figure poste sullo stesso piano, poi mutata.

s.p.v.r.

31.
Studio di Cristo

Firenze, Gabinetto Disegni e Stampe degli Uffizi, inv. 11374 F
Matita nera, carboncino, gessetto bianco, pastello marrone su carta cerulea, mm 405×281.
Bibl.: OLSEN, 1962, p. 160 (con bibl. precedente); GAETA-BERTELÀ, 1975, cat. 70.

Studio per la figura di Cristo del Perdono, a braccia aperte e sulla sinistra schizzo parziale della testa della Vergine.

s.p.v.r.

32.
Studio di Cristo

Firenze, Gabinetto Disegni e Stampe degli Uffizi, inv. 11.396 F.
Matita nera, carboncino, gessetto bianco, pastello marrone su carta verdina, mm 422×285.
Bibl.: BIANCHI, 1958, p. XX; OLSEN, 1962, p. 160 (con bibl. precedente); GAETA-BERTELÀ, 1975, cat. 71.

Studio della figura di Cristo del Perdono, già colto nella sua stesura definitiva, quale apparirà nel dipinto, con il braccio destro alzato in atto di benedire San Francesco.

s.p.v.r.

33.
Studio per San Francesco

Firenze, Gabinetto Disegni e Stampe degli Uffizi, inv. 11.441 F.
Carboncino, matita nera, gessetto su carta cerulea, mm 431×283.
Bibl.: OLSEN, 1962, p. 160 (con bibl. precedente); GAETA-BERTELÀ, 1975 (2), cat. 31.

Il foglio documenta la serietà dell'artista nello studiare la figura di San Francesco dapprima da un modello nudo, e la sua meticolosità nell'analizzare con oculatezza i particolari anatomici da riprodurre: mani, bocca, gambe.

s.p.v.r.

34.
Studio per San Francesco

Firenze, Gabinetto Disegni e Stampe degli Uffizi, inv. 11.406 F.
Carboncino, matita nera e rossa su carta cerulea, mm 290×204.
Bibl.: OLSEN, 1962, p. 160 (con bibl. precedente); GAETA-BERTELÀ, 1975 (2), cat. 32.

Lo studio si pone in un momento successivo a quello analizzato sopra, in cui appunto l'artista fissa la posa definitiva del Santo, pur ritraendolo sempre da un modello nudo.

s.p.v.r.

35.
San Francesco riceve le stigmate

Fossombrone, Museo Civico.
Tempera su tela, cm 146×115.
Bibl.: SERRA, (1925), pp. 177-178; OLSEN, 1962, p. 161; EMILIANI, 1975, cat. 81, pp. 102-103; ARCANGELI, 1981, cat. 162, pp. 517-519.

Sebbene la piccola tela non sia citata nelle fonti sul Barocci, la critica odierna è indirizzata concordemente a riconoscere l'autografia di questa opera che il Serra cita come pervenuta al Museo dalla soppressa Congregazione dei Padri dell'Oratorio di Fossombrone. L'opera dipende strettamente dal grande *Perdono di Assisi*, dipinto per la Chiesa di San Francesco a Urbino, tanto da un punto di vista cronologico che compositivo, perché ripropone senza mutamenti la posizione in diagonale del Santo inginocchiato. L'esecuzione rapida e compediaria della scena e la scarsa materia pittorica hanno fatto sì che gli studiosi ritenessero il dipinto studio preparatorio per l'incisione realizzata nello stesso periodo dal Barocci (cfr. cat. 95), piuttosto che una derivazione dalla stampa stessa. Rispetto alle più tarde Stigmate dipinte per la Chiesa dei Cappuccini di Urbino negli anni 1594-95, la nostra tela presenta una maggiore interiorizzazione probabilmente per la presenza preponderante dell'elemento naturalistico che, secondo gli indirizzi della pittura religiosa controriformata nell'Italia Centrale, fa da sfondo e si accorda emotivamente allo stato d'animo del protagonista principale.

s.p.v.r.

36.
Schizzo per le Stigmate

Firenze, Gabinetto Disegni e Stampe degli Uffizi, inv. 11.500 F.
Penna, bistro, matita nera su carta bianca controfondata, mm 214×138.
Bibl: 1962, pp. 107, 161 (con bibl. precedente); GAETA-BERTELÀ, 1975, cat. 77.

Il disegno offre un primo schizzo delle Stigmate, poi tradotte dall'artista sul rame con la tecnica all'acquaforte. La scena è ambientata in un paesaggio appenninico, ben noto al Barocci, per richiamare la natura rocciosa del monte La Verna dove avvenne il fatto miracoloso. In un altro stupendo disegno agli Uffizi il pittore studia il particolare del dirupo con gli arbusti che fa da sfondo all'incisione (inv. 418 P; OLSEN, 1962, p. 232).

Il Santo appare qui inginocchiato con le braccia aperte e lo sguardo rivolto verso l'alto, con il corpo visto nello scorcio già usato nel Perdono di Assisi.
Le differenze con l'incisione consistono in alcuni dettagli: nella figura di fra Leone, vista di spalle, e nella posizione della chiesetta che viene inquadrata sullo sfondo a destra.

s.p.v.r.

37.
Le Stigmate di San Francesco

Urbino, Galleria Nazionale delle Marche.
Olio su tela, cm 360×245.
Bibl.: Olsen, 1962, p. 193; Emiliani, 1975, cat. 220.

Il celebre dipinto fu commissionato dal Duca d'Urbino Francesco Maria II della Rovere al Barocci e destinato alla Chiesa dei Cappuccini di Urbino, che si intravede sullo sfondo della scena. L'opera risulta terminata nel 1595 da alcuni pagamenti, e costituisce un ritorno ad un tema iconografico già sperimentato da parte dell'artista nel periodo della sua piena maturità. È presente ancora lo schema delle Stigmate che troviamo nella acquaforte e nella versione pittorica di Fossombrone, ma qui lo spazio si dilata e il fatto sacro acquista maggior respiro e incisività.
È probabile che per questa interpretazione, più grandiosa e meno interiorizzata delle prime due, possa aver influito la conoscenza diretta o tramite le incisioni delle opere di analogo soggetto del Muziano, come afferma l'Emiliani (1975, p. 183).
L'elemento comunque più sconvolgente e importante di questa realizzazione è l'ambientazione in notturno, che accresce in modo sorprendente l'emotività della scena.
È stato già sottolineato il tono teatrale di queste figure, l'una illuminata direttamente dall'apparizione del Serafino in alto in piena luce in senso fisico e morale, e l'altra di fra Leone seduto a terra in atto di coprirsi il volto accecato dall'apparizione soprannaturale.
La luce comunque si posa sui massi, sulle foglie, sulla corteccia degli alberi, sull'episodio di Caino e Abele sullo sfondo a creare una suggestiva immagine di poesia religiosa intesa in chiave romantica, che ha fatto giudicare il dipinto fra i notturni più alti della pittura italiana della fine del Cinquecento.

s.p.v.r.

38.
Studio per fra Leone

Firenze, Gabinetto Disegni e Stampe degli Uffizi, inv. 1396 F.
Penna e bistro su carta bianca, mm 213×151.
Bibl.: Olsen, 1955, p. 151; Olsen, 1962, p. 194; Gaeta-Bertelà, 1975 (2), cat. 79.

La maggior parte dei disegni relativi alle Stigmate di San Francesco eseguiti nel 1595 per la chiesa dei Cappuccini di Urbino riguardano la figura di fra Leone. Questo personaggio infatti si discosta iconograficamente dalle raffigurazioni più consuete, dove assiste non partecipe all'evento sacro che sconvolge il Santo. Nel foglio 11.494 F degli Uffizi (Gaeta-Bertelà, 1975 (2), cat. 78) il frate è studiato seduto, in atto di volgersi all'improvviso al sopraggiungere della luce, ma posto esattamente in controparte rispetto al dipinto.
Nel nostro foglio invece il Barocci studia la figura del frate dapprima da un modello nudo per analizzare meglio il movimento, poi rivestito, in un atteggiamento già più vicino a quello del dipinto.
La differenza maggiore consiste nel fatto che il braccio alzato sopra la testa è il sinistro anziché il destro, il che porta un movimento rotatorio del corpo articolato in modo diverso dalla versione definitiva nella tela.
Altri studi preparatori per la stessa figura sono conservati ad Urbania (cfr. L. Bianchi, *Cento disegni della Biblioteca Comunale di Urbania*, Urbania 1959, cat. 8), al Louvre (inv. 2.876) e nel Palazzo Ducale di Urbino (Olsen, 1962, p. 194).

s.p.v.r.

39.
Studio per fra Leone

Firenze, Gabinetto Disegni e Stampe degli Uffizi, inv. 11.611 F.
Carboncino, gessetto bianco su carta tinta in marroncino, mm 278×274.
Bibl.: Olsen, 1962, p. 215 (con bibl. precedente); Gaeta-Bertelà, 1975 (2), cat. 80.

L'Olsen ha messo in rapporto questo disegno con le gambe della *Madonna della Cintola*, ma più esattamente la Forlani Tempesti ritiene che esso sia da riferire alla parte inferiore del corpo di fra Leone nel dipinto di Urbino.
Il rialzo del gessetto bianco contribuisce a sottolineare anche nel disegno l'effetto luminoso presente nel dipinto.

s.p.v.r.

Filippo Bellini
Urbino 1550-1555 – Macerata 1604.

40.
Madonna con il Bambino e Santi con il committente

Firenze, Gabinetto Disegni e Stampe degli Uffizi, inv. 11.927 F.
Matita nera, penna su carta fortemente ingiallita, quadrettata a sanguigna, mm 392×257. Nel verso scritta a penna secentesca *Filippo Bellini*.
Bibl: Monbeig Goguel 1975, p. 363, cat. 17, pl. 6.

La ricostruzione di questo dimenticato artista operata dalla Monbeig Goguel nel 1975 ha messo in luce uno dei principali esponenti del tardomanierismo marchigiano, legato alla cultura figurativa del Barocci. Un aspetto interessante del pittore è il suo vivace modo di disegnare, che richiama lo stile della cerchia di Federico Zuccari, mista ad una grazia leziosa alla Francesco Vanni, sotto la cui attribuzione si celavano numerosi fogli del Bellini, e presenta curiose analogie con la grafica dei riformati toscani o bolognesi, quali Santi di Tito o Sammacchini.
Il nostro foglio è preparatorio per la grande pala, raffigurante la Vergine con il Bambino, quattro Santi e il donatore, dipinti nella Chiesa di San Nicolò (Cappella di Sant'Anna) a Fabriano tra il 1598 e il 1600 (Monbeig Goguel, 1975, fig. 13 p. 359).
L'iconografia è la più tipica e consueta del tardomanierismo centro italiano: sviluppato in un verticalismo accentuato, il quadro presenta la Vergine con il Bambino in alto, ancora vagamente raffaellesca, circondata da due Santi – San Francesco e altro Santo – gli altri due Santi in basso – San Gerolamo e un Santo guerriero – e il committente in basso sulla sinistra di profilo totalmente "fuori campo" da un punto di vista prospettico.
Il disegno, quadrettato per la trasposizione pittorica, risponde nelle grandi linee alla versione finale del dipinto.
La variante più vistosa è la sostituzione della figura di San Francesco con San Giovanni da Capestrano, altro Santo Francescano, riconoscibile per l'abito e lo stendardo da crociato. Si ignora il motivo di questa sostituzione, che dovette avvenire proprio all'ultimo momento, forse per iniziativa del committente, dal momento che il modellino grafico definitivo non presenta alcun pentimento.
Nella sua lunga attività il Bellini dipinse per lo più tele d'altare con Madonna e Santi, soggetti tipici dei pittori riformati e comuni a tutta la pittura post-tridentina dell'Italia centrale. Una menzione particolare merita il disegno dell'artista raffigurante *Il cordone di San Francesco* nello Städelisches Institut di Francoforte (De Grazia Bohlin, 1979, p. 243 fig. cat. 141 b) che riprende, semplificandola alquanto, l'iconografia della stampa di Agostino Carracci (cfr. cat. 99), e rientra perciò nella vasta diffusione avuta da questa iconografia francescana tramite l'incisione.

s.p.v.r.

Andrea Lilio
Ancona 1555 – post 1631.

41.
S. Giovanni Battista, S. Francesco, S. Bernardino da Siena e S. Paolo in adorazione della Croce

Ancona, Pinacoteca Civica.
Olio su tela, cm 325×185.
Bibl: L. Arcangeli, 1981 p. 326 (con bibliografia precedente).

L'opera proviene dalla chiesa soppressa di S. Francesco ad Alto in Ancona, dove il Lilio aveva affrescato l'intera cappella. Nessuna evidenza documentaria è emersa per la datazione della pala che sembra comunque da collocare al rientro del Lilio in patria dopo il soggiorno romano. Tuttavia anche quest'ultima data non è certa perché, ritenuta da alcuni da collocare nel 1597 ca. è invece certamente da spostare almeno al 1600 in quanto nel 1599 il Lilio risulta ancora attivo a Roma nella decorazione del "Bagno" di S. Cecilia (cfr. A. Nava Cellini, *Stefano Maderno, Francesco Vanni e Guido Reni a S. Cecilia in Trastevere*, in "Paragone" 20, 1969 pp. 18-26).
L'opera del resto non sembra troppo distante dall'*Adorazione dei pastori* eseguita dal Lilio in S. Maria Maggiore a Roma, su testimonianza del Baglione, intorno al 1593.
Del resto l'impostazione dell'opera, che rientra nella tipologia della pala dell'Adorazione diffusissima in prossimità dell'anno giubilare, sembrerebbe confermare una datazione dell'opera intorno al 1600. Iconograficamente (cfr. G. Marchini, *La pinacoteca comunale di Ancona*, 1979 pp. 65-90) il dipinto è connesso al tema della consolazione angelica tramite la musica (su S. Francesco appare infatti la canonica figura dell'angelo che suona una viola da braccio) insieme con quello dell'Adorazione della Croce, in un contesto mistico e dottrinario nel contempo, in cui il Lilio trae le conseguenze della sua attività romana improntata, specie alla Scala Santa e nella decorazione dei Palazzi Lateranensi nonché della Biblioteca Vaticana, ad una impostazione stilistica che cala immagini di alto livello dottrinale e di sostenuto simbolismo nelle maglie dello stile parmense elaborato da Giovanni Guerra, per lo più scambiato per baroccismo, ma di fatto poderosamente padano e connesso a Lelio Orsi, al Bertoja, al Primaticcio a Prospero Fontana fino a Pirro Ligorio e ripreso in chiave naturalistica.
Ne deriva un fervido contesto di cui Lilio con Ferraù Fenzone fu tra i protagonisti primari (e negli stessi anni è da rammentare la notevole pala (cfr. la ripr. in questo catalogo) attribuita al Fenzone da I. Faldi, *Paolo Guidotti e gli affreschi della "Sala del Cavaliere" nel Palazzo di Bassano di Sutri* in "Bollettino d'Arte" 1957, p. 287, che offre una versione in chiave di ardente misticismo del Santo parzialmente contrastante con la versione tipica dell'ambiente Cappuccino dell'interiorità meditativa in base a cui infatti il tema stesso della consolazione angelica viene formulato negli anni successivi.

c.s.

Giovan Battista Lombardelli
Montenuovo Marche ? – Perugia 1592.

42.
L'abate Gioacchino da Fiore predice la fondazione dell'ordine francescano e domenicano

Roma, Gabinetto Nazionale delle Stampe, inv. FC 128.400.
Tracce di matita, penna e acquarello bruno su carta beige, mm 223×327.
In basso scritta dell'artista in stampatello: L'abate Gioacchino Dottao. di . spirito / profetico . predisce . di . San Domenico . fia / di . San Francesco . et . loro . ordini . / alcuni anni . avanti . che . comminciassino // fece . anche . dipingere . la . imagine . de l'uno . et de / l'altro . Santo . nel . nobilissimo . tempio . di . San / Marco . in . Venetia . come . fino . al . presen / te quivi si vedono //
al centro: Augusta . Perusia, lo stemma della città di Perugia e nel cartiglio sottostante: Cap. Camillo . / De Pt̃r ... col / egis . de . ce / Viris . mdlxxxxi (?).
nel verso scritta antica: *Giovan Bãtta della Marca.*
Bibl: Sapori, 1980, p. 281, fig. 8; Prosperi Valenti Rodinò, 1980, n. 30.

L'antica scritta attributiva nel verso del foglio, sicuramente degna di fede nel caso di un artista così poco noto, è servita al Vitzthum, che per primo riferì il disegno al Lombardelli (nota manoscritta sul volume), a costituire un gruppo omogeneo di disegni dell'artista, sparsi in varie collezioni sotto le più svariate attribuzioni.
Giovanna Sapori, che pubblica il disegno, avanza l'ipotesi assai convincente che possa trattarsi di un progetto per una delle lunette del chiostro maggiore di San Domenico in Perugia, affrescate dal pittore fra il 1579 e l'81. Dal momento che la decorazione è andata perduta, la studiosa non esclude la possibilità che il modellino sia da riferirsi ad un altro ciclo domenicano, eseguito dal Lombardelli nel chiostro vecchio della Chiesa della Minerva a Roma, ciclo anch'esso assai rovinato.
La presenza dello stemma di Perugia sotto il disegno fa ritenere più probabile una destinazione umbra del progetto, anche se la data segnata sotto lo stemma – (1591?), l'anno prima della morte dell'artista – non coincide con l'attività documentata dal Lombardelli in San Domenico (la data però è di difficile lettura). Nel 1591 infatti l'artista fu impegnato massicciamente nella decorazione delle pareti del coro di San Pietro a Perugia su commissione dei benedettini (cfr. Sapori, 1980, pp. 278-79, con bibl.).
L'iconografia nel nostro disegno è tipica di complessi francescani e domenicani del Medioevo, ripresa poi nel periodo della Controriforma. Esso si riferisce alla nota profezia dell'abate Gioacchino da Fiore, che profetizzò l'avvento di una nuova era migliore, per la presenza dei due grandi Santi riformatori, Francesco e Domenico.
Lo stile del foglio riassume con evidenza gli elementi più caratteristici del linguaggio tardo-manieristico romano della fine del Cinquecento, ricchi di spunti toscani, desunti da Niccolò Circignani, di eleganze emiliane, derivate da Raffaellino da Reggio e da Marco da Faenza, primo maestro del Lombardelli a detta del Baglione.
Il piacevole tono narrativo del racconto figurato, che lo accomuna al fiorentino Poccetti, e la semplificazione formale della scena derivano probabilmente all'artista marchigiano da una conoscenza diretta della teoria normalizzante attuata a Roma da Federico Zuccari negli ultimi decenni del secolo.

s.p.v.r.

43.
San Francesco

Roma, Gabinetto Nazionale delle Stampe, inv. FC 130.572.
Penna, inchiostro bruno acquarellato e biacca, quadrettato a sanguigna su carta avorio preparata in avana, mm 160×87.

Proveniente dal volume dei disegni di Bernardino Poccetti, il foglio era riferito *ab antiquo* al pittore fiorentino – errore attributivo verificatosi in altri casi al Louvre e al Gabinetto Nazionale delle Stampe di Roma (cfr. Prosperi Valenti Rodinò, 1980, n. 30) – sino a che il Vitzthum non lo ha restituito al pittore marchigiano (nota manoscritta sul volume) costituendo un piccolo *corpus graphicum* dell'artista assai omogeneo nella collezione romana.
La quadrettatura fa supporre una esecuzione pittorica – su tela o più probabilmente ad affresco –, che ignoriamo. È probabile però che il modellino sia da riferire ad una delle numerose committenze in chiostri francescani eseguite dal Lombardelli, a Roma – nel primo chiostro di San Pietro in Montorio dipinse un ciclo di storie del Santo – o a Perugia negli ultimi anni della sua vita – nel chiostro di san Gerolamo affrescò le storie della leggenda francescana (Gnoli, 1923, p. 184).

s.p.v.r.

Dono Doni

Assisi 1500 ca. – 1575.

44.
Le Stigmate di San Francesco

Assisi, Pinacoteca Comunale.
Olio su tela, cm 140×140.
Bibl: Cristofani, 1866, p. 476; Bombe, 1913, p. 441-42; Venturi, IX, 5, 1932, p. 661; Zocca, 1936, p. 250; Scarpellini, 1969, p. 224; Todini, 1980, cat. 76.

Nativo di Assisi, Dono Doni rivestì il ruolo di pittore ufficiale delle decorazioni francescane della sua città.
La sua cultura è permeata di elementi manieristici romani e toscani ma l'opera che presentiamo sottolinea un altro aspetto tipico dell'artista e in genere della pittura umbra tardo-cinquecentesca, cioè la ripresa di componenti arcaizzanti, desunte direttamente dai grandi esempi medioevali di Assisi.
Le *Stigmate* infatti, commissionate all'artista dai Priori della sua città nel 1566 insieme alla *Crocifissione con San Francesco adorante* (Todini, 1980, cat. 75) per la Cappella del Palazzo Comunale, riprendono alla lettera una iconografia assai antica, di cui lo Scarpellini ha individuato il prototipo nell'affresco del Maestro di Figline nella chiesa di Santa Maria in Arce a Rocca Sant'Angelo presso Assisi (Scarpellini, 1969, fig. 229).
Come nel dipinto del Doni, anche qui il Santo è raffigurato con il ginocchio destro a terra, la gamba sinistra piegata, il corpo rigido e statuario avvolto nel saio e, particolare iconografico assai interessante, le braccia appaiono sollevate in alto, citazione tipica della pittura dugentesca e propria, secondo il Kaftal (1952, p. 413, n. 13) più dell'arte senese che di quella fiorentina. Questa impostazione delle Stigmate in Umbria si ritrova anche in un affresco di un collaboratore di Puccio Capanna nel Monastero di San Giuseppe (Scarpellini, 1969, fig. 264) e più tardi in un affresco in San Francesco di Gualdo Tadino eseguito da un anonimo seguace del Nelli, e in San Francesco a Nocera Umbra opera del 1497 di Matteo da Gualdo, tutti esempi individuati dallo Scarpellini (1969, p. 224, nota 22).

s.p.v.r.

Alessandro Allori

Firenze 1535-1607.

45.
Stigmate di San Francesco

Firenze, Gabinetto Disegni e Stampe degli Uffizi, inv. 18.342 F.
Matita nera su carta bianca, mm 208×277; in basso scritta moderna a matita *Allori*.
Bibl: Lecchini Giovannoni, 1970, cat. 80.

L'impostazione scenica di questa composizione, che presenta le figure immerse in un ampio paesaggio, ci riporta alle opere dell'ultimo periodo di Alessandro Allori quale ad esempio il *Sacrificio di Isacco* degli Uffizi, dove il paesaggio, ricco di spunti fiamminghi, può considerarsi il vero protagonista della scena e non più lo sfondo in cui avviene un fatto sacro.
La Lecchini Giovannoni sottolinea anche l'atteggiamento mistico del Santo, più caratteristico della pittura riformata di artisti quali Ludovico Cigoli, e attesta un'influenza di questo linguaggio nella produzione pittorica dell'Allori tardo. Lo stesso tema raffigurato, così caro al Cigoli, sembra far spostare l'artista verso una sensibilità nuova e più moderna, di partecipazione sentimentale al fatto sacro. Le figure di San Francesco e di fra Leone, in particolare le teste e il panneggio, presentano ancora l'impianto solido e compatto derivato dal Bronzino, primo maestro dell'Allori, ma la scelta del soggetto e lo spirito sembrano attestare una metamorfosi profonda avvenuta nell'artista considerato pochi anni prima l'ultimo portavoce ufficiale del tardo manierismo vasariano presso la corte medicea.
Non si conoscono opere di questo tema dipinte dall'Allori, dal momento che il *San Francesco* in preghiera di Casa Vasari, è ora riconosciuto opera di Cristofano Allori (cfr. Chappell, 1971). È probabile che il nostro foglio debba considerarsi solo uno schizzo, o esercitazione grafica del vecchio artista, più interessato a formulare un'idea figurata che non a realizzare un modello per un dipinto.

s.p.v.r.

Santi di Tito

Sansepolcro 1536 – Firenze 1603.

46.
Pietà con San Francesco

Sinalunga (Siena), Chiesa di S. Biagio a Scrofiano.
Olio su tela, cm 235×170.
Bibl: Arnolds, 1934, pp. 42, 81; Venturi, IX, 6, 1934, p. 595: Lenzini Moriondo, 1970, p. 49; Collareta, 1977, p. 363; Santi, 1979, cat. 82; D'Afflitto, 1980, cat. 17.

Nell'estremo equilibrio che caratterizza l'intera composizione ed organizza la parte paesistica dello sfondo con le figure in primo piano, il dipinto di Scrofiano segna uno dei punti di maggiore intensità raggiunto dal Titi nella pittura religiosa.
Opera certamente matura dell'artista – la Lenzini Moriondo proponeva una datazione intorno al 1580, essendo ormai illeggibili le seconde cifre della data del dipinto 15.. – in essa appaiono fusi e armonizzati i vari elementi culturali che concorsero a determinare il complesso linguaggio riformato e normalizzato del Titi. Superato ormai ogni ricordo manieristico, predomina invece l'impostazione arcaicizzante che si rifà ad esempi del primo Cinquecento toscano, individuati dalla Lenzini nella *Pietà* di fra Bartolomeo a Pitti. Giustamente sottolineata da Bruno Santi è la componente bronzinesca, negli ovali compatti dei volti femminili, anche se la morbidezza nuova del corpo del Cristo avvolto di luce vera, svela la tendenza al naturale perpetuata da Santi di Tito in quegli anni.
L'Arnolds notava nello sfondo, inseriti nel paesaggio, gli episodi della *Pesca miracolosa* e del *Noli me tangere*; ma tutta l'evidenza è data alla scena della Pietà in primo piano, dove le figure dei Santi e Vergine convergono verso il corpo del Cristo, perno fisico ed emotivo della composizione. Un'attenzione particolare merita il paesaggio, definitivo di una "bellezza ideale" dalla D'Afflitto, in cui confluiscono e si depurano in un'armonia spirituale gli spunti drammatici del tema trattato. L'estremo equilibrio classico della rappresentazione, che abbiamo visto derivare dalla pittura fiorentina del primo Cinquecento, si traduce in una controllata armonia dei sentimenti, che ben si addice al *decorum* richiesto dalla concezione dottrinale dei teorici controriformati.
E forse pochi artisti, come Santi, hanno saputo riassumere con tanta naturalezza e con totale adesione la posizione teorica dell'arte cattolica della Controriforma.
Il tono di sacra rappresentazione espresso in un linguaggio semplice ed accostante, viene sottolineato dalla presenza anacronistica di San Francesco, posto nel lato destro del dipinto come spettatore. Questo espediente teatrale si ritrova di frequente nella pittura del Titi: l'esempio più celebre di questo quadro dentro il quadro è la *Visione di San Tommaso* in San Marco a Firenze.
Non ci trova troppo d'accordo il riferimento proposto dalla Lecchini Giovannoni (Santi, 1979, pp. 214-216) del disegno n. 442 E degli Uffizi quale studio preparatorio per il nostro dipinto. Fatta eccezione per la figura di Cristo, sono troppo le differenze nei personaggi raffigurati per un artista così puntuale nella elaborazione grafica come il Titi. Da sottolineare infine da un punto di vista iconografico la presenza di San Francesco nella scena della Deposizione, posta a sottolineare la particolare devozione del Santo per il Cristo morto, e tema assai diffuso nella pittura religiosa del tardo Cinquecento.

s.p.v.r.

Jacopo Chimenti da Empoli
Firenze 1554-1640.

47.
Stigmate di San Francesco

Firenze, Chiesa dei Cappuccini di Montughi.
Olio su tela, cm 282×185.
Bibl.: BALDINUCCI-RANALLI, III, 1845, p. 8; MORELLI, *Notizie Istoriche dei contorni di Firenze*, I, 1791, p. 37; FANTOZZI, 1842, p. 755; DE VRIES, 1933, p. 389 cat. 68; GREGORI, 1959, p. 201, cat. 108, tav. XCII.

Citato dal Baldinucci e dalle guide antiche come opera dell'Empoli, fu depennato dal catalogo del pittore dalla De Vries, che lo ritiene del Cigoli, e dal Venturi, per essere restituito definitivamente a lui dalla Gregori.

Il dipinto reca infatti gli elementi stilistici più tipici di Jacopo da Empoli: la sua formazione di manierismo bronzinesco si intravede nel prototipo della composizione, che si rifà chiaramente, come ha evidenziato la Gregori, al San Francesco in sottinsù affrescato nel soffitto della cappella di Eleonora di Toledo in Palazzo Vecchio del Bronzino.

L'adesione se pur esteriore a certa pittura caravaggesca e la proiezione di "crisi di tendenza" individuate dal Longhi nella pittura fiorentina degli ultimi decenni del XVI secolo, si ritrovano nei brani luminosi degli angeli in alto, e nella evidenza degli oggetti in primo piano – brano di natura morta affidata al teschio, al libro, alla croce e al cordone del Santo –.

Il dipinto sembra databile alla fine del Cinquecento, per l'analogia, sottolineata dalla Gregori, dell'impostazione del Santo nell'analogo quadro del Cigoli eseguito per il Monastero delle monache di Sant'Onofrio (BUCCI, 1959, cat. 15) intorno al 1595 circa.

Rispetto all'estenuato e patetico abbandono del San Francesco del Cardi, un po' teatrale nell'ostentazione del suo dolore, la figura dell'Empoli si caratterizza per una compostezza "soda" per una partecipazione asciutta e misurata all'evento sacro, senza nessuna indulgenza al melodramma.

Le braccia alzate in modo simmetrico e il rigido erigersi del corpo del Santo denotano una ripresa di iconografia tre-quattrocentesca e un intento arcaicizzante da parte dell'artista.

s.p.v.r.

48.
San Francesco stigmatizzato

Firenze, Gabinetto Disegni e Stampe degli Uffizi, inv. 9308 F.
Matita nera e gessetto bianco su carta preparata marroncino, mm 410×275.

Il foglio è probabilmente da considerare studio preparatorio da un modello, vestito col saio francescano, per le stigmate dei Cappuccini di Montughi. Le varianti sembrano confermare che si tratta di una prima elaborazione del soggetto, mentre la qualità tecnica e stilistica del segno conferma l'autenticità dell'Empoli. La differenza più vistosa rispetto al dipinto consiste nella posizione del Santo, che appare esattamente in controparte, mentre la testa coperta dal cappuccio viene poi studiata a parte, nello stesso foglio, scoperta e col copricapo dei cappuccini ripiegato sulle spalle, proprio come ritroviamo nel dipinto.

Ritorna invece nella definitiva versione pittorica, la visione quasi frontale del corpo del Santo, caratterizzata dall'austera superficie piatta del saio francescano, solcato solo dalle pieghe addensate in vita per la presenza del cordone. Anche le braccia, aperte in un abbraccio, suggeriscono nel disegno l'apparizione del serafino in alto, non ritratto, ed accompagnano lo sguardo verso l'alto.

s.p.v.r.

49.
San Francesco con il crocifisso e studi vari

Firenze, Gabinetto Disegni e Stampe degli Uffizi, inv. 942 F.
Matita nera e gessetto bianco su carta preparata gialloavana, mm 411×272.

Non si conosce per quale dipinto sia stato eseguito questo studio di San Francesco stante, che ci propone uno degli esempi più intensi di patetismo raggiunti dall'Empoli nel periodo tardo.

Secondo il consueto modo di utilizzare il foglio, l'artista situa la figura principale del Santo al centro, in gesto adorante e con il crocifisso in mano, mentre tutt'intorno focalizza gli studi particolari più dettagliati delle mani, dei piedi, della testa e del cappuccio, osservati con attenzione naturalistica che ben si accorda con l'amore del vero ricercata dai pittori riformati fiorentini.

Il soggetto di San Francesco ritorna anche in un altro foglio dell'Empoli il n. 9.011 F degli Uffizi, attributo *ab antiquo* al Cigoli, ma da restituire al nostro artista.

s.p.v.r.

50.
Vergine Assunta e Santi

Firenze, Gabinetto Disegni e Stampe degli Uffizi, inv. 929 F.
Penna e tracce di matita nera, bistro, biacca su carta tinta rosacea, mm 361×265.
Bibl.: DE VRIES, 1933, p. 362; PAATZ, 1940, p. 161, nota 244; FORLANI, 1962, cat. 8.

Il disegno è stato riconosciuto studio per la pala con l'*Assunta e Santi* della Cappella Macinghi nella chiesa della SS. Annunziata dalla De Vries, che in quell'occasione attribuiva all'Empoli anche il dipinto, proponendone una datazione intorno al 1590.

L'impianto del dipinto è infatti tipicamente controriformistico e denuncia, come sottolinea la Forlani, un adeguamento da parte dell'artista ai moduli normalizzanti di Santi di Tito. Lo schema piramidale della composizione e il calibrato disporsi delle figure dei Santi in adorazione in primo piano – San Domenico e San Gerolamo sulla sinistra, San Francesco e San Giacinto (?) sulla destra –, ci riportano alla nitida cultura neoquattrocentesca o del primo Cinquecento toscano indicata dal Titi come punto di riferimento obbligato per la sua riforma antimanieristica.

La Forlani coglieva la vivacità nella resa della figura di San Francesco, particolarmente evidente nel disegno, rispetto agli altri Santi più stereotipati e impacciati nella posa obbligata. La penna infatti delinea la testa del Poverello di Assisi con una grazia e una delicatezza tipica del Boscoli, che si differenzia dai contorni netti e volumetrici delle figure "sode" degli altri Santi in preghiera.

s.p.v.r.

Andrea Boscoli
Firenze 1550/60-1607.

51.
Estasi di San Francesco

Pisa, Museo Nazionale di San Matteo.
Olio su tela, cm 100×154.
Firmato in basso a sinistra: OPUS ANDREAE BOSCOLI.
Bibl.: VENTURI, IX, 7, 1934, p. 730, fig. 407; *Mostra del Cinquecento Toscano*, Firenze 1940, p. 176; GREGORI, 1959, p. 205, cat. 111, tav. XCIII; FORLANI, 1963, p. 105, cat. 19, fig. 46; FORLANI, 1980, p. 82.

L'iconografia di questo dipinto è stata variamente riferita a San Francesco d'Assisi (VENTURI e *Mostra del '500*) e a San Francesco di Paola (FORLANI 1963); ma l'esatto riferimento allo studio preparatorio conservato a Edimburgo (FORLANI, 1980, cat. 111), dove appare inconfondibile la fisionomia del Poverello d'Assisi, consente di riferire a quest'ultimo Santo la tela di Pisa. Nei due schizzi della collezione inglese il Santo è raffigurato senza capelli e con la caratteristica barbetta a punta, il volto emaciato intento a fissare il crocifisso, disteso a piedi nudi e coperto di un saio, su di una stuoia di vimini, particolare che troviamo nell'iconografia francescana della pittura spagnola del XVII secolo.

Allo spirito severo e contrito della produzione pittorica spagnola del Seicento si riallaccia la Forlani nell'interpretazione di questo dipinto, che precorre certe macerate raffigurazioni del Santo del Ribalta o dello Zurbaran. L'opera, databile all'ultimo decennio del Cinquecento, documenta uno dei momenti più intensi di adesione alle tematiche controriformistiche da parte del Boscoli. L'artista sceglie con naturalezza uno dei momenti più intimi della preghiera del Santo, raffigurato in semi-abbandono o in estasi sopra un modesto paglericcio tralasciando la abusata iconografia delle Stigmate, che mostrava il Santo in atteggiamento trionfalistico, nonostante l'intonazione sofferta datale dalla pittura controriformistica.

Il Boscoli preferisce accostarsi al soggetto sacro con semplicità e spirito veristico – elementi che motivano i paralleli col gusto caravaggesco tessuti dal Venturi – in accordo con le tendenze di comunicazione e recupero del vero attuate a Firenze dalla riforma pittorica del suo maestro Santi di Tito. Ma a differenza di questi, pedante e rigoroso nelle raffigurazioni sacre, il Boscoli riesce a penetrare in modo nuovo il messaggio francescano, dandone una profonda e vibrante interpretazione emotiva, che acquista sensibilità per l'effetto studiato della luce: questa illumina i piedi, il saio, le mani e il volto estatico del Santo, e rivela "in pungente evidenza ottica" la pietra, il libro, le pieghe del saio. Il taglio della luce, che evidenzia i particolari per nette macchie di chiaro e scuro, non si riallaccia al lume caravaggesco, quanto come sottolinea la Forlani, alla "luce naturale" manieristica del Pontormo nella *Cena in Emmaus* agli Uffizi.

s.p.v.r.

52.

Madonna con il Bambino e Santi

Roma, Gabinetto Nazionale delle Stampe, inv. FC 127.638.
Penna, bistro acquarellato e biacca su carta giallina, mm 235 x 162.
Bibl.: Forlani, 1963, p. 159 cat. 254.

Il disegno propone lo schema più tradizionale di una pala d'altare, ed è probabile sia il progetto per un dipinto non rintracciato o mai eseguito, come afferma la Forlani.

La Vergine al centro, incoronata dagli angeli, ha accanto a sé sulla sinistra San Giovannino e in basso un Santo Vescovo – Sant'Agostino? – e San Francesco, inginocchiato sulla destra in gesto di adorazione.

L'iconografia e l'impostazione sono da inquadrare nella più consueta pittura devozionale controriformata.

s.p.v.r.

Gregorio Pagani
Firenze 1558-1605.

53.

Incontro di San Domenico e San Francesco

Firenze, Chiesa dei Cappuccini di Montughi.
Affresco staccato, cm 189×137.
Bibl.: Bucci, 1959, cat. 12, tav. XII; Brunetti, 1959, p. 65; Thiem, 1970, cat. G2, pp. 47-48; Matteoli, 1980, p. 358.

L'attribuzione di questa opera è piuttosto problematica. Le fonti o le vecchie guide locali non parlano di questo affresco già situato in una parete della Chiesa di San Francesco e Santa Chiara presso il Convento dei Cappuccini di Montughi, da dove fu staccato nel 1956.

Nel 1959 fu esposto nella *Mostra del Cigoli* con un riferimento a questo artista: in quell'occasione il Bucci proponeva una datazione giovanile intorno al 1595 ca., mettendo in evidenza sin da allora l'impostazione grave e severa dei due Santi, che si rifà a moduli più arcaici del tardo Quattrocento o primo Cinquecento assai caratteristici dello stile riformato di Santi di Tito.

Dopo un riferimento a Lorenzo Lippi della Brunetti, l'affresco è stato più recentemente riferito a Gregorio Pagani dalla Thiem, che ritiene possa trattarsi di un lavoro giovanile dell'artista eseguito intorno al 1585 ca. L'impianto solenne delle figure, che occupano, sovrastando ogni altro elemento, l'intero spazio dell'affresco, si accorda bene con le prime realizzazioni del Pagani, che riflettono ancora l'atmosfera antimanieristica e normalizzante della pittura del suo maestro Santi di Tito.

La crudezza di alcuni particolari, quali le teste dei due Santi caratterizzate da una evidenza affine alla ritrattistica nordica, testimoniano che siamo difronte ad una delle prime prove del Pagani, anteriori alla sua conversione baroccesca e al suo entusiasmo per il Correggio.

A documento dei rapporti che legarono Iacopo Ligozzi ai pittori fiorentini contemporanei, va citato il fatto che le figure dei due Santi ritornano identiche, anche se invertite, nella lunetta con l'*Incontro di San Francesco e San Domenico* di Ognissanti del pittore veronese, con una rispondenza che va al di là della motivazione iconografica.

Qui ritorna addirittura il particolare evidenziato dalla mano campita sul fondo neutro del saio francescano e come nel nostro affresco, la mano con le stigmate si stacca sul mantello nero domenicano.

La scena riproduce, con asciuttezza neoquattrocentesca, l'episodio dell'incontro di San Francesco e San Domenico che avvenne a Roma: sullo sfondo a destra infatti, unica deroga alla severità dell'insieme è visibile Castel Sant'Angelo con il ponte e la statua di San Paolo, un tempo posta a chiusura della sponda destra del ponte.

s.p.v.r.

Ludovico Cardi detto il Cigoli
San Miniato 1559 - Roma 1613.

54.

San Francesco in preghiera

Roma, Galleria Nazionale d'Arte Antica a Palazzo Corsini, inv. 825.
Olio su tela, cm 155×120.
Bibl.: Chappell, 1971, p. 444, nota 6; Matteoli, 1980, p. 355.

Il Cigoli ha dipinto tre versioni del San Francesco in preghiera davanti al Crocifisso, con il libro aperto davanti ed il teschio, e sullo sfondo una cappelletta che ricorda quella del Monte La Verna. Oltre alla tela della raccolta Mazzelli, datata 1599 e presentata alla *Mostra del Cigoli* (Bucci, 1959, cat. 29), sicuramente autografe dell'artista sono una tela al Ponce Art Museum di Puerto Rico; questa della Galleria Nazionale d'Arte Antica di Roma, proveniente dalla collezione Torlonia e databile fra il 1596 e il '98 (Chappell, 1971, p. 444) ed un'altra appartenente alla collezione Scatizzi di Firenze. Una versione analoga si conserva nella Galleria Palatina di Firenze (D'Afflitto, 1980, cat. 19), che si differenzia leggermente dalle tre sopracitate nel paesaggio di gusto brilliano fortemente nordico e nella posizione del crocifisso in basso, verso cui sono rivolti gli sguardi del Santo.

Il soggetto iconografico, caro ai Carracci, sottolinea le affinità del Cigoli con la pittura bolognese contemporanea, mettendone però in evidenza il tono più intimistico e macerato del fiorentino; il colore più spento e fumoso, acceso solo nel volto e negli occhi vividi di accensioni cromatiche desunte da un mal compreso tizianismo; e sostanzialmente il tono più teatrale e melodrammatico dell'estasi del Santo.

Il dipinto del Cigoli ebbe una grande ripercussione nella pittura fiorentina dell'epoca: oltre le versioni autografe già citate, è interessante vedere come di questo tema si sia impossessato il suo giovane allievo Cristofano Allori, che ne fornì versioni più sofferte e permeate già di spirito seicentesco. I San Francesco dell'Allori furono a lungo attribuiti al Cigoli, quale ad esempio quello di Casa Vasari ad Arezzo, ma recentemente il Chappell (1971) ha fatto un'attenta distinzione fra le opere del maestro e dell'allievo di soggetto francescano.

Fra le versioni note del Cigoli, quella romana che presentiamo è da ritenere la più antica sino ad ora e perciò iniziatrice di questo fortunato tema iconografico.

s.p.v.r.

55.
Madonna col Bambino adorata da San Francesco e un angelo

Firenze, Gabinetto Disegni e Stampe degli Uffizi, inv. 1.023 F.
Traccia di sanguigna, penna e acquarello azzurro su carta bianca, mm 257×158.

s.p.v.r.

56.
Madonna col Bambino e San Francesco adorante

Firenze, Gabinetto Disegni e Stampe degli Uffizi, inv. 980 F.
Traccia di sanguigna, penna e acquarello bruno e azzurro su carta bianca, mm 255×178.
Bibl.: Ferri-Di Pietro, 1913, p. 8; Chappell, 1981, p. 74.

I due disegni raffigurano due versioni appena differenziate dell'episodio della Vergine che mostra e offre il Bambino Gesù a San Francesco, episodio più tipico dell'agiografia di Sant'Antonio, ma che nella pittura controriformistica passa per contaminazione anche nell'iconografia francescana.
Nel primo foglio il Cigoli si sofferma sul particolare dell'angelo che presenta alla Vergine il Santo, prostrato in adorazione. Nel secondo invece l'artista offre una interpretazione più accostante della stessa scena: una tenda, che si apre lasciando intravedere uno scenario di paesaggio, fa da cornice ad una sacra rappresentazione con la Madonna, il Bambino e Francesco, sottolineando la raccolta intimità. Nel verso dello stesso foglio l'artista prova altre soluzioni dello stesso tema, ambientando i tre personaggi sacri all'aperto sotto un albero e poi, nell'interno di una casa (la figura di Francesco viene sostituita da San Giovannino) ed infine torna alla versione fornita nel recto, con la variante meno convincente del Santo quasi prostrato a terra in adorazione.
È probabile che il Cigoli abbia eseguito questi due studi per un dipinto commissionatogli e mai portato a termine, perché non troviamo mai citato dalle fonti, così esatte per il pittore, un quadro di tale soggetto. Da sottolineare la grande capacità dell'artista di ricreare un'atmosfera intima e accostante nell'aggraziato racconto dell'evento sacro, che perde ogni carattere di maestosità, per offrire invece una dimensione domestica e sognate derivata dagli esempi del Barocci.

s.p.v.r.

57.
Stigmate di S. Francesco alla presenza di S. Caterina d'Alessandria e S. Luigi re di Francia

Firenze, Gabinetto Disegni e Stampe degli Uffizi, inv. 1.011 F.
Penna, inchiostro azzurro acquerellato su carta avorio ossidata, mm 327×248.
Bibl.: Bucci, 1959, p. 61; Chappell, 1981, pp. 80-81, fig. 66b.

Il foglio è lo studio definitivo per il dipinto nella Collegiata di Fucecchio, che versava già in cattive condizioni alla metà del secolo scorso ed oggi perduto, di cui ci resta però una citazione del Cardi e una dettagliata descrizione del 1857. L'opera recava in basso la sigla del pittore LC e la data 1603 e corrispondeva esattamente al nostro modellino. L'impostazione della figura di San Francesco ripropone, senza varianti, quella già usata dall'artista nel 1596 nella tavola oggi agli Uffizi (cfr. Bucci, 1959, cat. 15: l'autore riteneva infatti il nostro disegno preparatorio per questo quadro), dove il patetico abbandono del Santo viene sottolineato con evidente fine teatrale.
Questo elemento è ancora più evidenziato dal nostro foglio, in cui due Santi francescani, Elisabetta d'Ungheria e Luigi re di Francia, sono posti in primo piano sulla sinistra, quali spettatori della sacra rappresentazione.
L'idea del quadro riportato sembra derivare dalla *Visione di San Tommaso d'Aquino* dipinto da Santi di Tito nella chiesa di San Marco a Firenze nel 1593, come propone il Chappell (1981, p. 81).

s.p.v.r.

58.
Incontro fra San Francesco, San Domenico e Sant'Angelo Carmelitano

Firenze, Gabinetto Disegni e Stampe degli Uffizi, inv. 973 F.
Traccia di matita, penna, inchiostro bruno acquerellato su carta bianca, mm 415×272.

Non si conoscono opere del Cigoli realizzate di questo soggetto; è probabile perciò che il disegno sia solo un'esercitazione grafica senza destinazione precisa, su un tema assai diffuso dall'iconografia della pittura controriformista a carattere religioso.
Il soggetto sembra riferirsi chiaramente all'incontro fra San Francesco e Sant'Angelo Carmelitano all'interno della basilica Lateranense a Roma, alla presenza di San Domenico, che costituisce una variante dell'incontro fra i due Santi fondatori degli Ordini domenicano e Francescano. A Firenze in quegli anni il Ligozzi aveva dipinto nel ciclo di affreschi con storie della vita del Poverello di Assisi nel chiostro di Ognissanti una scena raffigurante questo episodio, tramandatoci anche, con ampia spiegazione didattica nelle scritte in margine e in testo, da un'incisione di Battista Panzera (cat. 119).
Il Cigoli inserisce nello sfondo a destra la figura di un prelato seduto sotto un baldacchino, probabile riferimento ad un pontefice, anche se la tradizione agiografica del Carmelitano non parla della presenza di papi durante l'incontro in San Giovanni in Laterano.

s.p.v.r.

Jacopo Ligozzi
Verona 1547 - Firenze 1627.

59.
San Francesco scaccia i diavoli da Arezzo

Firenze, Gabinetto Disegni e Stampe degli Uffizi, inv. 15.685 F.
Penna, bistro, lumeggiato in oro su carta marroncina, controfondato, mm 368×523.

Una delle imprese decorative intraprese dai francescani a Firenze allineate con il rinnovamento di chiese e conventi secondo lo spirito di esemplificazione didattica voluto dalla chiesa controriformata, fu la narrazione della vita di San Francesco affrescata nel chiostro di Ognissanti a partire dall'anno 1600. Il maggior protagonista di quest'impresa fu il veronese Jacopo Ligozzi, fiorentinizzato sin dal 1578, che eseguì diciassette delle ventotto lunette.
Per quest'opera ci sono rimasti numerosi disegni preparatori, divisi fra gli Uffizi (v. anche scheda successiva), la Christ Church di Oxford (cfr. J. Byam Shaw, *Drawings by Old Masters at Christ Church Oxford*, Oxford 1976, pp. 87-88), collezioni private (citate da Byam Shaw, 1976, p. 88). La scena raffigurante *San Francesco che placa le inimicizie degli Aretini* nel chiostro di Ognissanti fu dipinta più tardi da Giovanni da San Giovanni.
Il nostro foglio è perciò un primo studio eseguito del Ligozzi per la lunetta dipinta poi da un altro artista con un soggetto, il Santo che scaccia i diavoli da Arezzo, - uno degli episodi più noti dell'agiografia francescana dal Medioevo in poi - mutato quindi nella realizzazione pittorica. La composizione del Ligozzi mostra un realismo descrittivo e analitico di gusto nordico nella raffigurazione della città, riprodotta minuziosamente in tutti i suoi particolari. La scena offre all'artista l'opportunità di sbizzarrirsi con la sua fantasia nel creare un groviglio di corpi demoniaci urlanti che popolano quasi tutto lo spazio a disposizione. Queste raffigurazioni demoniache sono frequenti nel repertorio grafico del Ligozzi, che le prende a prestito nelle contorte scene infernali delle stampe nordiche.

s.p.v.r.

60.
Vestizione di Santa Chiara o fondazione del secondo Ordine

Firenze, Gabinetto Disegni e Stampe degli Uffizi, inv. 1.336 S.
Penna e inchiostro bruno su carta preparata marroncino, lumeggiato in oro, mm. 276×443.
Bibl.: Bacci, 1963, p. 52, tav. XLIII, fig. 2.

Il foglio è stato individuato dalla Bacci, studio preparatorio per una delle lunette affrescate dal Ligozzi nel chiostro della chiesa di Ognissanti nell'anno 1600, come era segnato in una di esse. L'impresa è da annoverare fra le commissioni a carattere religioso più prestigiose avute dal Ligozzi, generalmente impegnato presso la corte medicea, e si inserisce degnamente nel clima post-tridentino di rinnovamento di chiese e conventi in ambito toscano.
In questo foglio la Bacci sottolineava la tecnica piuttosto rara e ricercata dell'artista, che disegnava a penna su carta tinta e lumeggiava preziosamente in oro, tecnica assolutamente non italiana ma piuttosto tipica della grafica tedesca e della scuola del Dürer.
A differenza della tradizione disegnativa toscana, cui il Ligozzi non aderì mai, i fogli dell'artista veronese non presentano il carattere fiorentino di primo stadio di elaborazione per opere pittoriche, ma costituiscono di per sé modelli rifiniti, già pronti per essere presentati al committente, o comunque opere d'arte a se stanti. Nel corpus grafico del Ligozzi infatti non ritroviamo la quantità di studi accademici di figure nude e paludate, tributi obbligati per un pittore fiorentino ligio alla tradizione del "matitatoio"; i suoi fogli sono sempre un prodotto finito esaminato con oggettività e rigore, sia che si tratti di una miniatura di soggetto scientifico, o di costumi orientali, o di modelli da tradurre a fresco.

s.p.v.r.

61.
Tentazione di San Francesco

Siena, Pinacoteca Nazionale, inv. 92 Mag.
Tempera su carta applicata su tela, lumeggiato in oro, cm. 43×27,5
Bibl.: Torriti, 1978, p. 211, fig. 250.

Il Torriti ha individuato in questo modellino lo studio preparatorio per una delle illustrazioni della *Descrizione della Valle di Vernia* incise da Domenico Falcini e Raffaele Schiaminossi nel 1612 su invenzione di Jacopo Ligozzi. Più esattamente, la composizione si ritrova in controparte in un particolare della tavola, e cioè nella lunetta dipinta sopra l'altare della Cappella di San Sebastiano, descritta nella leggenda come "Mezzo tondo sopra al quadro dove rappresenta l'atto del volere il nimico precipitar San Francesco".
Il disegno è realizzato con la tecnica caratteristica del Ligozzi, che l'artista riprende dalla cultura figurativa nordica (cfr. Bacci, 1963, p. 52). Anche l'iconografia del nostro foglio sembra ispirata a esempi nordici: essa propone un tema assai raro nel repertorio francescano - a parte la diversa *Tentazione del Santo* dipinta dal Vouet in San Lorenzo in Lucina a Roma, un particolare analogo si ritrova nella tavola 15 della Vita del Santo incisa da Philip Galle -. Il Santo viene fisicamente spinto dal demonio urlante verso il baratro e sembra opporre solo una resistenza di fiduciosa rassegnazione cristiana al cieco furore demoniaco: lo stesso spirito di grottesche fantasie nordiche si ritrova in analoghe composizioni del Ligozzi, quali soprattutto il *Sant'Antonio battuto dai demoni* degli Uffizi (Bacci, 1963, tav. XLIV, fig. 4).

s.p.v.r.

Scuola fiorentina, fine secolo XVI

62.
Le Stigmate di San Francesco

Firenze, Gabinetto Disegni e Stampe degli Uffizi, inv. 1331 S
Sanguigna su carta bianca ingiallita, quadrettato a sanguigna mm. 281×205

63.
La Visione di San Francesco

Firenze, Gabinetto Disegni e Stampe degli Uffizi, inv. 1363 S
Sanguigna su carta bianca ingiallita, quadrettato a sanguigna, mm. 282×215
Bibl.: Bacci, 1963, tav. XLIV, fig. 3

I due modellini provenienti dalla collezione Santarelli, con una vecchia attribuzione al Ligozzi, sembrano essere stati concepiti per una stessa destinazione, essendo analoghi per stile, tecnica e misure.
È probabilmente per questo motivo che la Bacci li ritenne gli studi del pittore veronese eseguiti dal vero a La Verna, preparatori per le incisioni della *Valle della Vernia* curato da fra Lino Moroni (cat. 122).
Le composizioni non trovano però un preciso riscontro nelle tavole illustrate della serie, che pure comprendono le Stigmate ma impostate in un modo sostanzialmente diverso.
Lo stile dei disegni inoltre, seppure vicino a certe durezze nordiche dell'artista veronese, non ci sembra conforme alla perfezione e all'eleganza dei bozzetti rifiniti del Ligozzi.
Le due sanguigne risultano piuttosto opere di un artista toscano riformato di modeste qualità, che risente del clima di normalizzazione messo in voga nella città toscana da Santi di Tito, e che sembra riprendere nell'impostazione greve e scultorea di certe figure esempi più antichi di pittura arcaizzante alla ricerca di un linguaggio di maggior spiritualità.
Da un punto di vista iconografico, accanto alla più consueta raffigurazione delle Stigmate, è interessante notare questa sorta di Visione mistica de Santo lievitato da terra entro un alone luminoso, che ci richiama certe composizioni di estasi e rapimenti entro una mandorla di luce presente nelle miniature medioevali.

s.p.v.r.

Simonzio Lupi
attivo inizio XVII secolo

64.
San Francesco in preghiera davanti al crocifisso

Firenze, Palazzo Pitti, Nuovo Corridoio, inv. 697
Miniatura in pergamena, cm. 19×13
In basso la scritta: *Sancte Francisce, Ora pro nobis*

Attribuito a Simonzio Lupi, la miniatura offre una versione del San Francesco in preghiera che riprende, con gusto arcaico, l'impostazione del dipinto di Annibale Carracci.

s.p.v.r.

Scuola fiorentina, sec. XVII

65.
Stigmate di San Francesco

Firenze, Gallerie Fiorentine, inv. 1980, n. 6111
Olio su pietra paesina, cm. 20×18
Bibl.: A.M.M. in M. Chiarini, *Pittura su pietra*, Firenze 1970, cat. 20

L'anonimo artista sfrutta la venatura della pietra paesina per creare la quinta architettonica della roccia del monte La Verna. La pittura si inserisce negli spazi per definire la chiesetta dell'eremo, gli alberi e le due figure dei frati.
Lo stile richiama assai da vicino un artista di ambito fiorentino tardocinquecentesco affine al Cigoli.

s.p.v.r.

Valerio Mariani
Urbino, fine XVI sec.

66.
Stigmate di San Francesco

Firenze, Palazzo Pitti, soffittone, inv. 678
Miniatura su pergamena, con bordo azzurro, cm. 19×14,5

È una ulteriore versione preziosa dell'iconografia francescana più consueta.
L'attribuzione a Valerio Mariani, pittore nato a Urbino e attivo in ambiente toscano fra la fine del Cinque e l'inizio del Seicento, si ritrova nei vecchi Inventari del Guardaroba Mediceo.

s.p.v.r.

Francesco Vanni
Siena 1563-1610

67.
La Madonna dà il Bambino in braccio a San Francesco

Firenze, Gabinetto Disegni e Stampe degli Uffizi, inv. 19165 F
Tracce di matita, penna inchiostro marrone acquerellato, biacca su carta tinta, controfondato su cartone, mm. 281×238
In basso a penna scritta secentesca *Del Vanni* e d'*Annibale Carazzi* (cancellata).
Bibl.: Ciaranfi, 1952, n. 25; *Mostra dei Carracci*, 1956, p. 110; Riedl, 1976, cat. 15; Santi, 1980, p. 121.

L'antica attribuzione di questo bozzetto a Francesco Vanni fu spostata dal Ragghianti (cfr. Ciaranfi, 1952, p. 19) e dall'Arcangeli a Ludovico Carracci, per le evidenti analogie iconografiche e compositive con il quadro del pittore bolognese al Rijksmuseum di Amsterdam.
Recentemente però il Riedl ha restituito il nostro modellino al Vanni in modo inconfutabile, basando la sua tesi su un'attenta analisi stilistica e storica. Da un punto di vista stilistico infatti, il disegno si presenta più "lirico e pittorico" delle opere del Carracci, e caratterizzato da una introspezione intimistica tipicamente senese.
Esistono inoltre altri due disegni nel Cabinet des Dessins del Louvre (nn. 2008, 2011) segnalati dal Riedl e opere certe del Vanni, che rappresentano l'uno la composizione del nostro foglio con un paesaggio, e l'altro il solo gruppo della Vergine con il Santo stigmatizzato.
La ricerca storica portata avanti dal Riedl ha accertato che il pittore senese eseguì due versioni con la Visione di San Francesco, citate dall'Ugurgieri Azzolini (*Le Pompe Sanesi*, Pistoia, vol. II, 1649, p. 372) una prima a Lucca, oggi dispersa, ed un'altra a Lione, oggi conservata nel Rhode Island School of Design di Providence (cfr. B. Davidson, *A Painting and a Drawing by F. Vanni* in "Bulletin of Rhode Island School of Design", December 1958, p. 4 ss.).
La datazione proposta dal Riedl per questa composizione è intorno al 1595 circa, per affinità con opere eseguite intorno a quegli anni giovanili dall'artista.
Ciò dimostrerebbe una derivazione diretta da parte del Vanni del dipinto già citato di Ludovico Carracci - che raffigura però la Visione di Sant'Antonio e non di San Francesco -.

s.p.v.r.

68.
Il Perdono di Assisi

Pisa, Chiesa di San Francesco
Olio su tela, cm. 360×240
Bibl.: Baldinucci-Ranalli, III, 1856, p. 455; Romagnoli, 1830 ca., p. 528; Voss, II, 1920, p. 515; Brandi, 1931, p. 81, nota 16; Mirolli, 1932, p. 64; Venturi, IX, 7, 1934, p. 1078, fig. 600; Bianchi Bandinelli, 1943, p. 144; Riedl, 1976, pp. 22-23.

Il dipinto è uno degli omaggi più palesi tributato dal Vanni al Barocci, suo maestro riconosciuto, dopo la parafrasi dell'*Annunciazione* Vaticana dipinta nella chiesa dei Servi a Siena.
Il soggetto del *Perdono d'Assisi*, richiesto al Vanni dai frati francescani di Pisa per la loro chiesa, riporta necessariamente l'artista a rifarsi al dipinto del pittore urbinate nella chiesa di San Francesco della sua città, realizzato fra il 1574 e il '76, ma da lui conosciuto più probabilmente attraverso la celebre incisione del 1581 che divulgò questo tema in tutta Italia decretandone una certa fortuna iconografica. Il confronto fra le due opere denota i limiti dell'imitatore rispetto al prototipo: l'idea geniale e dinamica del Cristo che irrompe con un turbinio luminoso nella piccola chiesetta della Porziuncola davanti ad un San Francesco folgorato, viene tradotta nel dipinto del Vanni in una composizione farraginosa, ben definita dal Riedl "una specie di teatro festante" (Riedl, 1976, p. 22).
Il pittore senese mantiene i due piani divisi del soprannaturale e dell'umano; ma questi vengono affollati di figurette di angeli, che cantano, portano rose o la Bolla dell'Indulgenza, e contribuiscono a legare le due dimensioni sceniche. La Vergine e San Giovanni sono posti a lato di un Cristo seduto fra le nuvole, che ha perso tutta la dinamica baroccesca, mentre nel San Francesco viene modificato quello stupendo movimento sbieco che caratterizzava in senso rivoluzionario la composizione dell'urbinate. Dalla scena del Vanni la divinità risulta senz'altro di dimensione più accostante, tradotta dalla lirica vena narrativa del senese e umanizzata dalla presenza di tanti angeli che la pittura della Controriforma sfrutta quali intermediari fra l'uomo e Dio.
L'esame dei due dipinti - che la mostra offre per la prima volta a confronto - riprova la validità dell'affermazione del Santi (1980, p. 121) che il "baroccismo rimane nel Vanni... solo un dato piuttosto temporaneo ed esteriore, piuttosto ispiratore di composizioni e dei tratti fisionomici nelle figure, che un fatto organico dovuto alla piena assimilazione dell'espressione artistica del Barocci".
E questo sia detto non per diminuire la pittura del Vanni rispetto a quella dell'urbinate, ma per evidenziarne semmai gli aspetti narrativi di sacra rappresentazione recitata in vernacolo senese, per sottolineare la grazia dolcissima delle sue scene e il potere emozionale dei suoi Santi, che fecero del Vanni il pittore più richiesto dalla committenza di Ordini e Confraternite religiose a Siena alla fine del secolo XVI. La figura di San Francesco sembra echeggiare elementi di cultura bolognese, recentemente evidenziati nella produzione pittorica del Vanni, e in particolare da Annibale e Ludovico Carracci.
A questi due artisti ci richiama anche il crudo particolare dei chiodi conficcati nelle mani e nei piedi, che il Vanni riprende dal dipinto *La Pietà* di Annibale della Galleria Nazionale di Parma, e che ripropone anche nella figura del Santo nella *Vergine col Bambino e Santi francescani* nella chiesa dei Cappuccini di Arcidosso (cfr. Santi, 1980, p. 136).
Il dipinto del Vanni è datato 1592 dal Romagnoli, ma il Riedl propende a spostare la datazione qualche anno più avanti.

s.p.v.r.

69.
Studio per il Perdono di Assisi

Firenze, Gabinetto Disegni e Stampe degli Uffizi, 1694 E
Penna, bistro acquarellato, matita nera, tracce di sanguigna su carta bianca ingiallita, quadrettato e matita nera, mm. 317×208
Bibl.: Voss, 1920, p. 515; Riedl, 1976, cat. 2.

Già individuato dal Voss quale studio preparatorio per il *Perdono di Assisi* per San Francesco a Pisa, il disegno è quadrettato per la trasposizione pittorica. Le differenze con il dipinto consistono nella presenza dell'arcaica corona di putti intorno al Cristo che viene sostituita da un gruppo di angeli musicanti su uno sfondo luminoso alla Beccafumi; nella mano destra del Cristo, che nel dipinto è posta a indicare la ferita del costato; e in particolare nel San Giovanni, di cui il Riedl ha rintracciato lo sviluppo figurativo attraverso disegni e il bozzetto ad olio conservato nella collezione Chigi Saracini di Siena.

s.p.v.r.

70.
San Francesco consolato dall'angelo

Firenze, Gabinetto Disegni e Stampe degli Uffizi, inv. 10820 F
Matita nera su carta bianca ingiallita. Controfondato.
Sul controfondo in basso scritta a penna settecentesca (?): *C. Fr.° Vanni*
Bibl.: RIEDL, 1976, cat. 75

A differenza del Salimbeni, il Vanni si è cimentato varie volte con soggetti francescani nella sua lunga attività pittorica e i disegni documentano questa produzione anche nel caso in cui i dipinti siano andati perduti.
Il nostro foglio, ad esempio, è una variante del San Francesco consolato dall'angelo semisvenuto, subito dopo aver ricevuto le stigmate, tema iconografico assai diffuso nella pittura controriformistica, nel quale si era già cimentato il Vanni nella celebre acquaforte e nel perduto dipinto in Santa Maria Maggiore.
Non ci sono pervenute opere del pittore da riallacciare a questo disegno che non ha neppure rapporti con l'incisione citata: il Riedl cita un dipinto nella collezione Chigi Saracini di Siena in relazione alla composizione del nostro foglio, eseguito da un allievo del Vanni o del Salimbeni, probabile copia da un originale perduto.
Lo stile del disegno, che presenta un segno franto e spezzato nel panneggio, attesta un'esecuzione nel periodo più tardo dell'attività del Vanni.
Da sottolineare l'interpretazione mistica dell'avvenimento sacro, l'atteggiamento estatico del Santo, che ritorna in altre composizioni del Vanni di analoga impostazione, raffiguranti *Sant'Antonio morente* nella cappella della Misericordia a Siena (1609) e nella *Maddalena* in Santa Maria di Carignano a Genova (cf. RIEDL, 1976, p. 71).

s.p.v.r.

Cristoforo Roncalli detto il Pomarancio
Pomarance 1552/53 - Roma 1626

71.
San Francesco che porta la croce

Firenze, Gabinetto Disegni e Stampe degli Uffizi, inv. 10014 F
Matita nera su carta azzurra, mm. 386×245
In alto a penna il numero 85 (?)

San Francesco che porta la croce costituisce il soggetto di altri due disegni quasi uguali del Roncalli, conservati nella Biblioteca Comunale di Siena (S III 6, 74 recto e S III, 6, 2 recto) che conosciamo per gentile segnalazione di Chandler Kirwin. Questi tre studi possono essere riferiti, sempre secondo il Kirwin, alla decorazione esterna della distrutta chiesetta di Santa Chiara al Quirinale di Roma.
A detta del Baglione (1642, p. 189) infatti, il Roncalli ricevette dalle monache cappuccine del Quirinale la commissione di dipingere nella loro Chiesa un affresco sopra la volta dell'altare maggiore, raffigurante l'*Incoronazione della Vergine* e le figure di San Francesco e Santa Chiara ai lati dell'ingresso principale nella facciata esterna. Purtroppo la Chiesa di Santa Chiara fu distrutta nel 1888 con l'annesso convento (cfr. J von HENNEMBERG *An early Work by Giacomo Della Porta: the Oratorio del Santissimo Crocifisso in Roma* in "Art Bulletin" 1970, p. 158, fig. 17), ma una sommaria ricostruzione della facciata esterna si può trarre da un acquerello di Achille Pinelli, che documenta la veduta generale della piazzetta antistante la Chiesa nel 1833 (cfr. *Vedute romane di Achille Pinelli*, Roma, Palazzo Braschi, 1968, cat. 37).
Sulla sinistra della facciata infatti, si intravede una figura di San Francesco in piedi assai affine al nostro foglio e ai due studi di Siena.
Non conosciamo la data esatta della commissione in Santa Chiara. La Chiesa fu costruita intorno al 1574-76 e recava all'interno, sull'altar maggiore, la *Crocifissione* di Marcello Venusti, dal momento che l'edificio sacro era stato in prima istanza dedicato alla Santa Croce ed a Santa Chiara.
I disegni raffiguranti San Francesco sono stilisticamente assai vicini agli studi del Roncalli per l'*Annunciazione* di Pomarance e allo studio per il Cristo morto nella cappella Mattei in Santa Maria in Aracoeli, altra commissione francescana, eseguita negli anni 1583-86 (cfr. C. KIRWIN, *Disegni dei Toscani a Roma*, Firenze 1979, figg. 4, 5, 7) e non negli anni 1588-90, come recentemente e senza motivazioni stilistiche è stato affermato (cfr. J. HEIDEMAN, *The Cappella della Pietà in Santa Maria in Aracoeli in Roma*, in "Paragone" 369, 1980, p. 31).
A convalida di questa ipotesi cronologica, a fianco della *Discesa dalla Croce* dipinta dal Roncalli nella cappella Mattei, appare un San Francesco in piedi, che si presenta del tutto affine nella resa stilistica e compositiva al Santo raffigurato nel nostro foglio.
In base al confronto con l'acquerello del Pinelli, si nota chiaramente che il Roncalli dipinse sulla sinistra della facciata della chiesetta di Santa Chiara, un San Francesco che adora il Crocifisso, come appare nel disegno S III 6, 74 recto di Siena, con la sola variante nel foglio del Santo incappucciato.
Nel nostro foglio invece e nell'altro di Siena, Francesco porta la croce al petto e ha lo sguardo estatico rivolto verso l'alto.
Considerando queste differenze, è probabile che il nostro foglio sia uno studio tardo preparatorio per la figura secondaria del Santo nella Cappella Mattei, ma ciò non prova che sia stato eseguito esclusivamente a questo scopo.
Il Kirwin è propenso a considerare il disegno degli Uffizi una rielaborazione derivata dall'affresco della facciata, forse con alcune varianti, dal momento che la figura del Santo sembra essere stata appena ricalcata lungo le linee di contorno: il foglio S III 6, 2 recto di Siena rivela infatti, ad un esame attento, essere la matrice della rielaborazione fiorentina, identico a quella per dimensioni e atteggiamento.
Queste ipotesi sono destinate a rimanere tali, dal momento che non è possibile recuperare con esattezza il testo originale dell'affresco in Santa Chiara, che pure fu una commissione francescana assai rilevante dal punto di vista storico ed iconografico.
Per quanto riguarda la figura di San Francesco in questo disegno, il Kirwin riscontra una ispirazione desunta dal ritratto bizantineggiante del Santo conservato in San Francesco a Ripa. Questo aspetto più inedito dell'arte del Roncalli ben si accorda con le tendenze arcaistiche e al carattere di "primitivismo cristiano" assunti dalla pittura controriformata romana che, sulla scia del pensiero degli Oratoriani di San Filippo Neri e del Baronio, si rivolgeva ad esempi di raffigurazioni paleocristiane e altomedioevali, non solo per desumerne ispirazione da un punto di vista iconografico, ma per riviverne e attualizzarne i contenuti spirituali.

s.p.v.r.

72.
Studio per San Francesco stante con le braccia aperte

Firenze, Gabinetto Disegni e Stampe degli Uffizi, inv. 10064 F
Sanguigna su carta bianca, mm. 414×270

Anche questo disegno sembra databile, per motivi stilistici, intorno alla metà dell'ottavo decennio del secolo, ma non si può mettere in rapporto con il perduto affresco della chiesetta di Santa Chiara al Quirinale, né con alcuna altra opera nota del Roncalli. Non è da escludere però che una figura del Santo fosse posta nell'affresco perduto della volta, raffigurante la Vergine incoronata, come fa pensare il gesto adorante e lo sguardo della figura rivolto verso l'alto.

s.p.v.r.

Gerolamo Muziano (cerchia di)
Acquafredda 1528/30 Roma 1592

73.
San Francesco stigmatizzato

Frascati (Roma) Chiesa dei Cappuccini
Olio su tela cm. 290×180
Bibl.: A. Negro, 1980, p. 133 (con bibliografia precedente)

L'opera, non citata dalle fonti antiche, fu attribuita al Muziano da A. Seghetti, (*Frascati nella natura, nella storia e nell'arte*, Frascati 1906, p. 240) ma nessuna prova documentaria è mai emersa a confermare l'attribuzione, non particolarmente comprovata dal confronto con un'opera certa di analogo soggetto del maestro bresciano e cioè la pala nella chiesa dei Cappuccini a Roma citata dal Baglione, *Le vite de' pittori* ... Roma 1642: "similmente ne' Cappuccini nuovi evvi S. Francesco, che riceve le sagre Stimmate, assai devoto, che stava nella chiesa vecchia degli istessi Cappuccini", (vedi la ripr. in questo catalogo).
In un manoscritto illustrante la vita del Muziano pubblicato da U. Procacci, *Una vita inedita del Muziano*, in 'Arte Veneta' 1954 pp. 242 segg., è riportata la notizia che il pittore fu pagato nel 1578 per una pala raffigurante la *Crocifissione* (con S. Francesco e S. Antonio) effettivamente esistente in chiesa (nella cappella di sinistra). Considerando che la chiesa fu consacrata poco dopo (il 21 ottobre 1579) se ne conclude che se la pala delle Stimmate spetta veramente al Muziano, essa non potrebbe oltrepassare questa data e saremmo così di fronte ad un'opera eseguita immediatamente dopo la chiusura dei lavori ad Orvieto.
In realtà confrontando l'ambientazione paesistica della pala dei Cappuccini con quella del quadro di Frascati si riscontra una concezione diversa perché mentre nel quadro romano l'ambiente naturale è costituito da una sorta di grotta in cui il miracolo avviene in una profonda concentrazione in cui uomo e natura sono immersi in analoga quiete; il quadro di Frascati illustra l'evento in modo clamoroso facendo dell'apparizione della luce divina il fulcro dell'immagine e trattando il paesaggio con un accentuato effetto di controluce cui corrisponde la posituta del Santo coinvolto nell'ambiente in una dimensione panica e drammatica. Si tratta in sostanza di una interpretazione in chiave contrapposta, "attiva" nel caso del dipinto romano (e in linea con l'ideologia riformata orvietana) e "passiva" nel caso del quadro nella chiesa dei Cappuccini di Frascati non opposta al pensiero muzianesco più tipico ma neppure perfettamente congruente.
Si tratta comunque anche in quest'ultimo caso di una interpretazione rinnovata in direzione eroica e trionfalistica dell'atto della Stimmatizzazione in cui è enunciato il principio, che avrà vasti sviluppi proprio nell'arte dei Gesuiti la cui connessione col pensiero cappuccino è stata più volte rimarcata, che, allontanandosi dall'idea del Santo quale Martire, ne fa un eroe della nuova chiesa immerso in uno spazio naturale che è immagine simbolica della purezza incontaminata dei primordi della fede nella cui solenne quiete l'evento sconvolgente delle Stimmate assume inaudita pregnanza.

74.
San Francesco adora il Crocifisso

Firenze Gabinetto Disegni e Stampe degli Uffizi, inv. 7631
Sanguigna su carta avorio mm. 204×135

Questo e i tre disegni seguenti, sono studi per dipinti o per uno stesso dipinto di cui non è nota la realizzazione anche se Muziano, a parte il quadro per i Cappuccini di Roma, tornò di frequente sul tema francescano. Ciò che è ragguardevole sotto il profilo iconografico, sulla base dell'ipotesi che il Muziano abbia elaborato in questi quattro schizzi un'idea sostanzialmente unitaria, è il cambio di rapporti dimensionali tra l'immagine del Santo e quella della Croce in base a interpretazioni diverse del rapporto tra l'atto dell'adorazione e l'immagine del Cristo visto in prima istanza (l'ordine in cui i disegni sono esposti vorrebbe riflettere una analisi sulla presumibile successione delle fasi di progettazione) quale oggetto ridotto rispetto al Santo poi quale presenza dominante o addirittura incombente che sovrasta e supera la semplice devozione per divenire folgorazione e drammatico manifestarsi del Miracolo e infine prendere la forma di una pacata adorazione domestica abbinata (fatto particolarmente significativo) all'immagine della Madonna col Bambino.
L'intera serie sembrerebbe databile verso la tarda attività del maestro contraddistinta da un segno sbozzato e frantumato.

c.s.

75.
San Francesco adora il Crocifisso

Firenze Gabinetto Disegni e Stampe degli Uffizi, inv. 7632
Sanguigna su carta avorio mm. 204×134
scritta Mutiano a penna in basso

Notevole schizzo con l'abbozzo di una ambientazione paesistica atta a suggerire un luogo scabro e scosceso come effettivamente è il 'sasso' del monte La Verna dove il Miracolo accadde. Interessante la soluzione iconografica, rarissima in ambiente romano e mai adottata dal Muziano stesso del Cristo accasciato sulla croce secondo un procedimento che denuncia un aspetto della formazione nordica del pittore.

c.s.

76.
San Francesco adora il Crocifisso

Firenze Gabinetto Disegni e Stampe degli Uffizi, inv. 7627
Sanguigna su carta avorio mm. 201×134

Versione in chiave fortemente mistica del soggetto con l'immagine del Cristo non tanto inteso nel momento delle Stimmate quanto connesso solo con l'atto dell'adorazione. Soluzione iconografica mai adottata in dipinti effettivamente eseguiti.

c.s.

77.
San Francesco adora il Crocifisso

Firenze Gabinetto Disegni e Stampe degli Uffizi, inv. 7647
Sanguigna su carta avorio mm. 197×133
(sul verso schizzo di colonnato prospettico)

Redazione presumibilmente finale di un tipo insolito esprimente una forma di devozione domestica in cui l'immagine del Crocifisso è diventata semplicemente una immagine posta su una sorta di altarino privato su cui avviene l'Adorazione. Anche questa versione non è stata comunque oggetto di un dipinto noto.

c.s.

Scipione Pulzone
Gaeta c. 1550 - Roma 1598

78.
La Vergine col bambino adorata da santi

Ronciglione Chiesa dei Cappuccini
Olio su tela cm. 355×200 firmata Scipio Caietanus Faciebat
Bibl.: Zeri 1957 p. 34-35

L'opera citata dal Baglione sull'altare della chiesa dei Cappuccini a Roma, fu rimossa (già all'epoca del Baglione che ne segnala l'allontanamento) e collocata nella chiesa dei Cappuccini a Ronciglione.
La data iscritta sul cartellino è illegibile e fu dal Venturi (*Storia dell'arte Italiana* vol. IX parte VII p. 762) interpretata come 1581. Di poco posteriore deve essere la replica della parte superiore conservata nell'Annunziata di Gaeta (cfr. M.L. Casanova, *Arte a Gaeta*, cat. della Mostra, Firenze 1976 p. 94). Una replica è a

Messina (cfr. F. Campagna Cicala, *La diffusione dell'iconografia della Madonna degli Angeli nelle chiese Cappuccine di Sicilia: Scipione Pulzone e Durante Alberti*, in 'Prospettiva' 1979 19 pp. 42-45), ritrovata da A. Marabottini in 'Commentari' 1962, pp. 48-52 (Castroreale-Collegio Redentoristi).
L'opera fu commissionata dal Marchese di Riano il cui figlio è effigiato nella pala stessa.
Il dipinto esemplifica l'iconografia propria alla chiesa cappuccina, mettendo in evidenza il tema della venerazione dell'Immacolata Concezione cui S. Francesco e S. Chiara, fanno da tramiti, nella funzione salvifica legata al culto della Croce.
Collegata ai coevi esemplari della pala d'altare di ambiente lombardo tramite la mediazione di Marcello Venusti comasco (come indicato dallo Zeri) che aveva eseguito alcune pale d'altare di estremo nitore stilistico, tra cui la pala Porcari in S. Maria sopra Minerva, che non dovrebbero superare la fine dell'ottavo decennio del secolo; l'opera si attiene al criterio della pala dell'adorazione in cui inserisce il raro tema della funzione mediatrice del Santo eletto a protettore del committente con un restringimento di ottica rispetto alla concezione della pala di tipo muzianesco e una riduzione del parallelismo Francesco - Cristo.
L'accentuato naturalismo del Pulzone si cala in un ideale di disegno toscano risalente fino ad Andrea del Sarto (che egli imiterà ostentatamente fino alla tarda pala in S. Caterina dei Funari) conferendo all'immagine francescana una interpretazione in chiave di ortodossia stilistica (la pittura appunto, senza errori, teorizzata dal Vasari) recuperata nella fase in cui la devozione francescana si orienta su temi più intimi e diretti coinvolgendo la storia personale e familiare nell'atto devoto oltre la assolutezza cristologica della lezione muzionesca ed agli albori dell'età sistina di cui, se è esatta la datazione dell'opera (citata del resto nel *Riposo* di Raffaele Borghini del 1584) il dipinto costituisce una sorta di preliminare immediato.

c.s.

Paolo Bril
Anversa 1554 Roma 1626

79.
La visione di Fonte Colombo

Roma Galleria Borghese
Olio su rame cm. 24×31
Bibl.: Della Pergola 1959 vol. II p. 152

L'opera di provenienza non documentata è stata riferita al Bril su base stilistica. L'attribuzione sembra condivisibile e il riferimento più probante può essere istituito con i paesaggi eseguiti dal Bril ca. 1587 per la Scala Santa presso i Palazzi lateranensi e poi nel Bagno della S. Cecilia nella omonima basilica romana.
Dopo l'esperienza del Muziano è Bril infatti con i suoi collaboratori, a partire dalla decorazione del Palazzo Orsini a Monterotondo del 1582, a inserire l'elemento paesistico nell'ambito della decorazione prima profana e poi sacra tanto che il paesaggio diventa elemento preponderante sotto determinati profili ideologici, principalmente il concetto del Trionfo della Chiesa (Galleria delle Carte Geografiche in Vaticano eseguita entro il 1585 dal Muziano e scuola) e quello dell'esperienza del Martirio (la decorazione di S. Vitale di Tarquinio Ligustri in prossimità dell'anno giubilare).
In questo senso le opere di Bril e della sua cerchia connesse alla figura di Francesco contribuiscono ad accrescere l'interesse sulla tematica paesistica acuendo l'idea di una partecipazione fervida della totalità del creato, secondo il dettato originario del Cantico delle Creature, all'esperienza francescana.

c.s.

80.
Stigmate di S. Francesco

Roma Galleria Borghese
Olio su rame cm. 21×29
Bibl.: Della Pergola 1959 p. 152

Valgono per questo dipinto le considerazioni svolte nel numero precedente. Rispetto alla presumibile datazione della *Visione di Fonte Colombo* l'opera sembra collocarsi in un momento leggermente più avanzato verso il 1590 in concomitanza con la partecipazione del Bril, documentata dal Baglione, alla decorazione della cappella di S. Francesco Borgia nella chiesa del Gesù in Roma dove Bril collaborò con alcuni artisti fiamminghi eseguendo un ciclo di grande interesse iconografico, in quanto orientato su un'interpretazione in chiave mistica e salvifica della vita del santo che rimase un episodio relativamente eccentrico nella cultura francescana del tempo.
Il tipo di paesaggio marcatamente nordico e analitico documenta una fase di sviluppo del Brill intorno all'anno giubilare 1600 mentre resta dubbia l'esecuzione della figura del Santo che potrebbe spettare a un collaboratore attivo anche nella cappella del Gesù e fin qui non individuato.

c.s.

Giuseppe Cesari detto il Cavalier d'Arpino
Arpino 1568 - Roma 1640

81.
San Francesco adora la Sacra Famiglia

Firenze Gabinetto Disegni e Stampe degli Uffizi, inv. 2175 F
Sanguigna su carta bianca mm. 138×156
In basso scritta a penna secentesca: del Cav. Giuseppe

Autografo del periodo giovanile del Cavalier d'Arpino, studio preparatorio forse per un dipinto non identificato.
Interessante l'iconografia in cui il Santo è assimilato ad uno dei re Magi nell'Adorazione del bambino secondo una modalità di devozione sommessa e pacificata. La forte innervazione del tratto nella descrizione del bambino conferma quella matrice lombarda che è stata opportunamente riscontrata nella fase giovanile del maestro (H. Röttgen, *Il Cavalier d'Arpino*, Roma 1973 p. 36) e che permane con diverse declinazioni per tutta la carriera. Notevoli rapporti possono essere istituiti tra questo disegno e la decorazione della cappella dell'Annunziata in S. Maria in Via (su cui L. Mortari, in Quaderni di Emblema, Bergamo 1973 p. 79) databile intorno al 1593 data che converrà quindi anche a questo disegno.

c.s.

Michelangelo Merisi detto il Caravaggio (attribuito a)
Caravaggio 1571 - Porto Ercole 1610

82.
San Francesco in meditazione

Roma Chiesa dei Cappuccini (S. Maria della Concezione)
Olio su tela cm. 130×98
Bibl.: Marini 1974 p. 276 (con bibliografia precedente completa)

L'opera non è citata dalle fonti antiche e se ne ignora qualunque ulteriore documentazione coeva e posteriore. Scoperta e attribuita da G. Cantalamessa, *Un quadro di Michelangelo da Caravaggio*, in 'Bollettino d'arte' 1908 pp. 401-2 l'opera è stata sostanzialmente considerata autografa solo da parte della storiografia. Gli argomenti in contrario come quelli di L. Venturi e W. Arslan sono riassunti da R. Jullian, *Caravage*, Lione Parigi, 1961 p. 232.
N. Pevsner (*Barockmalerei*, Berlino 1928 p. 30) ritenne che all'opera potesse essere in qualche modo collegabile la testimonianza processuale pubblicata dal Bertolotti, *Artisti lombardi a Roma nei secoli XV, XVI e XVII*, Milano 1881, II p. 13 in base a cui risulta che Orazio Gentileschi prestò nel 1603 a Caravaggio un abito da Cappuccino (la foggia dell'abito nel quadro).
In mancanza di ulteriori indagini non resta quindi che considerare l'opera come certamente attinente all'ambito caravaggesco e certamente non discordante con le caratteristiche accertate

dello sviluppo del Caravaggio posteriormente a S. Luigi dei Francesi.
La questione è stata complicata dalla scoperta ad opera di M. V. Brugnoli, *Un S. Francesco da attribuire al Caravaggio e la sua copia*, in 'Bollettino d'Arte' 1968 pp. 11-15 del dipinto esaminato nella scheda successiva (n. 83) proveniente dalla chiesa di S. Pietro a Carpineto Romano ritenuto dalla Brugnoli, seguita dal Marini *op. cit.* p. 127 autografo caravaggesco con retrocessione conseguente a rango di copia del dipinto romano in considerazione del fatto che il Caravaggio non sembra avere mai replicato le sue opere.
Secondo il Cantalamessa il quadro dei Cappuccini recava un cartellino con scritto da una mano seicentesca 'Il S.re Francesco de Rustici dona il quadro... col comando che non si possi dare a nissuno'.
Sembra impossibile però sostenere una attribuzione al senese Francesco Rustici di questo quadro. Del resto la scritta avrebbe in ogni caso parlato di una donazione e non di una esecuzione da parte del Rustici.
L'interesse del Caravaggio e dei suoi primissimi seguaci (in particolare Baglione e Gentileschi) verso l'argomento francescano fu giustificato in prima istanza da quel tanto di profano che poteva essere colto nel tema della consolazione angelica idoneo ad essere riformulato con gli affascinanti strumenti stilistici vigenti nell'ambiente del cardinale Del Monte. Così *L'Estasi di S. Francesco* oggi ad Hartford (opera certamente giovanile) è altamente sintomatica del clima di misteriosa ambiguità espressiva che non permette di decifrare univocamente il senso ultimo di molte di queste opere del primo tempo caravaggesco.
In questo clima sono formulate opere come lo *Svenimento* del Baglione già in collezione Borghese ed ora a Santa Barbara, o il *S. Francesco svenuto sorretto da un angelo* della Galleria Nazionale di Roma di Orazio Gentileschi.

Ben diverso è il tono espressivo del quadro dei Cappuccini sotto il profilo iconografico in quanto esso, come è stato affermato, segna un esplicito avvicinamento alla 'mistica gesuitica propria dei cappuccini' (Marini op. cit. p. 127) nella dolente concentrazione sull'Ars Moriendi in qualche modo assimilata al tema umanistico della Melanconia (cfr. M. Calvesi, *Caravaggio o la ricerca della salvazione*, in 'Storia dell'Arte' 9/10, 1971 pp. 130-40) per cui con innovazione iconografica che sembrerebbe confermare l'invenzione caravaggesca, il Santo prende in mano il teschio contemplandolo secondo una modalità figurale che, con incredibile soprassalto, si riscontra identica nella celeberrima scena della meditazione dell'Amleto shakespeariano la cui assoluta coincidenza iconografica e temporale con il quadro (l'Amleto è del 1602) induce a considerare, se non un rapporto diretto impossibile a dimostrare allo stato attuale delle conoscenze, un clima culturale analogo del resto già ampiamente posto in luce dalla storiografia.
Se il quadro caravaggesco insiste infatti su aspetti di cruda materialità quali gli strappi del saio è altrettanto vero che i temi della concentrazione e della meditazione a contatto diretto con la contemplazione della morte puntano verso un misticismo doloroso che sviluppa la matrice tragica dell'esperienza francescana e che è del resto acuita dagli altri prototipi caravaggeschi oggi noti ancorché solo tramite copie e derivazioni.
Resta il problema della datazione del prototipo (anche non accettandone l'autografia) che numerosi indizi tenderebbero a spingere piuttosto in avanti. Ma per questo aspetto si veda la scheda seguente.

c.s.

83.
San Francesco in meditazione

Carpineto romano Chiesa di S. Pietro
Olio su tela cm. 123×93
Bibl.: Marini 1974 p. 277; Brugnoli 1968 p. 11-15

Scoperto e pubblicato dalla Brugnoli quale autografo caravaggesco il quadro proviene dalla chiesa di S. Pietro a Carpineto fondata nel 1609. Non trattandosi necessariamente di ubicazione originaria la Brugnoli ha svincolato questo elemento dalla datazione del dipinto proponendone una esecuzione nel 1606 nel momento in cui Caravaggio, documentatamente, si trattenne per breve tempo, abbandonata definitivamente Roma, nei Feudi Colonna. Per motivi tecnici e stilistici il Marini ritiene invece l'opera più tarda e la colloca nel 1609 durante la fase siciliana del Caravaggio giustificando la sua presenza a Carpineto come un dono.
Il problema resta aperto in primo luogo sulla determinazione dell'autografia. Come è noto le copie dal Caravaggio furono innumerevoli e anche le indagini più recenti (A. Moir, *Caravaggio and his copysts*, New York 1976) sono ben lontane dall'aver esaurito le conoscenze su questo sterminato campo. Del quadro del S. Francesco in particolare è nota finora (a parte le due versioni qui discusse) soltanto una copia antica (in collezione Cecconi, citata dal Marini) ma non si può escludere che altre ne emergano con il prosieguo delle ricerche.
Quello che è certo, anche prescindendo dall'analisi stilistica specifica, è che l'invenzione di questo prototipo è così alta che sembra difficile poterla riferire ad altro artista che non sia il Caravaggio e l'opera è in linea con quella totale revisione iconografica cui il maestro sottopose l'arte sacra in un numero ristretto ma significativo di opere.
Caravaggio porta a compimento quel processo adombrato da pittori soprattutto dell'area nord italiana come lo Strozzi o il Passerotti, di fissazione iconografica sulla figura isolata del Santo non tanto legato alla Stimmatizzazione o alle sue conseguenze immediate o mediate, quanto eletto a simbolo dell'interiorità assoluta e quindi a immagine di quel mistero della Fede sulla cui meditazione avviene il passaggio dalla pittura riformata a quella che sarà (ancorché nulla ne sia previsto in queste opere caravaggesche che restano in uno spazio separato) la cultura barocca.

c.s.

Orazio Borgianni
Roma 1578-1616 ca

84.
La Vergine porge il bambino a San Francesco

Già Sezze Chiesa di S. Maria delle Grazie
Olio su tela (frammento) cm. 130×170
Bibl.: A. Pacia 1982 p. 71-72 (con bibliografia precedente)

Attribuito al Borgianni da R. Longhi dopo essere stato pubblicato dal Cantalamessa con il riferimento al Lanfranco, l'opera non è mai più stata discussa sotto il profilo attributivo e universalmente considerata quale capolavoro assoluto del maestro romano.
Rubata nel 1976, veniva recuperato soltanto il presente frammento che testimonia così il ricordo di una delle opere più ragguardevoli dell'intera pittura italiana (cfr. la ripr. in questo catalogo).
Recava in basso la dedicazione e la data 1608 per cui, prescindendo dalla questione dell'attribuzione, si qualifica come una delle prime pale d'altare di impostazione caravaggesca dopo il *Riposo nella fuga in Egitto* ai Camaldoli di Frascati datata 1607 e attribuita con fondamento a Carlo Saraceni.
Ma mentre il quadro di Frascati si collega col primo Caravaggio, quello estatico e sognante del *Riposo* Doria Pamphili, il quadro di Sezze costituisce, in data precoce, la prima compiuta deduzione sul patrimonio figurale caravaggesco senza che si possa parlare di diretta imitazione ma piuttosto di invenzione su nuove scoperte nello spazio del rappresentabile. Il frammento conservato non può rendere appieno l'idea compositiva dell'opera globalmente intesa pensata dall'autore (influenzato secondo il Brandi 1980 anche dal Correggio) come un drammatico contrasto tra la notte e il giorno, l'oscurità assoluta e la luce diffusa e splendente.
Con un'invenzione di grande pregnanza allegorica il pittore immagina la Vergine che porge il bambino a San Francesco accogliendolo su una soglia che è quella delle nuvole, marcanti il di-

scrimine tra il mondo della tenebra assoluta e quello della luce assoluta. Il tema prettamente caravaggesco della madre misericordiosa e clemente, formulato dal maestro nella pala di S. Agostino, ritorna ancor più ingigantito da un sistema di proporzionamento aberrante, per cui l'immagine della Madonna domina l'immaginario in senso inconscio sovvertendo le attese e apparendo quale colei che tutto contiene in sé. Con inaudita invenzione gli angeli che sono al di sotto della Vergine si destano da un sonno ancestrale o momentaneo. Una violenta e sfrontata profanità investe queste figure la cui pesante fisicità è attratta dalla luce che emana dal corpo della Vergine e si perde nell'alto della composizione plasmando la massa degli angeli musicanti i cui contorni confinano con la luce stessa che pare assimilarli fino a farli svanire in una metafora visiva che allegorizza il tripudio del suono. In basso il frate accecato dalla luce che non penetra nella tenebra e che pure si vede, resta immerso nella notte in cui, con antico richiamo raffaellesco, pare non debba esserci riscatto. Allora veramente si può dire che l'immagine di S. Francesco passata al vaglio doloroso della cultura caravaggesca riemerge nell'atto fervido e familiare ma nel contempo solenne ed estatico, dell'adorazione del bambino orientando gli sviluppi del caravaggismo in senso consolatorio e rasserenante piuttosto che tragico e disperato. Sembra lecito vedere così, anche in considerazione dell'innovazione iconografica radicale che il dipinto apporta, l'ultimo esito, ormai già proiettato in direzione nuova, della riforma della pittura.

c.s.

Orazio Gentileschi
Pisa 1563 - Londra 1639

85.
Estasi di San Francesco

Roma S. Silvestro in Capite
Olio su tela cm. 280×179
Bibl.: Ward Bissel 1981 pp. 163-64 (con bibliografia precedente completa)

L'opera fu eseguita da Orazio Gentileschi sotto il pontificato di Paolo V ma è variamente datata dalla storiografia che oscilla tra il limite minimo del 1605 (sul pavimento della cappella è una lapide con iscritta la data 1604) e quello massimo del 1615 cui lo avvicina appunto il Ward Bissel che fa riferimento ad una lettera del 1615 di Antonio Guicciardini il quale asserisce che in quel momento il pittore 'si trattiene in casa (dal) principe Savello' committente dell'opera. Si tratta però di un indizio, come un indizio ancora più esteso è quello offerto dalla constatazione di J. S. Gaynor-I. Toesca, *S. Silvestro in Capite*, Roma 1963 p. 85-86 che il cardinale Dietrichstein rinnovò tutta la chiesa entro il 1620 fissandosi così un termine *ante quem* perentorio.
Una replica è nella Galleria Colonna a Roma scoperta da M. Chiarini, 1962 p. 26.
Stilisticamente il quadro sembrerebbe effettivamente posteriore almeno al *Battesimo* di S. Maria della Pace di cui peraltro non è mai stata stabilita l'esatta datazione, che non si ritiene però possa varcare il 1605.
L'opera documenta un interessante sviluppo iconografico che il Gentileschi compie sul tema delle Stimmate denotante una maturazione espressiva che prelude agli sviluppi della fase marchigiana.
Gentileschi combina il tema dell'Estasi a quello delle Stimmate vero e proprio ma, per la prima volta con tanta perentorietà, compie il passo mai tentato dagli artisti precedenti: annulla la rappresentazione del Crocifisso e persino dell'alone luminoso, con un effetto straniante che denota una interpretazione personale e visionaria del retaggio caravaggesco. Se infatti nel compatto paesaggio può essere vista un'eco dell'ambientazione della *Deposizione* della Vallicella del Caravaggio (oggi Musei Vaticani), l'idea stessa della folgorazione di cui non si conosce la fonte sembra desunta da tutta l'esperienza caravaggesca e porta alla formulazione del canonico tema nel suo limite estremo di evento assolutamente misterioso e inconoscibile.
Nella positura del santo commista di ansia, attesa, stupefazione e fiero accoglimento, il Gentileschi immette quella peculiare interpretazione della dimensione onirica dell'esperienza caravaggesca sviluppata poi in opere di impressionante coerenza (i *S. Tiburzio e Valeria* di Brera, la *S. Cecilia all'organo* nelle due versioni note, le varie versioni del *Riposo nella Fuga in Egitto* in cui il tema del sonno formulato da Caravaggio nel *Riposo* Doria Pamphili è dilatato con un respiro veramente epico).

c.s.

Carlo Saraceni (cerchia di)
Venezia c. 1579-1620

86.
San Francesco in meditazione

Modena Galleria Estense
Olio su tela cm. 90×56
Bibl.: Ottani Cavina 1967 p. 138

L'opera, di cui esiste una replica almeno, presso l'Accademia dei Concordi a Rovigo, va espunta dal catalogo delle opere autografe del maestro come indicato dalla Ottani Cavina anche se non sembra possibile formulare una attribuzione circostanziata, problema del resto tipico di molte opere dell'area saraceniana a partire da quelle raccolte sotto il nome del Pensionante (con cui quest'opera non ha alcun rapporto come anche chiarito dalla Ottani Cavina che respinge il parere in merito di N. Ivanoff, *Jean Le Clerc*, in 'La Critica d'Arte' IX, 53-54 1962 pp. 62-76).
Basta un confronto con un'opera del Saraceni autentica, di soggetto francescano, come l'*Estasi* nella chiesa del Redentore a Venezia, per stabilire che l'opera di Modena deve restare nell'ambito della cerchia del maestro.
Di grande interesse è però l'iconografia che documenta un importante sviluppo, nell'ambito del primo caravaggismo, della invenzione del maestro sul Santo in meditazione.
La tipologia di questo dipinto fa capo infatti ad un prototipo caravaggesco diverso rispetto al dipinto dei Cappuccini a Roma, prototipo documentato da almeno due dipinti, uno in S. Anna dei Lombardi a Napoli riferibile forse a Filippo Vitale (Marini 1974 p. 309 D) e un altro in Assisi nel monastero di S. Quirico (*Ricerche in Umbria 2*, 1980 n. 123 p. 398) entrambi connessi con una incisione firmata da Peter Soutman che dichiara come autore appunto il Caravaggio (A. Moir, *Caravaggio and his Copysts*, New York 1976 p. 122). Interessante il fatto, che testimonia una nuova fase dell'invenzione in ambiente caravaggesco, che al posto del Crocifisso dei prototipi, sia qui rappresentata una lucerna, documento di quella pittura a lume di candela che costituisce uno dei primi sviluppi della impostazione della luce di tipo caravaggesco e mostra una caduta di tensione emotiva nel tema della meditazione, privato di un elemento devoto a favore di uno domestico e quotidiano.

c.s.

Bernardino Cesari (cerchia di)
Roma 1555-1621

87.
San Francesco stigmatizzato

Napoli Pinacoteca nazionale di Capodimonte
Olio su tela cm. 220×140

La provenienza dell'opera, segnalata da Pierluigi Leone de Castris e pubblicata in *Le collezioni del Museo di Capodimonte* Napoli, I grandi Musei, Touring Club, Milano 1982 p. 100 (a cura di R. Causa e AA.VV.) come cerchia di Giu-

seppe Cesari, non è nota (nell'inventario QUINTAVALLE è detta di manierista napoletano vicino a F. Santafede).
L'attribuzione si basa sull'ipotesi di una provenienza effettivamente napoletana dell'opera che sarebbe così collegabile all'ambiente del Cavalier d'Arpino, quando egli si recò a Napoli ad affrescare la sagrestia di S. Martino con vari collaboratori, tra cui è stata ipotizzata la presenza del fratello Bernardino (cfr. RÖTTGEN, *op. cit.* p. 27). Tra i numerosi prototipi arpineschi accostabili alla figura del santo nel dipinto di Capodimonte, è rimarchevole il confronto con l'incisione, su disegno di Giuseppe Cesari, raffigurante *Il re Davide che suona l'arpa*, inciso da Egbertus van Pandere di cui un esemplare del Gabinetto Nazionale delle Stampe di Roma fu esposto nella mostra del 1973 (FC 41022 cfr. C. H. von HEINECKEN, 1778, I, p. 395).
Non si conosce la data dell'incisione ma i caratteri stilistici del dipinto inducono a orientare la datazione proprio nel periodo napoletano del Cavaliere tra il 1595 e il '97, data che potrebbe spettare al dipinto della *Stimmatizzazione.* Il paesaggio ha poi punti di convergenza con quello del *Riposo nella fuga in Egitto* di S. Maria delle Vergini a Macerata accostato, con buon fondamento, dal Röttgen all'opera di Bernardino (1973, p. 28). Del resto l'esecuzione del paesaggio ancora in senso fiammingo con la minuta esecuzione delle foglie che si dispongono contro il nitore del cielo e la volumetrica evidenza della vegetazione in primo piano sembrano indiziare una disposizione stilistica che prelude direttamente ai festoni di Natura morta che, su testimonianza del Baglione, Francesco Zucchi sotto la direzione del Cavalier d'Arpino eseguì, nell'anno giubilare 1600, nel transetto di S. Giovanni in Laterano, imitando analoghi festoni di Giovanni da Udine nella Loggia di Psiche alla Farnesina. Nella stessa impresa decorativa del Laterano, lavorò anche Bernardino.
Pur essendo impossibile, allo stato attuale delle conoscenze, attribuire con certezza l'opera a Bernardino Cesari, la cui carriera, sia come pittore di figura che di Natura morta non è mai stata ricostruita, è certo che il dipinto può essere collegato al suo ambiente, nel momento culminante della carriera del Cavalier d'Arpino a Napoli.
Importante sotto il profilo iconografico la variante della Stimmatizzazione in cui non compare il Crocifisso ma la Croce portata da due veri e propri putti secondo l'iconografia degli angeli che recano gli strumenti della Passione. Il fatto è significativo perché, anche se l'impostazione figurativa della scena risente del limpido nitore proprio all'ambiente arpinesco nel nono decennio, il dipinto illustra una concezione tragica dell'episodio di cui è messa in evidenza l'analogia con la Passione e in particolare con l'Orazione nell'Orto secondo un simbolismo caratteristico dell'ambiente meridionale.

c.s.

Filippo Paladini
Casi, Val di Sieve 1544 ca. - Mazzarino 1614

88.
San Francesco stigmatizzato

Messina, Museo Nazionale
Olio su tela cm. 265×164
Firmato in basso a destra: *f. p.nj*
Bibl.: SUSINNO, 1724, ed. 1960, p. 105; BERNINI, 1967, cat. 27, p. 63 (con bibl. precedente).

L'identificazione francescana di *Franciscus alter Christus* sembra aver dettato l'inconsueta iconografia delle *Stigmate* dipinte da Filippo Paladini per la chiesa dei Cappuccini di Messina, oggi conservata nel Museo. Consigliato probabilmente dai committenti, il pittore abbandona la tradizionale raffigurazione del Santo inginocchiato presso il sasso de La Verna e opta per un'immagine in cui "prevale il contenuto simbolico" (BERNINI, 1967, p. 63). Per evidenziare il fatto che Francesco fu l'unico che portò nel suo corpo i segni della Passione imitando anche in ciò Cristo, il Paladini raffigura il Santo eretto con le braccia aperte, mentre alcuni angioletti gli inchiodano le mani e i piedi e un angelo gli trafigge il costato con una lancia.
Se pure un San Francesco crocifisso si ritrova in una tavola della prima serie della *Vita* di Philip Galle, l'invenzione sembra originale e quasi al limite dell'ortodossia. Nonostante la preponderanza dell'elemento iconografico il Paladini, artista fiorentino di nascita ma a lungo attivo in Sicilia, tocca in quest'opera uno dei punti più alti della sua produzione devozionale. Accanto alle più tradizionali citazioni angeliche di questo toscano riformato, si evidenzia nel corpo greve del Santo e in particolare nella testa-ritratto, un intento naturalistico, che documenta una conoscenza di opere caravaggesche da parte dell'artista.

s.p.v.r.

1

2

3

5

6

7

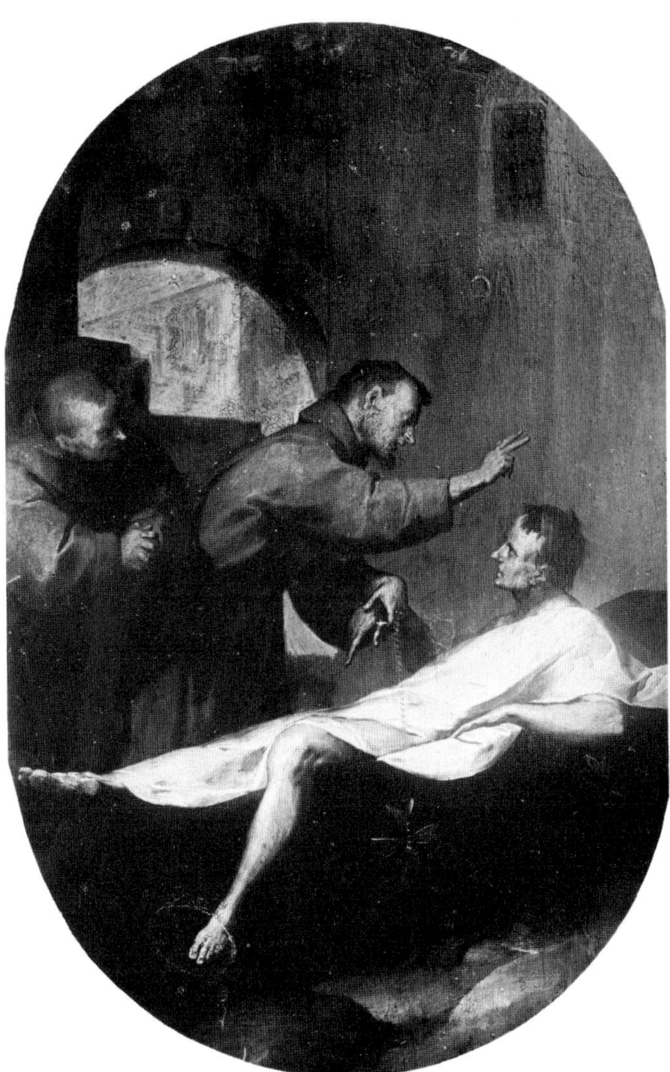

8

9

10

11

12

13

14

17

19

18

20

24

25

26

27

30

31

32

33

34

36

35

37

38

39

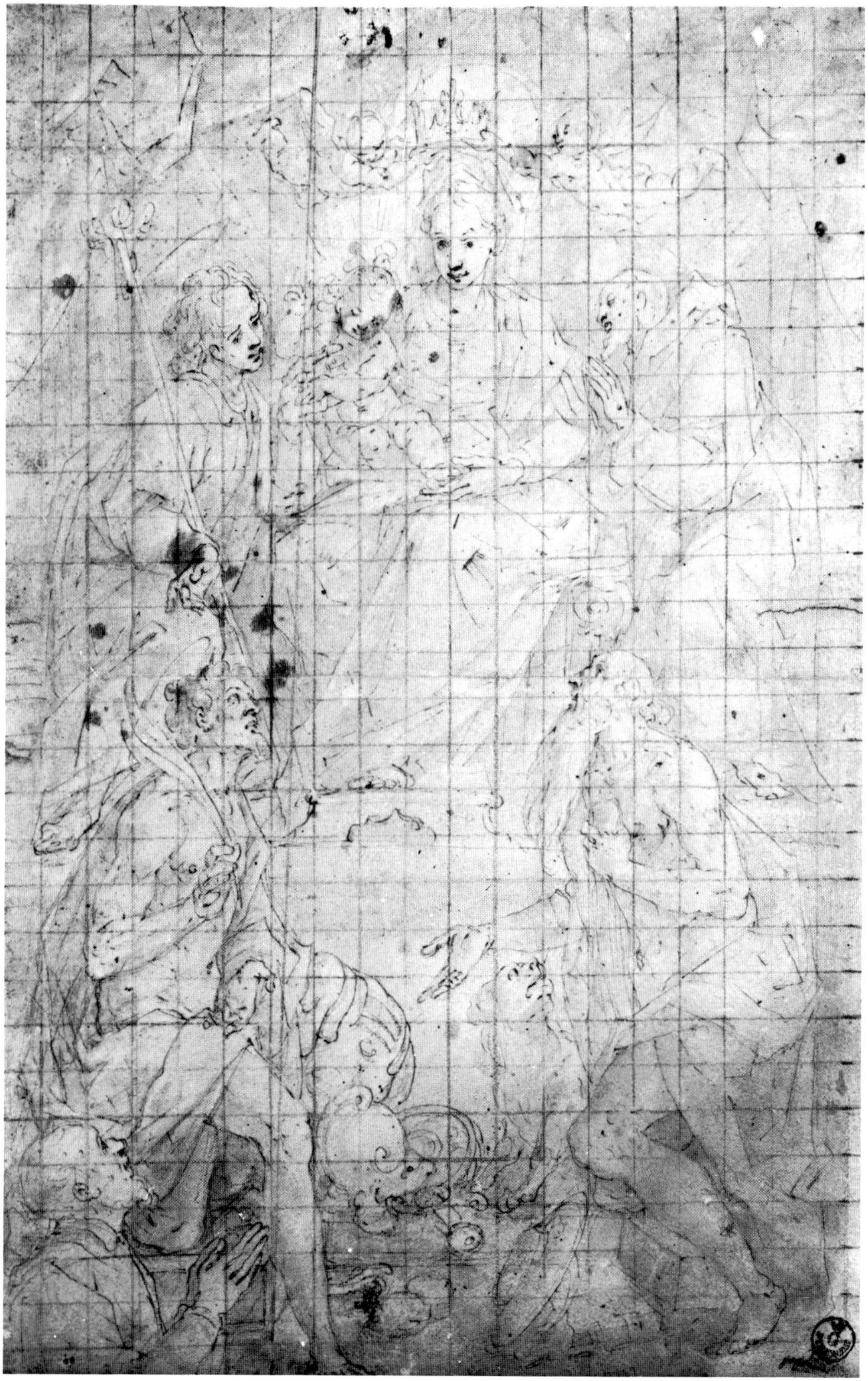

40

41

AVGVSSTA.PERVSI
L'ABATE GIOVACHINO
PROFETICO PREDISSE DI SAN DOMENICO
DI SAN FRANCESCHO ET DEI LORO ORDINI
ALCVNI ANNI AVANTI CHE COMINCEASSINO
FECE ANCHE DIPINGERE LA IMAGINE DE
MARCO IN VENETIA
165

44

43

45

48
49

50

51

55

56

57

58

59

62

63

64

66

69

70

71

72

73

74
75
76
77

78

79

80

81

83

86

87

LA DIFFUSIONE DELL'ICONOGRAFIA FRANCESCANA ATTRAVERSO L'INCISIONE

Simonetta Prosperi Valenti Rodinò

Negli ultimi decenni del Cinquecento l'Ordine francescano si preoccupò di divulgare attraverso l'incisione alcuni temi iconografici relativi a fatti e raffigurazioni di San Francesco, che meglio riassumessero la carica etico-religiosa dell'Ordine, la impostazione semplice che ne favorì il successo popolare, il carattere pragmatistico volto a soccorrere umili, malati e poveri con opere assistenziali.

Queste tematiche venivano a coincidere perfettamente con gli indirizzi di comunicativa e di partecipazione corale e con gli intenti didattici e propagandistici richiesti all'arte figurativa dalla Chiesa cattolica alla chiusura del Concilio di Trento, in quel periodo cioè che sul piano storico-religioso segna l'affermarsi in Italia della prima fase della Controriforma cattolica, meno trionfalistica di quella seicentesca espressa figurativamente dall'arte barocca, ma assai più spiritualizzata.

Per la diffusione di iconografie francescane si fece ampio uso a partire dalla fine del Cinquecento della tecnica incisoria che, sviluppatasi e affermatasi nel corso del XV secolo, offriva grandi possibilità di riproduzione, legate al basso costo di realizzazione delle stampe.

Furono questi i motivi che portarono la Chiesa cattolica a scoprire la capacità di sfruttamento dell'incisione e la convinsero a utilizzare questo mezzo tecnico quale veicolo di diffusione di immagini sacre, a scopo devozionale, didattico e programmatico: questi "santini" che godettero di grande fortuna da questo periodo sino a tutto il XIX secolo, creando un particolare carattere di arte devota "senza tempo"(1), legata a canoni formali fissi, venivano commissionati ad artisti affermati, riprodotti in gran numero e in varie edizioni e sparsi con estrema facilità in tutto il mondo.

Salvo il caso di testi programmatici ideati *ad hoc* – quale il *Cordone* di Agostino Carracci, su cui torneremo in seguito –, l'incisione di soggetto francescano riprende i temi della pittura, con particolare insistenza per la raffigurazione delle *Stigmate* e del *San Francesco consolato dall'angelo,* tralasciando gli episodi illustrati da Giotto e dall'iconografia tre-quattrocentesca(2).

Per le sue stesse caratteristiche l'incisione, più della pittura – ed è questo l'aspetto che vogliamo sottolineare in questa sede – costituisce il veicolo di diffusione di alcuni temi iconografici devozionali al punto che spesso la produzione pittorica contemporanea viene ad essere fortemente condizionata dalla grafica.

La grande fortuna, e perciò le numerose repliche e varianti, che ha goduto la raffigurazione del Barocci del *Perdono di Assisi* deriva certamente molto più dalla versione grafica – che ebbe due edizioni e una copia del Villamena (cat. 94 e 111) – che non da quella pittorica relegata a Urbino e perciò meno facilmente accessibile. E, caso ancora più evidente, l'incisione raffigurante il *Cordone di San Francesco* del Carracci ebbe una tale fortuna nella coeva produzione pittorica, che ritroviamo dipinti ispirati a questa complessa iconografia dal Piemonte all'Italia Meridionale.

Va aggiunto che, a differenza di altri Ordini religiosi, anche durante il periodo della Controriforma i francescani favorirono quasi senza eccezioni la raffigurazione del Santo con episodi tratti dalle Leggende o dalle fonti, – sempre inerenti alla vita o a miracoli del Poverello di Assisi – confermando nel campo figurativo una tradizione di predicazione *per exempla* più accessibile, piuttosto che affidata ad elaborazioni concettuali.

Stigmate. Passando in rassegna i soggetti iconografici francescani diffusi negli ultimi decenni del Cinquecento anche nel campo dell'incisione, come in quello della pittura, il tema più richiesto fu quello del *Santo che riceve le stigmate a La Verna*, episodio in cui la Chiesa e in particolare l'Ordine francescano riconoscevano il segno dell'elezione divina, avendo avuto Francesco il privilegio di portare sulla sua carne i segni della passione del Cristo.

Nella iconografia tardocinquecentesca questo tema subisce una certa evoluzione: dalle prime raffigurazioni, – che ritroviamo nella xilografia di Nicolò Boldrini da Tiziano (cat. 89) in cui San Francesco, anche se attonito e colpito dalla gravità dell'evento, si contrappone eretto e perfettamente cosciente all'apparizione di Cristo come Serafino – si passa in seguito alla rappresentazione del Santo che 'subisce' l'evento sacro come rapito in estasi mistica, semisvenuto, in un atteggiamento che lo discosta completamente dall'iconografia medioevale, avvicinandolo piuttosto alle estasi mistiche dei Santi della Controriforma, come ad esempio Santa Teresa d'Avila. Questa interpretazione in chiave mistica è attribuita dal Mâle([3]) alla influenza esercitata a partire dalla fine del Cinquecento dall'arte 'gesuitica', che privilegiò le raffigurazioni di estasi, rapimenti e visioni, e diverrà caratteristica della produzione artistica del Seicento europeo([4]). Più che alla componente così detta 'gesuitica', del resto confutata dalla critica recente ([5]), le espressioni figurative commissionate dagli Ordini francescani in questo periodo sembrano risentire del clima di rinnovata spiritualità che aveva investito anche i francescani. È proprio in questi anni che comincia ad affermarsi il grande fenomeno del misticismo, che caratterizzerà tutto il secolo successivo, e di conseguenza troverà un ovvio riflesso nella produzione artistica contemporanea.

Anche un ordine pragmatico e volto alla predicazione, alle opere assistenziali come quello francescano, in particolare nella nuova articolazione dei frati Cappuccini, non rimase al di fuori della grande portata spirituale del misticismo, proponendo quindi, nell'applicazione figurativa e iconografica, una rappresentazione di San Francesco assai diversa da quella codificata dall'umanesimo giottesco.

Tra le incisioni raffiguranti le *Stigmate* eseguite nel tardo Cinquecento e già partecipi di questa nuova atmosfera misticheggiante, le più celebri sono quelle realizzate da Cornelis Cort su invenzione del Muziano (cat. 91-93), datate 1567, '68 e '75, che ebbero grande importanza dal punto di vista iconografico per il predominio dell'elemento paesistico sui personaggi – riflesso evidente della cultura nordica dell'inventore – e perché ad esse guardarono quasi tutti gli artisti che negli anni posteriori si cimentarono con questo tema.

Le tre composizioni propongono una interpretazione interiorizzata dell'evento, nell'atteggiamento di totale e cosciente accettazione del fatto sacro da parte del Santo. Questi, inginocchiato in un ampio paesaggio, con il volto in espressione sofferente, è raffigurato in modo analogo a Cristo nell'Orto degli Ulivi da un punto di vista iconografico: è uno dei momenti dell'identificazione della figura di Francesco con quella di Cristo, che costituì uno dei filoni della predicazione francescana e quindi anche della produzione artistica del periodo della Controriforma, sottolineata in particolare dall'episodio delle stigmate, che viene interpretato come la passione del Santo.

Il paesaggio inoltre occupa un posto sempre più preminente nelle tre successive redazioni del Cort: infranto ormai il rapporto di equilibrio fra uomo e natura raggiunto dal Rinascimento, la spiritualità religiosa della Controriforma, che spingeva alla penitenza e alla meditazione interiore, privilegia raffigurazioni di Santi penitenti in solitudine, ambientadoli in ampi paesaggi ricchi di vegetazione, dove l'uomo viene ad annullarsi totalmente nella natura. Per influenza della pittura nordica e fiamminga il paesaggio assume spesso un aspetto orrido e tormentato; in accordo con lo stato d'animo del Santo penitente, anche lo sfondo paesistico contribuisce allo scopo di commuovere e impressionare emotivamente lo spettatore. Le tematiche francescane – sia il Santo in preghiera davanti al crocifisso e ancor più le Stigmate, dove l'orrido della Verna diventa spesso protagonista della scena – si prestavano molto bene a questa ambientazione paesistica e ponevano l'accento su uno degli aspetti più sottolineati dalla trattatistica sacra della fine del Cinquecento: l'amore per la solitudine, che spinge alla meditazione, in particolare se ambientata nella natura.

Una maggior intensità emotiva, ma più trattenuta e 'classica' si ritrova nell'acquaforte del Barocci (cat. 95) profondamente ispirata dalle *Stigmate* del Muziano dei Cappuccini di Frascati, dipinto forse noto all'artista tramite la versione incisa dal Cort.

Il Barocci ripropone la brillante idea della figura del Santo in diagonale già sfruttata nel *Perdono di Assisi*, lì concepita come elemento di raccordo fra il postulante e Dio e qui semplicemente intesa come annullamento del Santo nel rapporto dialettico con Cristo.

La concezione intimistica di questa prima versione delle *Stigmate* databile intorno alla metà dell'ottavo decennio, che ritroviamo analoga nella tela di Fossombrone (cat. 35), si differenzia totalmente dalle più tarde *Stigmate* dipinte per i Cappuccini di Urbino, tradotte in rame e divulgate dal bulino del Villamena (cat. 110) e del Ciamberlano. Qui domina un senso di teatralità nel gesto del Santo, ambientato nello scenario di un ampio paesaggio e l'evento sacro interpretato con maggiori intellettualismi appare indubbiamente meno interiorizzato.

Totalmente inquadrata nella nuova impostazione misticheggiante e profondamente innovatrice dal punto di vista iconografico è l'incisione di Agostino Carracci del 1586 (cat. 97-98).

Partendo dalla rilettura del brano della *Vita* di San Bonaventura relativo alle Stigmate, e in accordo con ciò che scriverà San Francesco di Sales nel suo *Traité de l'Amour de Dieu* del 1616, l'iconografia di questo episodio negli ultimi anni del Cinquecento, e in particolare a partire dall'incisione del Carracci, pone l'accento sulla profonda trasformazione interiore avvenuta nel Santo nel momento di accogliere le stigmate([6]). Le ferite inferte al suo corpo sono recepite profondamente nello spirito, come sottolinea la scritta, in analogia con quanto accade a Cristo nel momento della passione spirituale consumatasi prima della sua passione fisica, nell'Orto degli Ulivi.

Negli ultimi decenni del secolo si cimentarono nell'incisione di questo soggetto numerosi artisti: ricordiamo, fra i molti esempi, Camillo Procaccini in una scena di iconografia arcaizzante datata 1593 copiata in controparte da Giusto Sadeler (cat. 103); Johannes Sadeler da un'invenzione di Bernardo Castello dove il Santo appare visto frontalmente al di fuori della tipologia più consueta.

San Francesco consolato da due angeli. Un altro soggetto francescano che ritroviamo nell'incisione italiana della fine del XVI secolo, è la raffigurazione di San Francesco in estasi dopo aver ricevuto le stigmate, consolato e sorretto da due angeli. Iconografia del tutto sconosciuta al repertorio francescano del Medioevo, ebbe invece ampia diffusione nella produzione pittorica del tardo Cinquecento sino a tutto il Seicento.

Basandosi su un passo di Tommaso da Celano([7]), questo tema documenta il momento immediatamente successivo alle Stigmate, interpretato secondo la nuova concezione misticheggiante come estasi del Santo dopo l'incontro con Dio.

L'iconografia deriva, secondo la Askew([8]) dalla più antica tipologia della Pietà, che raffigurava il Cristo morto seduto sul sepolcro e sorretto da due angeli: quest'origine sottolinea ulteriormente l'identificazione compiuta negli ultimi decenni del secolo fra la figura di Cristo e quella di San Francesco.

Il primo esempio a noi noto di questo soggetto è una incisione di Theodor Galle dal Cavalier d'Arpino (cat. 104), risalente ai primi anni dell'ultimo decennio; fu ripreso poi da Cherubino Alberti in una composizione incisa nel 1599 (cat. 105), che riproduce probabilmente un dipinto perduto di Francesco Vanni realizzato nel 1592 in Santa Maria Maggiore([9]).

Parallelamente all'incisione, questo tema godette di grande fortuna - in questo caso non derivata dalla grafica - anche presso gli artisti caravaggeschi, che ne dettero una interpretazione sostanzialmente diversa.

1. Pietro Ridolfi, Historiarum Seraphicae religionis. *Venezia, 1586, c. 21 verso.*

San Francesco consolato dall'angelo musicante. Altro tema iconografico ampiamente trattato dall'incisione a partire dalla fine del XVI secolo e sviluppato nella pittura contemporanea, è quello raffigurante San Francesco consolato dalla musica di un angelo, che suona generalmente un violino, tema che non fu rappresentato nella pittura dei secoli precedenti, benché presente nelle miniature([10]).

L'episodio è variamente narrato da San Bonaventura, da Tommaso da Celano nella seconda versione della *Vita* del Santo, e nei *Fioretti*: in ognuna di queste fonti tornano particolari differenti, ma il tema ricorrente è che il Santo giacendo a Rieti ammalato, volle sentire musica per alleviare le pene del suo corpo e fu esaudito da un angelo. Secondo il Mâle([11]) questa scena compare per la prima volta come illustrazione del libro di Pietro Ridolfi *Historiarum Seraphicae religionis* edito a Venezia nel 1586: in una piccola xilografia anonima (fig. 1)([12]) il Santo ascolta in un paesaggio all'aperto un angelo in piedi che suona un violino.

Questa scena era stata invece oggetto di un'incisione del tedesco Wolf Traut, allievo del Dürer, datata 1512.

La versione iconografica più aderente alle fonti è quella in cui la scena viene ambientata al chiuso di una cella con il Santo disteso sul letto semisvenuto o in estasi. L'invenzione deriva da un'opera perduta di Annibale Carracci, tramandataci da una incisione di Gérard Audran, impropriamente definita la *Morte del Santo*([13]).

Il tema dell'ambientazione entro la cella dell'infermeria del convento viene sviluppato dal cappuccino veneziano Paolo Piazza in un dipinto oggi disperso, ma di cui ci resta a documento la riproduzione incisa nel 1604 da Raphael Sadeler (cat. 120), dove l'attenzione dell'artista più che al Santo malato disteso sul letto, si volge alla raffigurazione dettagliata della cella descritta con minuzia nordica.

La fortuna di quest'iconografia si riscontra nella diffusione del soggetto così formulato nella pittura dell'Italia settentrionale, e in Francia ad opera di Georges de La Tour: Carlo Saraceni nel dipinto della chiesa del Redentore a Venezia([14]) riprende lo schema del Piazza, semplificando la descrizione minuziosa dell'ambiente circostante, per focalizzare l'attenzione sui due personaggi, il Santo e l'angelo. In Spagna una formulazione analoga, ma ancor più semplificata, si ritrova nella celebre tela di questo soggetto dipinta dal Ribalta, oggi al Museo del Prado([15]).

Profondamente mutato nell'impostazione misticheggiante del personaggio, ritroviamo questo soggetto nell'acquaforte di Francesco Vanni (cat. 101) assai celebre perché fu probabilmente la prima versione di questa iconografia che tanta fortuna ebbe nei secoli successivi e perché diffusamente copiata. A diffondere l'invenzione del Vanni contribuì il celebre intaglio a bulino di Agostino Carracci (cat. 100), eseguito in controparte e con varianti nell'angelo, fonte di ispirazione per dipinti di Annibale e Ludovico([16]), copiato ulteriormente da Francesco Brizio e da Giulio

Sadeler, che si attennero alla versione del Carracci piuttosto che a quella del Vanni.

La scena divenne assai frequente nelle raffigurazioni di soggetto francescano alla fine del Cinquecento; né la sua fortuna scemò nel Seicento, quando la ritroviamo nel repertorio del Domenichino, tradotta in incisione dal Pozzi; del Guercino, incisa da Giovan Battista Pasqualino; di Luca Giordano nel dipinto già presso le suore Cappuccine di Madrid.

Una curiosa fusione dei due temi, San Francesco sorretto da due angeli e consolato dalla musica, si ritrova in un'acquaforte del toscano Remigio Cantagallina firmata e datata 1605([17]), che riprende letteralmente la composizione del Cavalier d'Arpino incisa dal Galle per il primo soggetto e quella del libro del Ridolfi nel secondo, poiché l'angelo con il violino appare in piedi nella stessa posizione della xilografia di quest'ultimo.

Sequela Christi. Un altro soggetto francescano che godette di una certa diffusione – seppure minore dei precedenti – nel corso del XVI secolo tramite le stampe e che ebbe un riflesso anche nalla produzione pittorica, è il San Francesco che segue Cristo, entrambi raffigurati con la croce sulle spalle.

L'iconografia deriva da un'impostazione del pensiero francescano ricorrente dal Medioevo sino a tutto il Cinquecento, mirante a sottolineare l'aspetto di immedesimazione di Francesco con Cristo, e risale nella sua prima formulazione ad una illustrazione della *Franceschina* miniata intorno alla metà del XV secolo([18]).

Nel Cinquecento il tema, definito *sequela Christi*, fu ripreso nella xilografia anonima posta come frontespizio alla riedizione del *Liber conformitatum* uscita a Milano nel 1510. Tra gli anni 1564-'70 Dono Doni riproponeva questo soggetto in un affresco a monocromo dipinto sopra la porta laterale sinistra dell'ingresso della basilica inferiore nel Chiostro del Sacro Convento ad Assisi, riprendendo lo spirito arcaizzante dalla più antica iconografia, elemento caratteristico della produzione del pittore umbro. La composizione del Doni fu copiata alla lettera in un'altra xilografia anonima, che costituì il frontespizio della riedizione del *Liber Conformitatum* di Bartolomeo de Pisis uscita a Bologna nel 1590: questa versione incisa fu ritenuta dal Mâle, seguito dalla Askew([19]), il prototipo delle successive versioni di Cristo e Francesco che portano la croce, mentre l'origine di questa iconografia è assai anteriore, come abbiamo visto.

Il programma ideologico che si cela dietro quest'iconografia fa pensare che sia stato un dotto esponente dell'Ordine a suggerire di riproporla in modo paradigmatico addirittura nel frontespizio di un testo quale in *Liber conformitatum:* è da sottolineare a questo punto l'importante ruolo di diffusore di tematiche francescane svolto dal pittore umbro Dono Doni, che si ripeterà anche nel caso delle storie della vita del Santo incise dal Villamena([20]).

Nella produzione artistica del tempo quest'iconografia ebbe una certa diffusione: la ritroviamo nella xilografia anonima di carattere popolare, posta come intestazione della Bolla pontificia dell'Istituzione del Cordone di San Francesco, promulgata da Sisto V nel 1586 (cat. 122) e un puntuale riferimento si coglie nella parte superiore dell'*Allegoria francescana* dipinta da Francesco Curia in San Lorenzo Maggiore a Napoli. Liberamente ispiratosi ad un'incisione di Agostino Carracci([21]), il Curia sembra aver ripreso dal repertorio della grafica anche la scena superiore del Cristo e del Santo portacroci, e sembra essersi attenuto alla versione fornita nella Bolla, dove il Padre Eterno appare a mezzo busto racchiuso entro un arco descritto dal Cordone, e con lo stesso cordone il Cristo tiene legato a sé San Francesco.

San Francesco in preghiera. Un problema più complesso sulla priorità della grafica rispetto alla pittura offre il tema di San Francesco in preghiera che adora il crocifisso, spesso troppo generico e variato per poter affermare che la sua diffusione derivi dalla stampa. Le varie versioni pittoriche del Passerotti, dei due Carracci e del Cigoli (cat. 16, 23, 25, 54), per citare esempi più noti, si differenziano fra di loro nell'impostazione e nella resa del soggetto a tal punto, che non sembrano derivare da un solo prototipo.

Mentre il piccolo rame inciso da Annibale Carracci, raffigurante San Francesco assorto in meditazione della croce (cat. 102) non sembra aver avuto ripercussioni nella contemporanea produzione pittorica, le personalissime interpretazioni di questo tema fornite dal Villamena (cat. 108, 109) sembrano piuttosto rifarsi ad esempi di scuola romana e bolognese.

Nell'ambito della produzione incisoria di soggetto francescano della fine del Cinquecento e della prima metà del Seicento, è questa una figura che merita particolare rilievo, non solo perché nell'opera di Francesco Villamena si ritrovano spesso raffigurazioni del Santo, ma soprattutto per l'influenza che l'impostazione pauperistica dell'Ordine francescano sembra aver esercitato sulla sua attività.

È noto il carattere popolare che ebbe sempre l'Ordine sin dal suo sorgere e di nuovo nella rinascita nel XVI secolo ad opera soprattutto dei Cappuccini: l'interesse per i poveri, la semplicità d'impostazione mentale di fronte ai più gravi problemi sociali quali le guerre, le carestie, le epidemie, la preoccupazione per opere assistenziali, sono alcuni dei molti elementi che determinarono la grande affermazione e la simpatia del popolo nei confronti dei frati francescani.

Questo è lo spirito semplice e severo che ritroviamo nelle incisioni del Villamena, la cui nascita ad Assisi può aver contribuito ad una formazione di segno francescano, come sottolinea la Kühn Hattenhauer([22]).

L'impostazione mentale dell'Ordine suggerisce all'incisore raffigurazioni del Poverello tra le più spirituali dell'epoca: sia in preghiera, piangente, o in meditazione di fronte al crocifisso (cat.108-9), con i chiodi realisticamente ancora conficcati nei piedi e nelle mani, secondo un'iconografia diffusa nella pittura controriformistica dell'Italia centrale, il misticismo di queste raffigurazioni è semplice, sereno, di immediata comprensione anche da parte di un pubblico meno qualificato intellettualmente, è insomma, come la *Storia della Vita di San Francesco* dello stesso autore, un discorso redatto in *sermo humilis* alla portata di tutti.

Ed ancora sarebbe da sottolineare la predilezione del Villamena per il soggetto dei mendicanti – citiamo la celebre incisione raffigurante *Fra Filippo de Rebaldi* terziario dell'Ordine dei Mendicanti – che sembra prendere spunto da una simile impostazione etico-religiosa, se questo discorso non ci portasse ad ampliare troppo il tema prefissatoci.

Il Perdono di Assisi. Abbiamo già sottolineata l'importanza iconografica della celebre incisione del *Perdono di Assisi* eseguita dal Barocci nel 1581, in cui l'artista riproduce il suo quadro in San Francesco ad Urbino (cat. 94).

Si deve certamente alla stampa, copiata anche dal Villamena e fuori d'Italia dal fiammingo Boetius Bolswert, la grande diffusione di questo tema nella contemporanea pittura religiosa: la derivazione più fedele è il dipinto di Francesco Vanni presente in mostra, che nel suo *Perdono* in San Francesco a Pisa (cat. 68) ripropone con poche varianti lo schema baroccesco.

Una formulazione iconografica sostanzialmente diversa presenta la scena del *Perdono* che ritroviamo fra le illustrazioni della *Vita di San Francesco* del Galle, mentre il Villamena nella tavola dello stesso soggetto nella *Vita* del Santo (cat. 112, tav. 26) propone uno schema compositivo analogo a quello del Barocci, con i due piani distinti occupati dal Santo e dalla divinità, ma assai più semplificato e modesto nell'insieme, del tutto privo del dinamismo sconvolgente dell'invenzione dell'urbinate.

Prima ancora del valore di diffusione di un prototipo iconografico, l'incisione del Barocci rivestì in quegli anni una grande importanza dal punto di vista di propaganda religiosa. Consapevoli di una maggior divulgazione attraverso la stampa, i frati francescani committenti del dipinto di Urbino vollero sottolineare l'importanza dell'Indulgenza del Perdono ottenuta da San Francesco stesso che si celebra ad Assisi i giorni 1 e 2 agosto. Il rinnovato fervore nei confronti di questa Indulgenza va messa in rapporto con la ricostruzione in quegli anni della nuova chiesa di Santa Maria degli Angeli in Umbria, i cui lavori, iniziati da Pio V alla fine del settimo decennio, si protrassero per più di un secolo, e che vide risorgere intorno al luogo sacro della Porziuncola interessi religiosi, pellegrinaggi e una rinnovata venerazione per i luoghi francescani(23).

Allegoria del Cordone di San Francesco. L'incisione di soggetto francescano più programmatica del tardo Cinquecento fu senz'altro la celebre *Allegoria francescana* di Agostino Carracci, detta del Cordone di San Francesco (cat. 99), che con una complessa iconografia documentava l'istituzione della omonima Confraternita da parte del papa francescano Sisto V nel 1586, in occasione della quale fu elargita un'indulgenza plenaria a tutti coloro che avessero voluto appartenervi.

Il valore didascalico e propagandistico che l'Ordine assegnava a questo avvenimento è sottolineato dall'incisione del Carracci, che fu voluta e suggerita dai francescani – probabilmente da quel fra Nicolò Cicaglia Padre Generale dell'Ordine dei Minori Conventuali cui è dedicata la stampa – ed ebbe subito una enorme diffusione, accresciuta anche dalla copia fatta da Giulio Goltzius, e incisa da Adrien Hubert, nello stesso anno(24) (fig. 2).

La ripercussione di un tema assai particolare e specifico come questo si coglie nella pittura di tutta l'Italia degli anni immediatamente successivi al 1586. In Piemonte il Moncalvo ricalca senza varianti questa composizione nel dipinto in San Francesco a Moncalvo, datato 1593(25) dove apporta solo qualche mutamento nel paesaggio e nei personaggi raffigurati sulla destra in basso, che hanno tutta l'evidenza di ritratti. Nelle Marche Ercole Ramazzani copia la stessa scena per la chiesa di San Francesco a Sassoferrato in un dipinto firmato e datato 1589(26) (fig. 3), differenziandosi però dalla stampa nell'eliminare le scritte, nella semplificazione dello sfondo paesistico, nell'inserimento tra i personaggi in primo piano di fisionomie assai caratterizzate, probabilmente ritratti di personaggi locali – elementi tutti già visti nel dipinto del Moncalvo – e riducendo le dimenzioni dell'altare dove siede la figura allegorica della Chiesa.

Probabilmente anche il marchigiano Filippo Bellini dipinse un quadro riprendendo la composizione del Carracci, dal momento che un suo disegno conservato a Francoforte(27) raffigurante questo soggetto, presenta tutte le caratteristiche di progetto per una pala di chiesa: l'artista semplifica la composizione, eliminando la figura centrale della Chiesa, e raffigurando San Francesco in atto di porgere il cordone direttamente ai fedeli inginocchiati (fig. 4).

La più fedele di queste repliche, e veramente l'unica che si possa definire esattamente copia, appare quella realizzata dal pittore umbro Michelangelo Braidi per la chiesa di Santa Maria della Quercia a La Cerqua presso Narni(28) (fig. 5), dove l'artista riporta con scrupolo anche tutte le scritte della stampa, gli alberi le montagne dello sfondo: uniche varianti, il Braidi aggiunge in primo piano i ritratti dei due committenti e sostituisce i due Santi in alto sulla destra, San Luigi vescovo con un Santo in saio francescano, e Santa Chiara con una Santa regina, probabilmente Santa Elisabetta d'Ungheria.

A questi esempi già noti, possiamo aggiungere un dipinto dello stesso soggetto nel Lazio, e precisamente nel deambulatorio del duomo di Sutri (fig. 6), splendente di un vivido colore manieristico, datato e firmato *angelus Valeranenzis dipinsit 1590* – un ignoto artista nativo forse di Vallerano e attivo nel viterbese, ma sconosciuto a tutti i reportori –, che ricopia l'incisione con esattezza e senza alcuna variante(29).

Assai più complessa e originale appare la rielaborazione di

2. *A. Hubert da Giulio Goltzius,* Allegoria del cordone di S. Francesco.

3. *Ercole Ramazzani,* Allegoria del cordone di S. Francesco. *Sassoferrato, Chiesa di S. Francesco.*

questo tema fornita da Francesco Curia nel dipinto in San Lorenzo Maggiore a Napoli (fig. 7)(30): l'artista sostituisce l'immagine dei Santi francescani in alto con il Padre Eterno, Cristo e San Francesco portacroci – questi ultimi impostati secondo il motivo iconografico della *Sequela Christi* –; più in basso la raffigurazione allegorica della Chiesa è rappresentata in piedi con la grande chiave di San Pietro, e accompagnata dalla presenza delle tre Virtù francescane, l'Obbedienza con il giogo – secondo quanto suggerisce il Ripa(31) –, la Castità avvolta in abito bianco e con un vaso di anelli e la Povertà raffigurata come una fanciulla che guarda verso il cielo. Anche il paesaggio sullo sfondo è assai mutato rispetto alla stampa, con l'aggiunta di un castello, e la folla di dignitari, prelati, e fedeli in primo piano, rappresentanti il Terz'Ordine, si discosta del tutto dal prototipo.

Vita di San Francesco. Negli ultimi decenni del Cinquecento l'incisione costituì un importante mezzo di divulgazione per un tema particolare che male si addiceva alle grandi pale d'altare: le storie della vita di San Francesco.

La possibilità di realizzare numerose illustrazioni con una esecuzione veloce e di diffonderle con estrema facilità rendeva questo genere figurativo assai ricercato da parte della committenza religiosa.

Da un punto di vista dottrinale e iconografico, la più importante serie di incisioni di questo soggetto è quella pubblicata da Philip Galle in due edizioni(33), ad Anversa una prima, anteriore al 1582(34), ed una seconda nel 1587.

Una seconda tiratura così ravvicinata apparve necessaria agli occhi di padre Enrico Sedulius di Cleve, che ne curò questa edizione, per gli innumerevoli errori dottrinali e teologici riscontrati nella prima. Se questi potevano passare sotto silenzio in Italia, patria del cattolicesimo, non così avveniva nei paesi fiam-

4. *Filippo Bellini,* Allegoria del cordone di S. Francesco. *Francoforte, Stadelschen Kunstinstituts.*

5. *Michelangelo Braidi,* Allegoria del cordone di S. Francesco. *La Cerqua (Narni), Madonna della Quercia.*

minghi, dove trionfava il protestantesimo e dove i francescani venivano riprendendo la loro posizione dopo lunghe persecuzioni fisiche e morali. Padre Sedulius eseguì le correzioni e gli emendamenti, documentandosi sempre con estremo rigore sulle fonti francescane, tenendo presente il fine propagandistico che dovevano avere queste immagini secondo le prescrizioni date dal Concilio di Trento per la divulgazione delle immagini sacre.

L'esatto confronto fra le stampe del primo e del secondo stato, esposte in questa mostra (cat. 115) fornirà l'opportunità di avanzare considerazioni sugli eventuali interventi e correzioni e di comprendere il clima storico-culturale nel quale le due serie ebbero la loro diffusione, dominato dal rigore calvinista, e assillato da scrupoli teologici, anche da un punto di vista iconografico.

Questa serie di incisioni servirono da fonte d'ispirazione iconografica a numerose raffigurazioni francescane del tempo e dei secoli successivi: valga citare come esempio la decorazione della cappella delle Stigmate in San Pietro in Montorio, la berniniana Cappella Raimondi nella stessa chiesa e la seicentesca volta della Cappella di San Francesco in Santa Maria della Vittoria([35]).

La grande fortuna del testo del Galle è documentata dalle edizioni posteriori, realizzate a Parigi da Jean Le Clerc nel 1605 e nel 1607([36]) dagli stessi rami; dalle copie eseguite a Roma da un anonimo copista e – di cui esistono ancora i disegni originali all'Albertina di Vienna([37]) – e edite da Cesare Capranica e da Giovannantonio de Paolis (cat. 116), ripubblicate nel 1773 da Carlo Losi, copie che riprendono senza eccessivi scupoli le tavole non emendate dal Sedulius della prima edizione. In Francia Thomas de Leu ne derivò copie in controparte e di dimensioni più ridotte con scritte in latino e in francese, pubblicate fra il 1602 e il 1614. L'incisore toscano Vittorio Serena ne fece una terza copia ed un'altra ne realizzò Giovanni Fiorimi, probabilmente derivata dalla edizione italiana del Capranica.

6. *Angelo da Vallerano*, Allegoria del cordone di S. Francesco. *Sutri, Duomo.*

Alcune incisioni del Galle vennero riprese anche da Giacomo Franco (cat. 117) nelle tavole poste ad illustrare la riedizione della *Vita del Serafico San Francesco* di San Bonaventura uscita a Venezia nel 1593; senza dilungarci oltre sulle copie realizzate in Francia e in Germania nei secoli successivi([38]).

Il carattere morale-didascalico delle incisioni del Galle è attestato dalle scritte latine esplicative in margine alle scene, che nell'edizione più popolare del Capranica sono tradotte anche in italiano. Ma ancor più significativo per il fine didattico è l'aver ideato la raffigurazione della vita del Santo non come una sequenza di episodi vissuti, ma *per exempla.* Ogni tavola infatti ci richiama una virtù morale di Francesco: la Povertà, la Castità, l'Umiltà etc., che viene poi visualizzata attraverso scene – una principale a piena pagina ed altre secondarie più piccole sullo sfondo – tratte da fonti francescane.

Totalmente differente dal carattere morale-didascalico della serie del Galle sono le incisioni raffiguranti sempre la *Vita di San Francesco* del Villamena, edite nel 1594 da Andrea de Putti (cat. 112). Le quarantanove scenette del Villamena non sono organizzate *per exempla*, ma illustrano ciascuna un episodio assai noto della vita e della leggenda del Santo, di facile comprensione.

Appare molto verosimile l'ipotesi del Cristofani([39]) che la serie del Villamena derivi dagli affreschi del Doni un tempo visibili nel chiostro del Sacro Convento ad Assisi, tanto da un punto di vista stilistico che dell'interpretazione del messaggio francescano. Riprendendo direttamente dalle fonti più popolari, come i *Fioretti* e la *Vita* di San Bonaventura, l'autore volgarizza gli episodi salienti e li traduce in immagine con un linguaggio semplice ed accostante, senza intellettualismi e complicazioni teologiche, in piena aderenza con gli indirizzi di comunicazione e di diffusione del messaggio sacro attraverso il linguaggio figurativo impartito dalla Chiesa cattolica dopo il Concilio di Trento.

Il tono popolare e didascalico del racconto è sottolineato dalla doppia scritta in latino e italiano, apposta nel margine di queste immaginette sacre – una specie di "fumetto" a carattere religioso – che ebbe grande diffusione e una certa risonanza nell'iconografia francescana tardocinquecentesca.

Lo attestano le copie successive, di cui ricordiamo quella in controparte di Andrea Vaccaro e del Thomassin del 1608 (fig. 8), e un'altra sempre del Thomassin diretta anche ad un pubblico spagnolo per la presenza di scritte trilingue – latino, italiano e spagnolo – riedita nel 1649 da Giangiacomo de Rossi a Roma.

Allo spirito della serie del Villamena sembrano rifarsi anche gli episodi della vita del Santo dipinti dal Sermei intorno al quarto decennio del XVII secolo per la chiesa di Rivotorto([40]) ed alcune scene affrescate dal Ligozzi nel chiostro di Ognissanti a Firenze – in particolare la *Nascita del Santo* e il *Crocifisso parla a San Francesco*([41]) – attestano che l'artista conobbe le illustrazioni dell'incisore umbro; ed infine si rifà puntualmente alle incisioni del Villamena l'anonimo pittore che nel 1612 decorò con affreschi dei Miracoli del Santo la navata della chiesa di San Francesco a Vetralla([42]).

Alle serie di illustrazioni della vita del Santo possiamo aggiungere anche la *Descrizione del Sacro Monte della Vernia*, pubblicata da fra Lino Moroni a Firenze nel 1612 e dedicata a fra Arcangelo da Messina, generale dei Minori Osservanti (cat. 118). L'opera è costituita soltanto da tavole illustrative che riproducono i luoghi sacri francescani del Santuario di La Verna, corredate da ampie e dettagliatissime didascalie esplicative sui particolari più impensati, che soddisfano largamente l'intento didattico e descrittivo dell'autore. Per 'amor del vero' questi condusse con sé nel 1607 il pittore Jacopo Ligozzi nei luoghi da rappresentare, come narra egli stesso nella pagina dedicatoria, perché ne prendesse gli spunti per i disegni, tradotti poi in rame da Domenico Falcini e da Raffaello Schiaminossi.

7. *Francesco Curia,* Allegoria francescana. *Napoli, Chiesa di S. Lorenzo Maggiore.*

8. *Filippo Thomassin,* Magni S. Francisci Vita. *Roma, 1608, frontespizio.*

Il nome del primo incisore è segnato nel frontespizio e a lui si possono riferire le tavole senza firma incise a bulino; mentre la presenza dello Schiaminossi, sebbene non citata dal Bartsch, né dalle fonti o da altri studiosi che si sono occupati di questa serie, ci sembra rintracciabile con sicurezza tanto nello stile caratterizzato da un segno largo e fortemente contrastato all'acquaforte, quanto nel monogramma dell'artista con le lettere *RAF. S.* intrecciate, apposte in margine alle sue tavole.

Nelle illustrazioni del *Sacro Monte della Vernia* ritroviamo evidenziato un elemento presente nella pittura controriformata italiana di soggetto religioso dal Muziano in poi, e cioè l'esigenza degli artisti di accordare e di fondere la natura circostante allo stato d'animo del personaggio raffigurato, generalmente un Santo in estasi o in penitenza. Nel nostro caso la rispondenza emotiva assunta dal paesaggio è potenziata al massimo, al punto da capovolgere il rapporto uomo-natura a favore di quest'ultima.

L'impostazione nordica dell'inventore, il veronese Ligozzi, si coglie nel predominio assoluto della natura sull'uomo in queste scene, in alcune delle quali non appaiono affatto essere umani, se non fraticelli dispersi fra i boschi o viandanti atterriti e annullati dalle dimensioni dei sassi.

Vi giganteggiano invece come protagonisti alberi, massi, orridi descritti in modo da evidenziare le asperità dei luoghi, al fine di impressionare il lettore o chi guarda con la descrizione di una natura selvaggia, dominata dalla solitudine, e perciò più rispondente alle scelte di penitenza e di sofferenza vissute da San Francesco in quei luoghi e culminate nell'episodio delle Stigmate.

NOTE

(1) È la celebre definizione fornita da F. ZERI, *Pittura e Controriforma. L'arte senza tempo di Scipione da Gaeta,* Torino 1957.

(2) Cfr. su questo argomento l'esauriente saggio di P. ASKEW, *The angelic Consolation of St. Francis of Assisi in Post-Tridentine Italian Painting* in "Journal of Warburg and Courtauld Institutes" XXXII, 1969, pp. 280-306.

(3) E. MÂLE, *L'art religieux après le Concile de Trente,* Paris 1932, p. 178.

(4) I. RÉAU, *Iconographie de l'art chretien,* III, I, 1958, Paris, p. 530.

(5) P. PRODI, *Ricerche sulla teorica delle arti figurative nella riforma cattolica,* in "Archivio italiano per la storia della Pietà", IV, 1962, p. 323 ss.

(6) ASKEW*; op. cit.,* 1969, pp. 282-287.

(7) MÂLE, *op. cit.,* 1932, p. 177.

(8) ASKEW, *op. cit.,* 1969, p. 297.

(9) *Ibidem,* p. 296.

(10) Si veda la illustrazione del codice *Speculum humanae perfectionis* conservato nella Biblioteca dell'Accademia dei Lincei (ms. Rossi XVII) della prima metà del XIV secolo, alla c. 11 verso, pubblicata in *San Francesco d'Assisi. Il testamento e altri scritti autentici,* Roma 1968, presentato da A. ALESSANDRINI (ill. p. 195).

(11) MÂLE, *op. cit.,* 1932, p. 173.

(12) La xilografia, di cui si pubblica l'illustrazione, si trova nella pagina 21 verso del volume del Ridolfi.

(13) ASKEW, *op. cit.,* 1969, p. 301, fig. 43 b.

(14) A. OTTANI CAVINA, *Carlo Saraceni,* Milano 1968, cat. 86, fig. 106.

(15) MÂLE, *op. cit.,* 1932, p. 174, fig. 91.

(16) ASKEW, *op. cit.,* 1969, pp. 299-300.

(17) A. M. PETRIOLI TOFANI, *Stampe italiane dalle origini all'Ottocento,* Firenze Gabinetto Disegni e Stampe degli Uffizi, 1975, cat. 102, fig. 77.

(18) Perugia, Biblioteca Comunale Augusta, cod. 1238.

(19) MÂLE, *op. cit.,* 1932, p. 175 e ASKEW, *op. cit.,* 1969, p. 289.

(20) Il tema della Sequela Christi fu ripreso anche dai Gesuiti. Tra le stampe di questo soggetto eseguite fuori d'Italia ricordiamo tre incisioni di Hieronymus Wierick raffiguranti Cristo e la Madonna, alcuni personaggi di borghesi che portano la croce e infine Cristo e frati cappuccini portacroci (cfr. M. MAURQUOY HENDRICKX, *Les Estampes des Wierix,* Bruxelles I 1978, cat. 599, 600, 601).

(21) Cfr. più avanti fig. 7 e cat.99.

(22) D. KUHN - HATTENHAUER, *Die Graphische Oeuvre des Francesco Villamena,* (dissertation) Berlin 1979, p. 71.

(23) B. TOSCANO in *Pittura del '600 e '700. Ricerche in Umbria. 2,* Treviso, 1980, pp. 25 ss.

(24) G. PREVITALI, *La pittura del Cinquecento a Napoli e nel Vicereame,* Torino 1978, fig. 126.

(25) G. ROMANO, *Casalesi nel Cinquecento, l'avvento del manierismo in una città padana,* Torino 1970, figg. 84-85.

(26) PREVITALI, *op. cit.,* 1978, fig. 128.

(27) Il disegno è conservato nello Städelisches Institut di Francoforte ed è stato individuato da D. DEGRATIA BOHLIN, *Prints and Related Drawings by the Carracci Family. A Catalogue Raisonné,* Washington, 1979, fig. 141 b.

(28) V. CASALE, G. FALCIDIA, F. PANSECCHI, B. TOSCANO, *Pittura del '600 e '700. Ricerche in Umbria. 1,* 1976, Treviso, cat. 89.

(29) Sono particolarmente grata a Liliana Barroero per la segnalazione del dipinto inedito.

(30) PREVITALI, *op. cit.,* 1978, pp. 107, figg. 124, 129-131.

(31) RIPA *Iconologia,* Siena 1613, pp. 61, 101, 160.

(32) I dipinti citati - salvo quello di Bellini e di Angelo da Vallerano – sono stati indicati dal Previtali (*op. cit.,* 1978, p. 138, nota 42, figg. 125-129), ma li riproponiamo in questa sede in una lettura strettamente iconografica e per sottolineare ancora una volta l'importanza dell'incisione nella diffusione di alcuni temi francescani.

(33) S. GIEBEN, *Philip Galle's Engravings illustrating the Life of Francis of Assisi and the corrected Edition of 1587,* in "Collectanea Franciscana" 46, 1976, pp. 241-307.

(34) Padre Servus Gieben mi segnala che A.J.J. DELEN, *Oude Vlaamse graphick. Studies en aantekeningen,* Antwerpen/Amsterdan 1943, p. 144, n. 166 ha rintracciato nell'archivio dell'editore Plantino ad Anversa un documento da lui pubblicato che registra un pagamento il 21 maggio 1582 di 1 fiorino e 4 soldi per 2 rami della *Vita S.ti Franciscbi,* da identificare con certezza quali i due rami aggiunti nella seconda edizione del Galle. Questa data costituisce perciò il termine *ante quem* per la datazione della prima edizione.

(35) I. LAVIN, *Bernini e l'unità delle Arti Visive,* Roma 1980, pp. 40, 41-2,50-1, figg. 59, 78.

(36) GIEBEN, *op. cit.,* 1976, p. 63.

(37) O. BENESCH, *Die Zeichnungen der Niederländischen Schulen in der Graphischen Sammlung Albertina,* Wien, 1928, p. 43 nn. 15-20. Devo questa segnalazione alla cortesia di padre Gieben.

(38) GIEBEN, *op. cit.,* 1976, p. 62 ss.

(39) A. CRISTOFANI, *Le storie di Assisi,* Assisi 1866, p. 491.

(40) Cfr. L. BARROERO, V. CASALE, G. FALCIDIA, F. PANSECCHI, B. TOSCANO, *op. cit.,* Treviso 1980, cat. 185-189.

(41) Cfr. le illustrazioni nel saggio *Francescanesimo e pittura riformata in Italia Centrale* della scrivente in questo stesso catalogo.

(42) Devo alla gentile segnalazione di P. Gieben la conoscenza di questi affreschi, che riproducono in contropARTE e con dimensioni più allargate in senso orizzontale, alcune scene della Vita del Villamena. Nelle navate laterali della stessa chiesa sono affrescate anche storie della vita di San Carlo Borromeo.

a cura di Simonetta Prosperi Valenti Rodinò

Nicolò Boldrini
nato a Vicenza, sec. XVI

dal **Tiziano** (Pieve di Cadore 1477 - Venezia 1576)

89.
Stigmate di San Francesco

Roma, Gabinetto Nazionale delle Stampe, inv. FC 85951
Xilografia in un unico blocco, mm. 285×430

Bibl.: PASSAVANT, VI, 1864, p. 235, n. 59; TIETZE, 1938, p. 353, n. 9; OBERHUBER, 1966, n. 173; ASKEW, 1969, pp. 283-4; DREYER, 1971, n. 18; MURARO-ROSAND, 1976, cat. 30.

L'incisione, assai celebre e nota anche in numerose copie, fu eseguita dal Boldrini da una invenzione del Tiziano. La critica non è concorde nella datazione dell'opera tizianesca: mentre alcuni ritengono l'ideazione del disegno eseguita negli anni quaranta, il Muraro invece, per affinità stilistica con la distrutta pala con *S. Pietro Martire* già in San Giovanni e Paolo del 1526-30, propone di anticipare la datazione.
La traduzione nel legno dell'opera segue comunque almeno di un decennio o ventennio quella del prototipo.
Siamo di fronte ad una delle prime raffigurazioni delle Stigmate del XVI secolo, già interpretate con spirito controriformistico. La nuova iconografia sarà importante per gli incisori che si cimenteranno in seguito con questo soggetto, divulgato attraverso la riproduzione a stampa.
Come spesso nelle composizioni ideate dal Tiziano, protagonista della scena è l'ampio paesaggio che partecipa anch'esso all'evento sacro facendo convergere gli alberi verso la figura del Santo sulla sinistra. Questi è rappresentato di spalle, con le braccia aperte rivolte verso l'alto in posizione instabile, folgorato dalla visione della croce in alto sulla destra, nell'atto di accettare totalmente questa sconvolgente esperienza mistica.
Interessante sottolineare la presenza partecipe di fra Leone, che nelle più tarde raffigurazioni delle Stigmate appare in disparte, assorto nella lettura di un libro o addormentato.

Orazio Farinati
Verona 1559-1616

da **Paolo Farinati** (Verona 1524-1606)

90.
Deposizione della croce con San Francesco

Roma, Museo Francescano, inv. 756
Acquaforte mm. 357×556
In basso a sinistra: *HO.F.V.T./1593*
In basso a destra: *paulus farinatus/inventor*
In basso al centro: *Gaspero dalolio exc.*

Bibl.: BARTSCH, XVI, n. 2, p. 169

Orazio Farinati, figlio di Paolo, incise cinque tavole all'acquaforte dalle opere del padre, dimostrando una grande abilità tecnica superiore a quella paterna nella resa grafica.
L'invenzione della scena comunque riflette in pieno la cultura dell'ambito veneziano della fine del Cinquecento, con numerosi riferimenti alla pittura del Veronese e del Tintoretto.
In basso a sinistra vi è una lumaca che si ritrova come segno distintivo nelle stampe del Farinati; probabile cifra allusiva al cognome, come ipotizza il Bartsch (XVI, p. 162), ma di difficile interpretazione.
L'anacronistica presenza di San Francesco nelle scene di Pietà o di Deposizione dalla croce, accanto alle pie donne, è un elemento iconografico che si riscontra di frequente nella pittura tardo-cinquecentesca, posta a sottolineare la particolare devozione del Santo per il Cristo crocifisso e per la Passione.

Cornelis Cort
Hoorn 1533-1578

da **Gerolamo Muziano** (1528-1592)

91.
San Francesco riceve le stigmate

Roma Gabinetto Nazionale delle Stampe, inv. F C 122816
Bulino, mm. 412×547
Al centro, D. FRANCISCI STIGMATA MIRACULIS CELEBRATA / EX HIERONYMI MUCIANI BRIXIANI ARCHETYPO / ANTONIUS LAFRERIUS ROMAE EXCUDEBAT / ANNO SAL. M.D. LXVII
A destra, *C. CORT. f. / 1567*
A sinistra, *Ioannes Orlandij formis romae 1603*
Esemplare di III stato

Bibl.: LE BLANC, 1882, n. 96; WURZBACH, I, n. 33; BIERENS DE HARN, 1948, cat. 128; HOLLSTEIN, V, n. 128.

L'incisione propone uno dei numerosi casi in cui il Muziano si cimentò con l'iconografia francescana delle Stigmate. Il van Mander (*Le livre des peintres*, ed. 1884-85, I, p. 192) cita per primo questa stampa, che dice eseguita dal Cort dall'affresco del Muziano già nella Chiesa dei SS. Apostoli a Roma, datato 1555, ricordato anche dal Baglione, ma distrutto nella ristrutturazione della Chiesa avvenuta nel 1730.
Oltre al grande valore documentario di un'opera perduta, l'incisione segna l'inizio dell'ampia collaborazione di Cornelis Cort, stabilitosi in Italia da soli due anni, con Girolamo Muziano.
Tutta la scena è dominata dal paesaggio, finemente reso dal bulino dell'incisore olandese e ispirato assai da vicino da prototipi tizianeschi.
Il paesaggio è il protagonista indiscusso della composizione, dove più che l'episodio sacro del Santo che riceve le stigmate, acquista evidenza la grande cascata sulla destra, nella quale giustamente il Lugt (*Pieter Brugel in Italien*, in "Festschrift fur M.I. Friedländer", 1927, p. 124) ritrovava la cascata di Tivoli.

92.
San Francesco riceve le stigmate

Roma, Gabinetto Nazionale delle Stampe, inv. F C 122818
Bulino, mm. 432×300
In basso a sinistra due galli affrontati; al centro *Heironymo Muciano Brixiano Invent.*
A destra, *Ant. Lafrerj formis Romae 1568*
Nel margine i versi latini:
– Qui tum, qui sensus, quae mens, quiq extitit ardor,
Dive, tibi, venit cum sacra flamma polo.
– Ut novus ille tui testis fuit ardor amoris;
Incrementum ignis sic sacra flamma tui.
– Nec tacitas solum penetravit flama medullas:
Impressit membris stigmata sancta crucis.

Bibl.: BIERENS DE HAAN, 1948, cat. 129; HOLLSTEIN, V, n. 129.

L'incisione deriva probabilmente da un disegno del Muziano, come nel caso precedente, eseguito per essere tradotto in rame dal Cort ed edito dal Lafrerj nel 1568, come segnato sul foglio.
Il Muziano ha comunque utilizzato in molti suoi dipinti questo soggetto, i più famosi dei

quali sono nella Chiesa dei Cappuccini a Roma ed a Frascati (cfr. cat. 73), nella Galleria Colonna a Roma, ecc.
Anche in questo caso, come nei precedenti, e a differenza delle realizzazioni pittoriche, l'elemento preponderante è il paesaggio, reso qui con una minuzia tipicamente nordica e con un'ampiezza che ci richiama esempi veneti, e soprattutto Tiziano. Questi era stato il primo maestro del Muziano, e il Cort in quegli anni si stava specializzando nella traduzione su rame di opere da Tiziano, perciò la resa grafica sembra accomunare maggiormente i due artisti.
C'è da sottolineare poi che è questa la prima interpretazione mistica di tale soggetto in ordine cronologico, quale poi ci daranno con maggiore intensità Agostino Caracci e il Barocci. Il Santo appare infatti in atteggiamento di totale accettazione del suo destino, pronto ad accogliere con rassegnazione e dolore interiore le ferite che furono di Cristo.
I segni di questa sua intima partecipazione emotiva al grande evento sono dipinti anche sul suo volto emaciato e sofferente: questa iconografia è del tutto analoga a quella del Cristo sul monte degli Ulivi, alla quale si tende, nella produzione artistica del periodo della Controriforma, ad identificare la figura di S. Francesco (cf. ASKEW, 1969).

93.
San Francesco riceve le stigmate

Roma, Gabinetto Nazionale delle Stampe, inv. F C 122815
Bulino, mm. 512×376
Esemplare di II stato
In basso a sinistra in maiuscolo: *PRIVILEGIO. D. GREG. PP. XIII*
A destra: *Hieronimo mucian. inv. / 1575.* Più sotto: *Corneli° Cort fe.*

Bibl.: LE BLANC, 1882, 94; WURZBACH, I, p. 33; U. DA COMO, 1930, p. 201; BIERENS DE HAAN, 1948, n. 114.

Questa incisione appartiene alla serie di *Santi Pellegrini entro grandi paesaggi*, che comprendono, oltre San Francesco, anche San Gerolamo, San Eustachio, San Giovanni Battista e la Maddalena.
La serie ebbe grande successo e numerose tirature tanto da essere ristampata da Carlo Losi nel 1773; essa è citata dal Mariette come una delle realizzazioni più alte eseguite dal Cort su disegno del Muziano, perché in realtà il suo bulino traduce con estrema finezza il segno vibrante dei disegni a penna dei paesaggi del pittore.
Soddisfatto dell'esecuzione della stampa del 1567 (cfr. cat. 91), il Muziano affidò al Cort l'esecuzione di questa serie di stampe, eseguite negli anni 1573-75. Egli si giovò anche di un traduttore dei disegni per l'incisione, che i documenti ci tramandano essere stato Pietro Maria Bagnadore (cfr. O. ROSSI, *Elogi historici di bresciani illustri*, Brescia 1620, p. 505).
In rari esemplari di I stato è segnato il nome di Bonifacio Bregio, pittore e mercante che stampò per primo le lastre per il Muziano (cfr. U. da COMO, 1930, pp. 183-184), ma inchiostrandole assai male, per cui le incisioni di II stato, come la nostra, risultano migliori.
È interessante sottolineare il rilievo e l'importanza data dal Pontefice Gregorio XIII a questa serie di stampe, che, in qualità di protettore del Muziano, volle accordare un privilegio particolare segnato nella stampa.

Federico Barocci
Urbino 1526-1612

94.
Il Perdono di Assisi

Roma, Gabinetto Nazionale delle Stampe, inv. F C 76167
Acquaforte, mm. 535×325
In basso a destra: *FEDERIGUS BAROCIUS URBINAS / Inventor incidebat 1581 / GREGORII XIII. PRIVILEGIO / AD.X.*
In basso a sinistra: *Ostendit Christus se se Franciscus adorat, / atque animae hic poscit sit sua cuique salus / Annuit aeterno firmat sub foedere templum / O' vere Aligerum nomine sancta domus /*

Bibl.: BELLORI, 1672, p. 178; BARTSCH, XVII, n. 4; PITTALUGA, 1930, p. 315; PETRUCCI, 1943, pp. 135-136; OLSEN, 1962, p. 159, tav. 39b; EMILIANI, 1975, cat. 76.

Con questa incisione il Barocci ha voluto diffondere, attraverso un mezzo facile di diffusione come la stampa, la sua geniale invenzione del *Perdono di Assisi* (cfr. cat. 28). E con questa opera egli impone la sua presenza anche nel campo dell'incisione italiana della fine del Cinquecento. A differenza dei numerosi ed abili bulinisti, quali il Cort e Agostino Caracci che già avevano riprodotto sue opere, il Barocci si cimenta qui con la tecnica dell'acquaforte. Egli dimostra di conoscere a pieno questa tecnica in tutte le sue possibilità e difatti gli angeli in alto risultano ottenuti con un sistema di copertura a cera, quale ritroviamo, usato con maggior finezza, nella posteriore acquaforte raffigurante l'*Annunciazione* (EMILIANI, 1975, cat. 151).
È sorprendente vedere come il Barocci abbia ottenuto attraverso l'incisione, un chiaroscuro profondo e un effetto di tenerezza luminosa che riproduce, pur senza il colore, la dolcezza coloristica e sfumata della sua pittura.

95.
Le Stigmate di San Francesco

Roma, Gabinetto Nazionale delle Stampe, inv. F C 76170
Acquaforte e bulino, mm. 233×150
In basso la sigla: *F.B.V.F.*

Bibl.: BARTSCH, XVII, n. 3; OLSEN, 1962, p. 161, n. 29; EMILIANI, 1979, cat. 79.

Durante l'esecuzione del grande *Perdono di Assisi*, il Barocci meditò un'altra opera di iconografia, francescana, le *Stimmate*, che realizzò probabilmente dapprima in questa incisione e poi nella stesura pittorica su tela oggi a Fossombrone (cfr. cat. 35).
La prima formulazione dell'opera è rintracciabile in uno schizzo veloce, eseguito a penna, degli Uffizi (cfr. cat. 36), dove il Santo viene inserito in un paesaggio appenninico inginocchiato e rivolto verso l'apparizione in alto, mentre Fra Leone passeggia non partecipe della scena.
È questa l'iconografia più consueta tra i temi francescani più rappresentati nel periodo della Controriforma: San Francesco appare qui, come nelle più tarde *Stigmate* della Galleria Nazionale di Urbino, con lo sguardo fisso nella visione celeste, e non semisvenuto in estasi mistica come nelle versioni successive di altri artisti, a partire da Agostino Carracci.
Il Barocci padroneggia magistralmente l'acquaforte, effettuando l'incisione a due morsure per ottenere l'effetto slontanante e evanescente del paesaggio sullo sfondo, dominato dal sasso del monte La Verna e dalla chiesetta di San Francesco di Urbino. Con una morsura più profonda è ottenuta la figura del Santo in primo piano, fortemente evidenziato.

Agostino Carracci
Bologna 1557 - Parma 1602

96.
San Francesco riceve le stigmate

Roma, Gabinetto Nazionale delle Stampe, inv. F C 30370
Bulino, mm. 114×88

Bibl.: MALVASIA, ed. 1841, pp. 82, 84; BARTSCH, XVIII, 1818, n. 65; HEINECKEN, 1789, I, p. 635, n. 48; MARIETTE, III, 1851, p. 120; LE BLANC, 1854, I, n. 57; BODMER, 1939, p. 138; CALVESI-CASALE, 1965, n. 53; DEGRATIA BOHLIN, 1979, n. 124.

È questa la prima prova in cui Agostino si cimentò con il soggetto di San Francesco divenu-

to più avanti un elemento ricorrente del suo repertorio di stampe.
L'incisione, di piccolo formato, fa parte di una serie di *santini* (Bohlin, nn. 124-126), che il Malvasia ricorda come opere "tagliate per prova in gioventù", "le prime cose da lui tentate, come per saggio, furono certi santini fatti in età di quattordici anni", e cioè eseguite a Roma intorno al 1571.
Il Bartsch riprende l'ipotesi di opere molto giovanili, ma il Bodmer la esclude ritenendo piuttosto l'incisione eseguita a Roma intorno al 1581.
Calvesi e Casale (1965, p. 29) distinguevano le due serie di santini, e datavano questa seconda serie, cui appartengono due San Francesco e un San Gerolamo, al 1582, per "la spigliatezza del tratto, i pittoricismi (che) inducono a datare queste opere dopo il viaggio veneziano del 1582".
La Bohlin (1979, p. 220) nota affinità nel paesaggio scarno e asciutto della nostra stampa con quello presente nelle serie degli Apostoli (Bohlin, 1979, nn. 109-123), eseguiti nel 1583, e sembra propensa ad una datazione allo stesso periodo, escludendo ogni possibilità di opere giovanissime.

97.
San Francesco riceve le stigmate

Roma, Gabinetto Nazionale delle Stampe, inv. F C 30371
Bulino, mm. 454×312
In basso a sinistra: *Agostino Carracci formo. Bologna 1586 et nunc apud Philippum Thomassinum Romae.*
Nella carta sotto il teschio è scritto: *Ego enim stigma/ta domini nři. / Jesu Christi in / corpore meo porto.*
In basso: *Gio: Iacomo de Rossi formis Rome 1649 alla Pace.*
Esemplare di II stato

Bibl.: Bellori, 1672, p. 116; Malvasia, ed. 1841, p. 76; Bartsch, XVIII, n. 68; Bruwaert, 1876, n. 204; Bodmer, 1939, p. 45; Gori-Gandellini, p. 314, n. XXV; Mostra Carracci, 1956, p. 78; Calvesi-Casale, 1965, n. 121; Ostrow, 1966, cat. 37; Askew, 1969, pp. 283-284; Volpe, 1976, p. 124; Degratia Bohlin, 1979, cat. 140.

L'incisione, eseguita nel 1586 da Agostino l'anno prima del suo viaggio a Parma, è una delle sue più celebri realizzazioni e forse, da un punto di vista iconografico, la più importante stampa di tale soggetto eseguita nel periodo della Controriforma, insieme a quella del Barocci.
Le fonti e i repertori antichi (Bellori, Gori-Gandellini) ritengono che l'invenzione della scena sia dovuta tutta alla fantasia di Agostino; più recentemente si sono volute vedere derivazioni e spunti da altre composizioni, come d'altronde accade di consueto in Agostino. Lo Ostrow vi riscontra affinità con le incisioni di Cort da Muziano; più puntualmente il Volpe ha messo in luce che il paesaggio è ripreso fedelmente dal dipinto di *San Vincenzo* (Bologna, Credito Romagnolo) di Ludovico Carracci, del 1582 circa.
La Bohlin sottolinea la continua influenza e lo scambio di idee figurative intercorse fra i cugini Carracci nell'ambito dell'Accademia.
Sebbene la posizione del Santo sia dovuta alla invenzione dell'incisore, è indubbio una certa influenza della stessa figura del Perdono del Barocci, realizzato alcuni anni prima.
L'importanza innovatrice di questa stampa è soprattutto dal punto di vista iconografico, perché essa costituisce un ulteriore gradino nella interpretazione mistica di questo evento, come sottolinea la Askew, durante il periodo della Controriforma.
L'artista pone l'accento sulla profonda trasformazione interiore del Santo nel momento di accogliere le stigmate: le ferite inferte al suo corpo infatti, vengono recepite e sofferte profondamente nello spirito. Questa interpretazione interiorizzata fa sì che la figura di San Francesco si trasformi per analogia in Cristo, che soffrì per amore le stesse pene sulla Croce. La scritta sul cartiglio, ai piedi del Santo, ricorda e sottolinea questo significato dell'evento sacro: *ego enim stigmata domini nostri Jesu Christi in corpore meo porto.*
L'iconografia delle stigmate viene perciò ad essere assimilata a quella dell'agonia nell'orto degli Ulivi, e la figura di San Francesco subirà delle pericolose trasposizioni con quella del Cristo, sino ad arrivare a raffigurazioni ereticali sulla croce o al Santo contornato dai simboli della Passione (cfr. cat. 88 e 6).
Agostino Carracci si mantiene nella sua incisione nei limiti dell'ortodossia iconografica: San Francesco come il Cristo, riceve dal serafino le cinque piaghe sotto forma di irradiazione luminosa - elemento tipico anche dell'iconografia medievale di questa scena -, e si abbandona semisvenuto, nella totale accettazione interiorizzata di questo evento, mentre frate Leone assiste totalmente indifferente alla scena, come già gli Apostoli addormentati nella notte di passione del Cristo sul monte degli Ulivi.

98.
San Francesco riceve le stigmate

Roma, Calcografia Nazionale, inv. 315
Rame inciso a bulino, mm. 465×318

Bibl.: (cfr. scheda precedente) Petrucci, 1953, cat. 315; Calvesi-Casale, 1965, n. 121 bis

Oltre alle iscrizioni riportate nella stampa (cfr. scheda precedente) di secondo stato, il rame, che notoriamente documenta l'ultimo stato, e cioè il terzo, reca aggiunta la scritta: *Gio: Iacomo de Rossi alla pace formis 1649.*
Questa terza ristampa, dopo la prima del 1586 curata dall'autore e quella di Filippo Thomassin, attesta la "fortuna" e la diffusione della stampa, riedita sino alla metà del XVIII secolo.

99.
Il Cordone di San Francesco

Roma, Museo Francescano, inv. I GI/1
Bulino, mm. 521×341

Icrizioni:
in alto: *Ecco figli, ch'a pieno / sparge l'almo sereno, / Gracia così felice / Che in lei bear' vilice*
sulla destra al centro: *E noi pur lieti siamo / Che libertà aspettiamo*
nell'emblema: *Madre felice hor godi / de tuoi preciosi modi*
sul gradino dell'altare: *Quindi ne trae l'alma / Lo scarco di sua salma*
nell'interno dello sportello aperto dal papa: *Eccovi aperto à pieno / de la pietade il seno*
al centro in stampatello: *Questo è di santa Chiesa il gran tesoro*
in basso: *Con privilegio*
nel margine a stampatello: *Per te godiamo o' Sisto / il gran merto di Christo / Onde gratie rendiamo / al ciel a cui spiriamo*
in basso: *Ago: Car: for:* e *Bol.e 1586*
nello stemma a destra: *Al R:mo Prẽ Gnãl / del'or: mi cõ: / Fra Nicollò / Cigaglia da / Correggio*

Bibl.: Bellori, 1672, p. 116; Nagler, 1835, I, p. 393; Bodmer, 1940, pp. 44-45; *Mostra dei Carracci*, 1956, p. 79; Casale-Calvesi, 1965, n. 120; Malvasia, ed. 1961, p. 76; Ostrow, 1966, n. 35; Previtali, 1978, p. 107, fig. 125; Degrazia Bohlin, 1979, n. 141.

Nell'iconografia francescana post-tridentina, l'incisione di Agostino Carracci, detta comunemente del Cordone di San Francesco, rappresenta uno dei punti salienti: questo soggetto ebbe una enorme diffusione e fu più volte ripreso in pale e quadri d'altare dipinti in tutta Italia.
Eseguita nel 1586 dall'artista a Parma, reca iscritta sullo scudo di destra la dedica al Padre Generale dell'Ordine minore Nicola Cicaglia da Correggio, raffigurato probabilmente nel secondo prelato inginocchiato sulla sinistra dopo il Pontefice, in abito conventuale. L'iconografia della stampa è legata alla istituzione della Confraternita del Cordone di San Francesco, documentata anche dal libro di Nicolas Aubespin, *Le Cordegliere ou Tresor des Indulgences du Cordon S. François*, edito a Parigi nel 1608: qui si attesta che il Pontefice Sisto V, francescano, istituì con una bolla papale del 30 dicembre del 1585 la Confraternita del Cordone di San Francesco offrendo nell'occasione un'indulgenza plenaria a tutti i suoi membri.

Nello sfondo a destra infatti, sono raffigurate le anime del Purgatorio, uscenti da una fauce leonina, che si avviano trionfanti verso il cielo in grazia probabilmente di questa indulgenza e rifacendosi ad una tradizione che voleva che il giorno della morte di San Francesco venissero liberate le anime del Purgatorio.
San Francesco è raffigurato in alto sulle nuvole, fra vari angioletti, circondato dai santi francescani - Sant'Antonio da Padova, San Luigi vescovo e Santa Chiara sulla destra, San Bonaventura, San Bernardino da Siena e San Ludovico di Tolosa a sinistra -, in atto di donare i cordoni del suo abito ad una raffigurazione allegorica femminile seduta sopra un altare al centro della composizione. Questa, che tiene in mano un emblema della Confraternita, raffigura piuttosto la Chiesa secondo l'interpretazione tradizionale fornita dal Bartsch sino al Calvesi, che non il Cristo, come suppone la Bohlin: si tratta infatti di una donna, come attestano l'abito, il seno, le sembianze del volto ed i capelli lunghi ricadenti sulle spalle.
La Chiesa quindi, viene posta come tramite fra il Santo e il popolo cristiano che attende la distribuzione del cordone francescano. Sulla destra sono raffigurati re, uomini, donne e bambini, sulla sinistra dignitari ecclesiastici fra cui un Vescovo, non tanto con intenti ritrattistici, quanto posti a significare che la Confraternita è pronta ad accogliere persone di ogni tipo.
In primo piano invece, in posizione dominante, vi è la figura del Pontefice Sisto V Montalto Peretti, il cui stemma domina in basso al centro, e che è rappresentato con il cordone in mano in atto di aprire il gran tesoro della Chiesa, e cioè in senso traslato in atto di elargire grazie ed indulgenze agli appartenenti alla confraternita francescana. Le lunghe e numerose scritte poste sulla stampa accentuano il carattere dottrinale e didattico della composizione, eseguita per commemorare l'indulgenza sistina.
È caratteristica delle raffigurazioni del periodo della Controriforma la presenza di lunghe didascalie esplicative sotto affreschi, dipinti o incisioni, per rendere subito accessibili, quasi *bibla pauperum*, i messaggi morali esemplificativi affidati all'arte figurativa. Nonostante questo denso significato iconografico, l'incisione è una delle più riuscite di Agostino Carracci, come sottolineava già il Bartsch, ed è oggi assai rara a causa della enorme diffusione avuta per il suo interesse tematico.

Agostino Carracci da Francesco Vanni

100.
San Francesco consolato dalla musica dell'angelo

Roma, Gabinetto Nazionale delle Stampe, inv. FC. 30373.
Bulino, mm. 291×242 (tagliata in basso).
Al centro: *Franc.s Vannius Sen./Inventor.*
A destra: *Car. fe/1595.*
Nel margine inferiore scritta tagliata.

Bibl.: Baglione, ed. 1962, p. 390; Bellori, ed. 1976, p. 128; Malvasia, ed. 1981, 1. pp. 77, 293; Nagler, 1835, p. 393; Le Blanc, 1854, p. 59; Bodmer, 1940, p. 66; Askew, 1969, p. 300; Calvesi-Casale, 1956, cat. 171; Ostrow, 1966, cat. 47; *Mostra Carracci*, 1956, p. 85; De Gratia Bohlin, 1979, cat. 204; Bellini, 1980, cat. 96.

Ampiamente citata dalle fonti, l'incisione di Carracci riprende l'acquaforte del Vanni (cfr. cat. 101) con notevoli varianti: è realizzata in controparte, l'angelo che suona il violino è raffigurato adolescente mentre quello del Vanni è un putto, inesperto nel suonare il violino con il braccio sinistro e lo strumento posato tra le gambe. Infine il paesaggio, appena accennato nella tavola del senese, viene qui ampliato in una vasta prospettiva slontanante, con rocce, alberi ed un ruscello che scorre con cascate ed anse. Queste differenze già individuate dal Malvasia, non escludono però il fatto che l'invenzione derivi dal Vanni, come Agostino stesso ha apposto nel rame. Il Bellori affermava che l'idea deriva da un dipinto del pittore senese, e non dall'incisione: non siamo in grado oggi di confermare questa ipotesi, perché non esistono più quadri autografi dell'artista di questo soggetto.
La Askew avanza l'ipotesi che il Carracci abbia guardato, nel realizzare la stampa, il dipinto dello stesso tema di Annibale, oggi nella Collezione Denis Mahon. Ma la critica odierna è propensa piuttosto a attribuire l'opera a Guido Reni, e ciò verrebbe inoltre a contrastare con la scritta di Agostino che attesta l'invenzione di Vanni.
La datazione 1595 è termine *ante quem* per l'acquaforte del senese.
La stampa del Carracci, copiata anche dal Brizio, contribuì largamente alla diffusione del tema del San Francesco consolato dalla musica dell'angelo, che divenne uno dei soggetti nuovi più diffusi nella pittura religiosa di ambito francescano della prima metà del Seicento.

Francesco Vanni
Siena 1563-1610

101.
San Francesco consolato dalla musica dell'angelo

Bologna, Gabinetto delle Stampe, inv. V 88 (397).
Acquaforte, mm. 233×173.
Bibl.: Bartsch, XVII, n. 3, pp. 196-197; De Gratia Bohlin, 1979, pp. 329-330; Bellini, 1980, cat. 95.

L'incisione è una delle più celebri realizzate dal Vanni, ma deve forse la sua fama alla copia realizzata a bulino e in controparte da Agostino Carracci (cfr. cat. 100).
La resa dell'acquaforte non è particolarmente contrastata e non presenta grandi capacità tecniche. Il pittore senese infatti non eccelse nel campo dell'incisione ma, influenzato forse dal suo fratellastro Ventura Salimbeni che fù un buon acquafortista, volle cimentarsi anche lui in questo genere. Il suo catalogo di *peintre-graveur* annovera però appena tre stampe, in cui l'artista cercò di imitare la maniera del Barocci, dal quale era stato profondamente influenzato a partire dal nono decennio del secolo.
Un confronto stilistico con le morbide e contrastate acqueforti del pittore urbinate giocherebbe totalmente a sfavore del Vanni, che ripetiamo si dedicò a questo genere artistico a livello sperimentale.
Da un punto di vista iconografico l'incisione ha invece una grande importanza, perché il Vanni fissò per primo un nuovo soggetto che diverrà assai caro alla tematica controriformistica dei francescani, il Santo consolato dalla musica dell'angelo. La scena si rifà ad un episodio narrato da San Bonaventura e dai *Fioretti*, in cui il Santo a Rieti nell'anno 1225 ascoltò, rapido in estasi, un angelo che suona un violino per consolare le sue pene. Il Vanni aveva realizzato anche un dipinto di questo soggetto, oggi probabilmente perduto, perché non sembra autografo il dipinto di questo tema conservato nella Galleria Palatina di Firenze pubblicato dal Venturi (IX, 7, p. 1077, fig. 600).

Annibale Carracci
Bologna 1560 – Roma 1609.

102.
San Francesco

Roma, Calcografia Nazionale, inv. 327.
Rame inciso a bulino, mm. 142×101.
In basso la data 1585, Sul sasso: *Ani. Ca lin. fe.*
Bibl.: Bellori, 1672, p. 88; Malvasia, ed. 1841, p. 87; Bartsch, XVIII, n. 15; Gori Gandellini, I, p. 181, p. 27, n. x; Nagler, 1835, p. 388; Le Blanc, 1854, n. 12; Bodmer, 1938, p. 108; Pittaluga, 1930, p. 352; Petrucci, 1953, cat. 327; *Mostra dei Carracci*, 1956, p. 75; Calvesi-Casale, 1965, n. 193, 193 bis; Boschloo, 1974, p. 196, nota 16; Degrazia Bohlin, 1979, n. 7.

Citata dal Bellori come incisa a bulino, fu erroneamente ritenuta dal Malvasia "acquaforte munitissima ritocca col bulino". Ritenuta la

prima incisione dell'artista per le evidenti affinità con le opere di Agostino nel modo di rendere le foglie e gli sfondi, è invece già una prova matura dell'esperienza grafica di Annibale, sicuramente eseguita dopo il San Gerolamo (Bartsch, n. 16) e la Madonna che allatta il Bambino (Bartsch, n. 6) per le strette analogie stilistiche con queste due opere.
La data 1585 documenta comunque la prima incisione datata di Annibale.
Dal punto di vista iconografico è da sottolineare l'aspetto ascetico del Santo in meditazione davanti al teschio con la croce sulle spalle: l'umiltà di San Francesco e la sua dedizione alla povertà è evidenziata dall'aspetto ascetico, dal volto affilato ed assorto, dalle mani nodose giunte e dai piedi contorti, e soprattutto dalla veste lacera e rattoppata.
Questo naturalismo così marcato si differenzia notevolmente dalle contemporanee incisioni del Cort dal Muziano, o del Barocci o di Agostino. Più che alla folgorazione del Santo colpito dalle stigmate, o alla partecipazione estatica o emotiva ad un evento sacro, Annibale vuole mettere in evidenza in questa incisione l'aspetto più interiorizzato e sofferto della religiosità del Santo.

Giusto Sadeler
Antwerpen 1583 - Venezia 1620.
da Camillo Procaccini
Bologna 1546 - Milano 1626.

103.
Le stigmate di San Francesco

Roma, Gabinetto Nazionale delle Stampe, inv. FC 73152.
Bulino, mm. 501×336.
Sul sasso la scritta: *Camillo procacino/Bol: Inventor/Iust. Sadeler exc:.*
Nel margine: Signasti domine servum tuum franciscum redemptionis nostre.

Il Sadeler copia esattamente, senza porre alcuna variante, la stessa scena incisa dal Procaccini nel 1593 (Bartsch, XVIII, n. 5, p. 21), realizzandola a bulino e in controparte. La diversità della tecnica fa sì che la prova del Procaccini all'acquaforte sia molto più libera, maggiormente ricca di contrasti luminosi, e più lirica nello stupendo particolare del paesaggio slontanante sullo sfondo, popolato di case e guglie nordiche.
L'iconografia delle stimmate è trattata in questa tavola nel modo più convenzionale: è da sottolineare il particolare veristico dei chiodi ritorti conficcati nelle mani e nei piedi del Santo stigmatizzato, particolare caro alla pittura religiosa controriformistica che tendeva a commuovere visivamente la pietà dei fedeli.

Theodor Galle
Antwerpen 1571-1633.
dal Cavalier D'Arpino
Roma 1568-1640.

104.
San Francesco sorretto da due angeli

Roma, Gabinetto Nazionale delle Stampe, inv. FC 37940.
Bulino, mm. 235×165.
In basso nel margine: S. Franciscus/*Hac iter est* Francisce *tuum: Mortalibus oris/Exemptum Aligeri te super astra vehunt.*
Josephus Arpinas invent. Theodorus Galle sculp. Phs Galle excudit.
Bibl.: Röttgen, 1973, p. 100; Askew, 1969, p. 296.

L'incisione di Theodor Galle riproduce un controparte e con alcune piccole varianti nei particolari, un dipinto del Cavalier d'Arpino di questo soggetto, da identificarsi con quello nella cappella di San Francesco in San Bonaventura a Frascati (Röttgen, 1973, cat. 24). Il dipinto fu inciso anche dal Thomassin, nel 1599, ma la sua esecuzione risale ai primi anni dell'ultimo decennio del secolo, come ha stabilito il Röttgen (1973, p. 100) ed è perciò da considerarsi fra le prime formulazioni di questo tema.
Nel 1592 Francesco Vanni riprende questo tema in un'opera perduta per la cappella Capizucchi in Santa Maria Maggiore (Venturi, IX, 7, p. 1037) e nel 1599 Cherubino Alberti lo intaglia in rame (cfr. cat. 105).
In un clima totalmente differente lo sviluppano Caravaggio e gli artisti della sua cerchia, che sottolineano una maggiore interiorizzazione del personaggio.
Il tema, diffuso ampiamente nelle incisioni, ebbe una certa diffusione anche nell'ambito della pittura carraccesca (cf. Askew, 1969, p. 296 ss.).

Cherubino Alberti
Borgo Sansepolcro 1553 - Roma 1615.

105.
San Francesco sorretto da due angeli

Roma, Gabinetto delle Stampe, inv. FC 30016.
Bulino, mm. 295×200.
In basso la data 1599.
Nel margine inferiore: Ill.mo ET R.mo D. Alfonso Vicecomiti/S.R.E. Car. Ampliss/ AC. D.D. Cum Privilegio sũmi Pontificis.
Bibl.: Bartsch, XVII, n. 56; Mâle, 1932, p. 177, nota 5; Askew, 1969, p. 296.

Cherubino Alberti riprende e diffonde in questa incisione il tema del Santo sorretto da due angeli quando, semisvenuto, riceve le stimmate, tema già trattato in area romana dal Cavalier d'Arpino (cfr. scheda precedente), da Francesco Vanni, dal Caravaggio e dai caravaggeschi. Un curioso particolare iconografico, sottolineato dalla Askew, riguarda i due angeli, che sono raffigurati in volo, di dimensioni più ridotte di quelle del Santo, perno della composizione. La Askew avanza l'ipotesi, non documentabile, che l'incisione dell'Alberti riprenda lo schema compositivo del dipinto perduto di Francesco Vanni già nella cappella Capizucchi in Santa Maria Maggiore eseguito nel 1592.
Ciò è confermato dalla data 1599 posta in basso nell'incisione, che non va letta 1577, come fa il Bartsch. Inoltre la dedica nel margine del foglio è rivolta al neo cardinale Alfonso Visconti, creato da Clemente VIII il 3 marzo 1599 con il titolo di San Giovanni a Porta Latina. Considerando la contemporaneità della datazione, è probabile che l'Alberti abbia voluto fare un omaggio al cardinale in occasione della sua elezione con la dedica della stampa, che reca anche il privilegio del Pontefice.
A proposito delle incisioni di soggetto francescano realizzate dall'Alberti, non mi sembra sia da ascrivere al suo bulino la stampa raffigurante le stimmate a lui riferita dal Bartsch (XVII, n. 55).

Philippe de Soye
attivo a Roma 1566-72.
da Federico Zuccari
Sant'Angelo in Vado 1540 - Ancona 1609

106.
Le stigmate di San Francesco

Roma, Gabinetto Nazionale delle Stampe, inv. F.C. 68875.
Bulino, mm. 441×295.
In basso: *Soye f.*
Nel margine: *Iam sauciati cordis, indicas manus./Francisce Christus fauciat, pedes, latus./Federicus Zuccarus/de S. Angelo iuven.*
Ioseph de Rubeis iunoris formis.
Romae: ex Typis Ant./D. Salamanca.
Bibl.: Nagler, 17, 1847; Wurzbach, 2, 1910; Thieme - Becker, XXXI, 1937, p. 315.

A documento della grande fortuna avuta da questo soggetto iconografico nella pittura tardo-cinquecentesca, si propone una stampa incisa dal Sove da un dipinto (o disegno?) di Federico Zuccari, che non è più rintracciabile nel pur vasto catalogo odierno del pittore. Esponente eclettico della cultura italiana della fine del secolo, il suo tema francescano ripropone da vicino la versione fornita dal Muziano e incisa dal Cort, tanto nell'atteggiarsi del santo, quanto soprattutto nella preponderanza nordicheggiante data al paesaggio, e nella quinta rocciosa del monte La Verna, percorso da un ruscello e popolato di fronde come nella nota incisione del Cort derivata dal pittore bresciano (cfr. cat. 91,92).

Francesco Villamena
Assisi 1566 – Roma 1624.

107.
La Madonna appare a San Francesco (da Ferraù Fenzone)

Roma, Museo Francescano, inv. I BE 1/7.
In basso nel margine: *Huc proprius succede: puer vult tangere/: blandis/ En tibi brachiolis cingere colla parat/Tempus erit, cum, saeva vizi per vulnera corpus/Extintum ut referas, vulnera saeva geres.*
Romae cum Privilegio Summi Pontificis et Superiorum permissu Anno Sesquimillesimo Nonagesimo septimo/Ferrau Fensonius. Faven. In.
Al centro: Stemma Orsini e dedica: *Ill.mo et Rev.mo Fabio Ursino virtutum/Omnium et bonarum artium Patrono/Franciscus Villamena D.D.*
Bulino, mm. 507×370
Bibl.: Le Blanc, IV, n. 34; Mariette, I, n. 60; Nagler, XX, n. 26; Kuhn, 1979, p. 165

L'incisione è derivata da un'idea di Ferraù Fenzoni e documenta la prova più alta di collaborazione raggiunta dai due artisti. La stampa ebbe anche un certo riconoscimento ufficiale, perché reca la dedica al cardinal Fabio Orsini, e il privilegio del pontefice Clemente VIII.
L'iconografia è frequente nell'arte tardocinquecentesca e documenta un momento di abbandono del Santo alla beatifica visione, espressa in questo caso con una tenerezza accostante.
L'incisione evidenzia, da un punto di vista tecnico-stilistico, la grande capacità del Villamena di adeguarsi al suo prototipo senza tradire in alcun modo il disegno e l'interpretazione fornita dal Fenzoni.

108.
San Francesco in preghiera

Roma, Museo Francescano
Nel margine: *Legisti hanc sedem mea sola et vera voluptas? / Haec capiti invente est digna corona tuo? // Ab mea tu potius subeas praecordia et intus, / Abluo dum lacrimis vulnera regna tene.*
Al centro: *F. Villamena F. / Romae / Cum Privilegio Sumi Pont. / ac Superiorum Permissu.*
Bulino, mm. 470×340
Bibl.: Le Blanc, IV, 35; Mariette, I, 59; Nagler, XX, 36; Kühn, 1979, p. 146.

Una delle raffigurazioni più interessanti e originali dell'iconografia francescana del periodo controriformistico è questo San Francesco nel deserto, o in preghiera o in meditazione davanti al crocifisso, di Francesco Villamena.
Nella tavola sono riuniti vari elementi iconografici tratti dal Santo in penitenza e dalle stimmate: la roccia sulla sinistra, il frate in fondo che legge, il paesaggio montuoso che ricorda il Monte La Verna, la chiesa nello sfondo. Il Santo però appare già stigmatizzato, per eccesso di verismo addirittura con chiodi ancora conficcati nella carne, in ginocchio sotto la roccia e con i suoi attributi più consueti, il teschio, il libro, e il crocifisso.
È probabile che il Villamena sia inventore del disegno, oltre che autore dell'incisione, come riteneva il Mariette. L'opera comunque tradisce un influsso della stampa di Cort dal Muziano nel paesaggio nordicheggiante, in particolare nei tronchi nodosi, nelle radici evidenziate, nelle fronde disegnate con minuzia.
L'immagine del Santo, con le mani e i piedi allungati per deformazione manieristica, si rifà a prototipi di Ferraù Fenzone, artista dal quale il Villamena ha inciso numerose stampe.
L'interpretazione del Santo fornita dall'autore è profondamente religiosa, più che mistica, perché Francesco appare totalmente assorto nella sua preghiera, in contemplazione del Crocifisso, con quella semplicità devozionale che doveva apparire estremamente comprensibile agli umili e ai poveri di ogni epoca.

109.
San Francesco penitente

Roma, Museo Francescano
In basso: *F.V.F.*
Nel margine: *Non satis esse putat silvas coluisse latentes, / Franciscus lacrijmis pallide ora rigat. // Quisquis in expressa miratus imagine formam / Non gemit, hic vere durior est silice.*
Iul. Roscius
Bulino, mm. 310×240
Bibl.: Mariette, I, 57; Kuhn, 1979, p. 51.

Il Santo è raffigurato a mezzo busto, con le mani giunte: anche in questo caso la raffigurazione di Francesco penitente e in preghiera si fondono per offrire un'immagine carica di misticismo e di pathos, sottolineato dalle lacrime che scorrono abbondanti sulle scarne guance del Santo e dal chiodo ritorto che esce dalla ferita nel dorso della mano.
La Kühn nota anche in questa scena uno stretto legame iconografico con i ritratti di Santi del pittore Ferraù Fenzoni, evidente nei tratti angolosi e scarni e nell'espressione estatica del Santo, che si ritrovano nel San Paolo o nel San Giovanni Battista nel deserto, incise dal Villamena su disegno del Fenzoni.
Per analogia con un'altra composizione raffigurante San Francesco a mezzo busto datata 1613, la Kühn propone questa datazione anche per la nostra stampa: se accettiamo questa cronologia per affinità tipologiche e di impostazione c'è da aggiungere però che la tavola datata 1613 non raffigura il Santo di Assisi, ma il suo omonimo di Paola, con il quale talvolta può venire confuso per l'identità dell'abito.

110.
Le Stigmate (da Barocci)

Roma, Museo Francescano
In basso la scritta: *ILLUSTRISS. AC. REVERENDISS. D.D. PAULLO. SANVITALIO EPISCOPO SPOLETINO / Tabellam hanc, quam olim Federicus Barotius Urbinas invenit, coloribusq. expressit / Franciscus Villamena Asisias singulari devotionis affectus, aere sculpsit Simulq. vera animi propensione Domino suo iure D.D. / Romae cum Privilegio Summi Pontificis atq. Superiorum Permissu Anno Sesquimillesimo Nonagesimo septimo - Gio. Marco Paluzzi Formis Romae.*
Bulino, mm. 520×357
Bibl.: Le Blanc, IV, n. 36; Mariette, I, n. 62; Nagler, XX, n. 37; Emiliani, 1975, p. 182; Kühn, 1979, p. 172.

L'incisione copia la pala dei Cappuccini a Urbino, ora nella Galleria Nazionale delle Marche (cfr. cat. 37).
Un'altra copia a stampa fu eseguita da Luca Ciamberlano.
La tavola documenta una delle numerose prove a bulino eseguite dal Villamena da opere del Barocci.

111.
Il Perdono di Assisi (da Barocci)

Roma, Museo Francescano
In basso a sinistra: *Ostendit Christus Se Franciscus adorat / Atque animae hic poscit Sit sua cuique Salus / Annuit aeterno firmat sub foedere templum / O vere Aligerum nomine Sancta domus*
A destra: *FEDIRICUS BAROCIUS URBINAS / INV. EÕR Franciscus Villamena Fecit 1588*
Bulino, mm. 520×320
Bibl.: Mariette, I, 61; Emiliani, 1975, p. 99, fig. 352; Kühn, 1979, p. 170.

L'incisione riproduce fedelmente, a bulino, l'acquaforte del Barocci del *Perdono di Assisi* (cfr. cat. 94), persino nella iscrizione in basso.

112.
Vita di San Francesco

Una serie di incisioni raffiguranti la vita di San Francesco, totalmente diversa da quella del Galle (cfr. cat. 118), fu realizzata da Francesco Villamena e edita a Roma nel 1594 da Andrea de Putti. La serie consta di quarantanove tavole, più un frontespizio, ed è dedicata al cardinale Costanzo Boccafuoco da Sarnano, nativo di Sarnano nelle Marche, eletto da Sisto V nel 1586, che era militante nell'Ordine dei Minori Conventuali. Incisa a bulino, reca in margine la doppia didascalia in latino e in italiano, per sottolineare il carattere didascalico e popolare di questa serie di immaginette che dovevano illustrare in modo facilmente accessibile gli episodi più noti della vita del Santo.
La firma dell'incisore Villamena è posta solo nella prima tavola: l'autore dovette eseguire le scenette, edite nel 1594, in un momento assai giovanile della sua attività, come mostra lo stile corsivo ed ancora influenzato dalla contemporanea pittura controriformata.
Citando le tavole del Villamena il Cristofani (1866, pp. 491) sostiene che questi abbia realizzato le scenette della vita di San Francesco "togliendone per lo più il concetto dagli affreschi del Doni", e cioè dalle decorazioni a monocromo con fatti della vita del santo eseguite dal pittore umbro a partire dal 1564 nel chiostro di Sisto V nel Sacro Convento di Assisi. Gli affreschi sono oggi quasi del tutto perduti, ma i soggetti delle scene raffigurate, citate dal Cristofani (1866, p. 480 ss.) quando dovevano essere ancora visibili, sembrano coincidere con le tavole del Villamena.
Anche dal punto di vista stilistico, l'impostazione semplificata delle scenette e il tono narrativo e didattico ci riportano ai caratteri peculiari della pittura di Dono Doni.
Nel Gabinetto Disegni e Stampe degli Uffizi si conserva, tra i fogli di Antonio Tempesta ma certamente non di mano dell'artista, uno schizzo a penna e inchiostro bruno acquarellato (inv. 7299 F) che raffigura la scenetta del *Perdono di Assisi*, ripresa esattamente dalla tavola 26 della serie del Villamena. Segnaliamo questo disegno perché se esso è copia dell'incisione, costituisce una prova ulteriore della fortuna delle stampe, e perché si vuole invitare gli studiosi a verificare, dopo un attento esame attribuzionistico, se siamo di fronte ad uno schizzo originale dello stesso Villamena.
La serie ebbe grande successo: nella prima edizione ebbe un privilegio e già nel 1608 fu copiata ed edita da Andrea Vaccari romano con il titolo: *Magni S. Francisci vita, Distinata miraculis Descripta Simulacris* con cinquantuno tavole (due più dell'edizione del de Putti) e il frontespizio mutato, con dedica al vescovo Ferdinando Farnese e con le scritte apposte in basso in latino ed in italiano. Nel frontespizio in basso la scritta: *Phillip.s Thomassin.s sculp.* attesta che fu il Thomassin a copiare in controparte la serie del Villamena, che reca nelle tavole uno, trentasei, quarantasette le scritte *F* o *F. inv.*, da svolgere probabilmente come *Francesco (Villamena) inventore.*
Nella tavola 1 in alto sulla destra si scorge incisa la data 1608 (o 1603?).
Una copia successiva della serie del Villamena fu riedita con cinquantun incisioni e il frontespizio dal titolo *Vita et miracula seraphici patris S. Francisci da Assisio,* dedicata da Philippe Thomassin a Andrea Catalano de Toro, che conosciamo nella riedizione di Giovan Giacomo de Rossi nel 1649 conservata nel Museo Francescano di Roma.
Le incisioni copiate sono eseguite con un segno pesante e fortemente contrastato, forse da un artista non italiano. Le scenette recano in basso le scritte in latino, italiano e spagnolo, ed è probabile che quest'ultima edizione sia stata richiesta per diffondere l'agiografia francescana in Spagna.

Serie di 49 tavole incise a bulino, mm. 113×75

Bibl.: Mariette, I, 52-56; Cristofani, 1866, p. 491; Kuhn, 1979, p. 285.

Frontespizio: *S. FRANCISCI / Historia / Cum iconibus in aere excusis / Ad Ill.m et R.m D. Dominum / Constantium / S.R.E. Presb. Cardin. / Sarnanum / Excudebat Andreos de Puttis / Anno Dñi MDXCIV / Romae cum privilegijs / superior. permissu.*

Tav. 1
Firmata in basso a sinistra: *F. Vill'amena F.*
NE QVI CQVAM POTERAT PVERV PRESEPE DOCEBAT/HOSPES NI PREMV GIGNERE PICA PARENS

NON POTEVA LA MADRE PARTORIR' FRANC' SE PRIMA/DAL PELLEGRINO NON ERA INSTRVTTA ANDAR NELLA STALLA

Tav. 2
CAELICVS INEANTEM SANCTAS CAPIT HOSPES IN VINAS/SACRIS MERGIT AQVIS SIGNAT ET ASTRA PETIT

IL PELLEGRINO TENVTO FRANC° AL BATTESIMO LO/BENEDISÇE SVBBITO DISPARVE

Tav. 3
DIVINO AFFLATVS VIR NVMINE PALLIA STERNIT/ABNVIT ALTER ERAT CVI TRIBVENDVS HONOR

FRANC° NEGA DI PASSAR SOPRA DEL MANTO CHE DAL SENPLICE/HVMO PREVEVEDENDO LA SANTITA SVAGLI FV STESO IN TERRA

Tav. 4
PAVPERIS INTERNE MOTVS PIETATIS AMORE/MILITIS EXVTA VESTE PVDENDA TEGIT

FRANC° COMMOSSO APIETA DA LE NOVE VESTE/AVN POVERO SOLDATO PER AMOR DI DIO

Tav. 5
AD SVNT ISTATIBI CVM BELLANTIA SIGNO HAEC CONCEDENTVR FRATRIBUS ARMA TVUIS

APPAR CHRISTO A FRANC° EGLI PROMETTE DI DARE A LVI/ET SVOI SOLDATI VN BELLISSIMO PALAZZO PIENO ETORNATO DI/ARME E INSEGNIE MILITARI TVTE SEGNATE COLACROCE DI ESSO CHRISTO

Tav. 6
ORANTI CHRISTUS FRANC° HAEC ORE LOCVTVS/NE MEA TECTA RVANT QVAM POTES AFFER OPEM

STANDO FRANC° IN ORATIONE IL CHROCEFISSO GLI COMANDA/CHE VADA A RIPARAR LA CHIESA SVA CHE ANDAVA IN ROVINA

Tav. 7
EXVL IN ASTRIGERO NVDVS FIT LIMINE PRESUL/PATRE FIT CAELIS PRIVVS IN ORBE PATER

FRANC° RENVNTIA OGNI COSA AL PADRE DINANZI AL/VESCOVO

Tav. 8
TEMPLA HOMINVM PASTOR SANTVM LATERANA REGENTE/ASPICIT VT CEPIT CANDIDA MEMBRA SOPOR

PAPA INNOC.° VEDE IN SOGNO FRANC° CON LE PROPRIE/SPALLE SOSTENER SAN GIO° LATERANO ACCIO NON CADA

Tav. 9
PONTIFICEM PARVA FRATRVM COMITANTE CORONA/QVO CONCEDATVR CONCIO VICTOR ADIT

INNOC° PAPA MANDA FRANC° CON LI SVOI FRATI/PER DIVIN VOLERE A PREDICARE AL POPVLO

Tav. 10
AVREA FLAMIGERO FERTVR SVPERAETERA CVRRV/IN FRATRVM INGENS NASCITVR ORE STVPOR

FRANC° VEDVTO COM'VN ALTRO ELIA DA SVOI FRATI/ANDAR PER L'AERE SOPRA VN CARRO DI FVOCO

Tav. 11
TOLLE OCVLOS ALTO SEDES CIRCVMSPICE CAELO/FRANCISCI INSUPERIS HABET ORDO LOCOS

LANGELO MOSTRA LA SEDIA DI S. FRANC° ET DELLI/SVOI FRATI COMP° DIESSO S. FRANC° STANDO IN ORONE

Tav. 12
OPRESSAM FVRIIS ARCEM QVAM PLVRIMA BELLO/ARMA TENENT COMITI PELLERE MONSTRA IVBET

INNOME DI S. FRANC° IL COMP° SVO SCACCIALI/DEMONI DALLA CITTA DI AREZZO

Tav. 13
REGIA SOLDANI PENETRANS PER TECTA MICANTEM/QVO SIT CLARA FIDES CERTAT INIRE ROGVM

SAN FRANC° PREDICANDO AL SOLDANO VOLSE PER LA/SANTA FEDE ENTAR NEL FOCO

Tav. 14
FELLX CVI VOCIS CHRISTVS DAT GVTTVRE GVSTVM ORE LOQVENDO DEDIT CORDE FRVENDO DABIT

FV VISTO S. FRANC° DASVOI COMPAGNI IN AERE/TRASFIGVRATO ET PARLAR CON CHRISTO

Tav. 15
PECTORA SOLVVNTVR DVBIIS DVM PANDIT ALVMNIS/RE VISA PAVIDIS SIGNA SACRAT SVIS

MOSTRA LE SACRE STIMMATE A TRE DE SVOI FRATI E/SCACCIA DAL CVORE LORO OGNI DVBBIO

Tav. 16
FRATIBVS APPARENS FRANCS TALIA FATVS SOLDANI ITE SACRO SPARGITE FONTE CAPVT

STANDO S. FRANC° IN ITALIA APPARSE ADVA FRATI NEL/EGITTO AMONENDOGLI CHE ANDASSERO A BATTEZZARE/IL SOLDANO CHE STAVA PER MORIRE

Tav. 17
FAETIDA LEPROSI PVTREDINE CORPORA PVRGAT/HUNC LAVAT EXTERIVS SANAT ET INTERIVS

MENTRE EGLI LAVA L'INPATIENTE LEPROSO INUN/ISTESSO TEMPO SANA DENTRO EDI FVORA

Tav. 18
FELIX ALTISONVM CVIVS REXERE TONANTEM/BRACHIA DAT FERRI CORPORE MENTE FRVI

RAPPRESENTANDO LA NATIVITA GL'APPARVE IL SIGR/IN BRACCIO IN FORMA DI BANBINO

Tav. 19
PRESTITERAT SITIENS FRANCISCO PAVPER ASELLVM/LIMPIDA DE DURO MARMORE SVRGIT AQVA

FACENDO ORÑE S FRANC° APPARVE VNA AQVA SOPRA VN SASSO/E CAMPO VN POVERO CHE SECO ANDAVA ASVO SERVITIO

Tav. 20
ANGELVS IN TERRAS ALTO DE SYDERE LAPSVS/FRANCISCE INSVPERIS SIC AIT ORDO PLACET

GL'APPARVE VN ANGELO' DICENDOGLI QVESTE PAROLE/RALLEGRATI FRANC° CHE È CONFIRMATA IN CIELO/LATVA RELIGIONE

Tav. 21
PROICC TVM PANEM SECAT ILLE FATETVR PAVPERIB CRIMEN NOSSE DATVRVS OPEM

S FRANC° RICEVE IL PANE DA L'AVARO SPOLE TINO È PREGANDO/PERLVI S'ILLUMIA DOMANDA PERDONO E DIVIE' PIETOSO E LARGO

Tav. 22
VNDIQVE PRESBITERI PER CORPVS FRACTA GERENTIS/MENBRA DAT IN SIGNO CONSOLIDATA CRVCIS

COL SEGNO DELLA † RISANA IL TOTALMENTE STRVPIO/GEDEONE DARIETE PRETE PREBENDARIO AMONEDOLO CHES'/ASTENGA DAL PECCATO ACCIO NON GL'ACCADA PEGGIO S'COMEFVPOI

Tav. 23
DVM DE TAV SIGNO LAVDES ANTONIVS ORE PREDICAT HVIC SANCTVS QVO BENEDICAT ADEST

MENTRE PREDICA S. ANT° APPARE S. FRANC°
BENEDICENDOLI

Tav. 24
ANGELICO VISV DEMON CAPVT ABIDIT IN VMBRAS/DAT FRANCISCLATROX SANGVINE SPINA ROSAS

MENTRE FRA LE SPINE SI FLAGELLA DEL SANGVE NASCON/LE ROSE NEL MESE DI - GENARO ET GL'ANGELI GL'APPARONO ASVO SERVITIO

Tav. 25
ILLE NOVA MIRVM CIRCVNDATVS VNDIQUE VESTE/CVM SVPERIS PENETRAT TEMPLA GERIT QVE ROSAS

PORDIE DIVIOLO CONDVCONO IN CHIESA COLE MEDESIME RO/SE TROVADO SI VESTITO TVTTO DI NOVO MIRACOLOSAMENTE

Tav. 26
HIC DOMINO CVM MATRE DIESDE CERNITVR IPSO/ANGELVS VT SOLVIT VINCLA IVBENTE PETRI

CHRISTO GLI DETERMINA PER IL GIORNO DEL'INDVLGENTIA/IL PRIMO GIORNO D'AGOSTO QVADO SI CELEBRA LE VIN CVLA DI S° PIETRO

Tav. 27
HVIC OVIVM PASTOR DAT INDVLGENTIA CLARA/VT INSOLITAS VIDIT ADESSE ROSAS

PAPA HONORIO VISTE LE ROSE COFERMA IL TVTTO E SCRIVE/A VESCOVI COVICINI AD ASCISI

Tav. 28
QVISQUE SVA S° CONCEDIT EPISCOPVS VRBIS POSSE PER HANC ANNOS NOTIFICARE DECEM

I VESCOVI D'ASCISI, PERVGIA, TODI, SPOLETO, FOLIGNO,/NOCERA, E GUBIO COMMETANO A S. F.° LA PUBLICHI PER ANNI DIECE E LUI LA PUBLICA PERPETVA

Tav. 29
CASTIGARE PARAT FRANCISCI PRAESVI. HIC ORA/AST EADEM COELO DICTA IUBETE SONAT

VEDENDO LI VESCOVI CHE S.° S.° HAVEVA PUBLICATA L'INDULGENZA/PERPETUA UN DI LOR VOLEDO DESDIRE GLI VIE' DETTO IL MEDE/SIMO CHE DISS'IL SANTO

Tav. 30
UNANIMES VENIAE SPARGUNT PRAECONIA IN AEVUM/CUNCTI DUM CONTRA VOCIBUS IRE PARANT

NON POTENDO OPPORSI AL VOLERE DIVINO TUTTI INSIE/ME LA PUBLICANO PERPETUA ET PLENARIA

Tav. 31
ARDET DIVINIS POPULOS HORTATIBUS URGET/ET MODO QUAE EXEMPLO PRAESTITO REDOCET

S.° FRANCESCO STA PREDICANDO CON GRAN/FERVORE ALLE TURBE

Tav. 32
SIGNA DET UT POPULO SERAPHI MIRALE DICTU/FUNICULO EXPRESSIT PRODIGIOSA MANUS

ESSENDO LA TERRA DI SARNANO SENZA SIGILO/S.° F.° COL CORDONE IMPRONTOGLI UN SERAFINO

Tav. 33
DESPICIENS LAUDEM CAETAE NAVIGAT AEQUOR/LITTORE NAVIS ABEST CONCIONATUR IBI

LA BARCA SE DISCOSTA DAL LIDO STA FERMA/E RITORNA DA SE STESSA A TERRA

Tav. 34
OSCULA LEPROSO REDDUNT ADMOTA SALUTEM/ET PLUSPRAEONIIS ARTIBUS IPSA VALENT

CO' IL S.° BASCIO SANA ALLO SPOLETINO LA BRUTTA/PIAGA DELLA BOCHA

Tav. 35
DUCENTEM ANCIPITI HORTINUM VESTIGIA TERRAE/ERIGIT ET RECTUM FIGERE DONAT ITER

ERA QUESTO IN TAL MODO STROPPIATO CHE TENEA IL CAPO FRA LE GAMBE

Tav. 36
SUBLEVAT HIC IUVENEM TRISTI LANGUORE SOLUTUM/VIVIDA SIC COMPOS ROBORA CORPUS HABET

PER COMANDAMENTO DEL VESCOVO SANA UN PARALITICO/COL SEGNO DELLA CROCE

Tav. 37
SISTITUR A SANTIUM PRECIBUS FIT TURGIDUS ALVO/INCOLUMIS NOVITAS ORA PAVORE REPLET

SANA UN 'HIDROPICO CON MARAVIGLIA DI TUTTI/QUELLI CHE SI RITROVANO PRESENTI

Tav. 38
EUGUBII FERA YARTIA STRAGE REPLEBAT POST OBIT INOCUOS CE TENER AGNUS AGROS

HUMILIATO VIENE ALLA CITTA E DATA LA FEDE CONVER/SA FRA TUTTI

Tav. 39
CONCIPIT AMISSAS NURIS HAEC PARALITYCA VIRES/UTRAQUE CUI FUERAT PALMA VIGORIS INOPS

SANA UNA DONNA CHE HAVEVA LE MANI ATRATTE

Tav. 40
POSCIT APOSTOLICO SUA NUMINE VOTA PROBARI/FRANC. FACILI SUNT RATA CUNTA DEO

PAPA HONORIO CONFERMA LA REGOLA CO IL BREVE/APOSTOLICO

Tav. 41
FLUTIBUS OPPRESSUM TUMIDIS TE GURGITE VICTUM/SUSCITAT TE LETHI TRISTE RETEXIT ITER

ORANDO FACHE SE RITROVI E TORNI IN VITA UNGIOVANE/ANNEGATO

Tav. 42
FORMA DATUR CAPITI TACTU COLLAPSA IACENTIS/CRURA REFECTA MANUS CETERA MEBRA VICET

SANA UNO COLCAPO MOSTRUOSO ESTRUPIATO DI
TUTTE LE MEMBRA DEL CORPO

Tav. 43
ACRIUS INDULGE CAEPTIS OPERARIA PUBES FRANC[s]. VERSO SUFFICIT AMNE MERUM

CONVERTE LACQUA IN VINO PERLI MURATORI CHE FANNO/LA CHIESA

Tav. 44
ADMONET ALLECTUM SOCII SUB FRAUDE CRUMENA/INGENIUM HIC VISO TERRITUS ANGUE FUGIT

S. FRANCESCO AMMONISCE IL COMPAGNO CHE NON SI/CURI DELLA BORSA VEDUTA PER STRADA: PUR EGLI/TENTATO L'APRE ET N'ESCE UN SERPENTE

Tav. 45
EXTINCTUM REDDIT IUVENEM VITALIBUS AURIS/QUEMDEDERAT AT SUBITAE DIRA RUINA NECI

RESUSCITA UN MORTO AL QUALE ERA CADUTO/UN MURO SOPRA

Tav. 46
STIGMATA QUAE CHRISTI PASSI SACRA VULNERA SIGNANT/FRANCISCUS PATITUR DIGNUS HONORE DEI

APPARENDO UN SERAFINO CROCIFISSO IMPRESSE LE/STIMMATE A S. FRANCESCO

Tav. 47
NOBILIS ANTE OBITUM MULIER VENERATUR ANHELA/ASSISIUM PROPERANS CERNUA STRATA PATREM

POCO INNANZI LA MORTE E' VISITATO DALLA/SIGNORA IACOMA SETTESOLI

Tav. 48
HIC DUBIUS TRACTANS VULNUS TITUBANTIA FIRMAT/CORDA HOMINUM PENITUS NUMINE DANTE DEI

ESSENDO MORTO UN DASSISI PER DIVINA PERMISSIONE TAS/TA LA PIAGA DEL COSTATO E CONFERMA OGNI DUBBIOSO CUORE

Tav. 49
EXALTANT HUMILES QUEM PATER INSTITUIT LATIIS FRANCISCUS IN ORIS/PONTIFICES SUMMOS QUATTUOR ORDO DEDIT

DELLA SERAFICA RELIGIONE DE S. FRANCESCO SONO STATI/QUATTRO PAPI: NICOLO' IV. ALESSANDRO V. SISTO IV. SISTO V.

Raffaele Schiaminossi
Borgo Sansepolcro 1570 ca. - dopo 1620

113.
La predica di San Francesco

Roma, Gabinetto Nazionale delle Stampe, inv. FC 27463
Acquaforte, mm. 338×237
In basso nel cartiglio a destra: RAPHAEL SCHIAMINOSSIUS / A BURGO S.S. INVENTOR. F.
Nel margine la scritta: DIVUS AB EXCELSO CLAMANS DŨ SACRA RECENSET / FRANCISCUS, POPULI CORDA REVERSA PREMIT
AD CLARISSIMŨ VIRŨ. D. BENEDICTŨ TITIŨ, A. BURGO SANCTI SEPUL. /
RAPHAEL SCHIAMINOSSIUS IN OSSERVANTIAE SIGNUM D.
Sulla destra: *Gio: Iacomo Rossi formis Rome alla Pace.*
Esemplare di III stato

Bibl.: Bartsch, XVII, n. 88.

Raffaele Schiaminossi, nativo di Borgo Sansepolcro, ha eseguito numerose stampe di soggetto francescano, riportate dal Bartsch (XVII, nn. 58-84, 85, 86, 87, 88), probabilmente commissionategli da esponenti dell'Ordine.
La composizione della nostra stampa sembra derivare direttamente dalla pittura riformata fiorentina, in particolare dalle Predicazioni di San Giovanni Battista di Iacopo da Empoli, o di Santi di Tito: viene ripreso infatti il Santo in evidenza su un colle, e le figure degli astanti in ascolto, compreso il gruppo di maniera della donna con il bambino, che ritroviamo così spesso nella contemporanea pittura toscana.
Non è da escludere perciò che l'inventore della scena sia da rintracciare fra i numerosi artisti fiorentini a cavallo dei due secoli.
Il segno all'acquaforte dello Schiaminossi è realizzato con una punta larga, profondamente morsa dall'acido, che determina nella stampa un forte contrasto chiaroscurale appesantito dai ritocchi a bulino. Queste caratteristiche sono già state evidenziate dall'acuta analisi stilistica e tecnica del Bartsch.
L'incisione dovette avere una certa 'fortuna' critica perché se ne conoscono altri due stati, conservati nel Museo Francescano, recanti le seguenti scritte - ancora visibili semicancellate sotto la firma del De Rossi: il primo stato firmato in alto esattamente sotto il De Rossi, *Iohannes Orlandi formis Romae 1602*, e il secondo stato firmato in basso *Antonius Caranzanus formis Romae 1604.*
Dal momento che sappiamo che l'editore Orlandi ripubblicò nel 1602 numerosi rami, apponendovi la sua firma, dobbiamo supporre che esista un primo stato della stampa, a tutt'oggi sconosciuto e non rintracciato, senza l'indicazione dell'editore e con il solo nome dell'incisore.
Sotto il piede di San Francesco sembra di poter individuare un monogramma rovesciato, LRC, di difficile lettura e interpretazione.
Il rame di questa stampa si conserva nella Calcografia Nazionale di Roma (Petrucci, cat. 939).

114.
San Francesco, storie della sua vita, Santi e martiri francescani

Roma, Museo Francescano, inv. I BC 3/5
Acquaforte, mm. 490×370
Al centro S. Francesco in preghiera e sotto la scritta *Sanctus Pater Franciscus* (Bartsch, 87) intorno undici episodi della vita del Santo, contrassegnati da due distici in latino.
Dal basso a sinistra continuando verso l'alto:

1) S. Francesco si spoglia davanti al Vescovo (Bartsch, 65)
Demittit propias nudato corpore vestes
Et proprius coram praeside reddit opes

2) S. Francesco visto dai Frati su un carro di fuoco (Bartsch, 68)
E terris celeris vehitur super aethera curru
Oraqe celesti lumine clara micant

3) Tentazione di San Francesco (Bartsch, 67)
Hanc tibi supremae mittit deus aethere vestem
Hac tua perpetuo corpora veste tegas

4) S. Francesco e un compagno trovano un serpente nella sacca dell'elemosina (Bartsch, 58)
Decipitur socius nuñi sub fraude dolosi
Et credit monetis, territus angue tuis

5) Miracolo della donna gravida (Bartsch, 62)
Emittit faecilia pignora partu
Auxilium tacita, voce precata tuum

6) S. Francesco consolato dall'angelo (Bartsch, 63)
Languida sanatur caelesti corpore cantu,
Languida sanavit, corpore sacra chelijs

7) San Francesco salva un fanciullo che cade nel pozzo (Bartsch, 64)
Te nec precipites muri oppressere ruvinae
Nec lapsum pleno fervida vina lacu

8) San Francesco fa scaturire l'acqua (Bartsch, 66)
Accipe et irriguis caelestia numera limphis
Tolle sitim gelidas terra redundat aquis

9) San Francesco guarisce un malato dalla febbre (Bartsch, 60)
Et prece quod nequit natura potentibus herbis
Liberat ardenti languida membra febri

10) Miracolo del vino (Bartsch, 61)
Convertit gelidas in vina liquentia limphas
Natura obsequijs paret amica tuis

11) Miracolo del pane (Bartsch, 59)
Faelices animae coelestia sumite dona
Haeterea panem misit ab aree deus.

Intorno, le immagini di ventidue Santi francescani (da sinistra in basso verso l'alto): *S. DANIEL. MAR. cum sociis - S. CLARA VIRGO - S. ELEAZZARIUS - S. ACCURSIUS MAR. - S. PETRUS2 MAR. - S. BONAVENTURA Eps Cardi. Albanen. Doctor Seraficus - S. ANTONIUS DE PAD. - S. BERNARDINUS de Senis -*
Al centro, stemma francescano.
S. LUDOVICUS EPS - S. DIDACUS - S. LUDOVICUS GALLIA - reum rex - S. BERNARDUS 1 MAR. - S. ADIUTUS 3 MAR. - S. OTTHO. 5 MAR. - S. ELISABETH REG - ina hungaria - FRATER COSMA A turcis pro x pi fide martirio coronatus.
In basso: *B. MARTINUS - B. PETRUS - B. FRANCISCUS*
A sinistra: *B. FRANCISCUS ALTER - B. GUNDISALVUS - B. PHILUPPUS*
Al centro, entro un cartiglio:
Fervidus, insultum, FRANCISCUS limen olimpi
Mirabitur, pedibus coelica regna premes
Fortunate PATER laetus coelestia calcas
Omnia tunc laetus terrea despiriens
Pro malli viola praecingeris undique natis
Natis, quos humiliter iungere fecit amor
Purpureas vestes tepido perfecta cruore
Ora ferunt isti munera grata DEO
Affixis pedibusque, cruci, manibusque revinctis
Pectora trafiggit lancea dira tuis
Enterisque, Mari, toti gratissima caelo
India quam mittit, victima pinguis adest
Vos decus omne Patri, vos posiqua fata tulere
Fulgida calcatis sidera cuncta pede
Sir bonis, o felixq., tui FRANCISCE deusque
Te placare rogo, namque dabit venia.
- Matteus florimus formis

Bibl.: Bartsch, XVII, nn. 58-68 e 87

Il Bartsch classifica questa incisione distinguendo con un numero differente le varie scenette della vita di San Francesco, i Santi e l'immagine al centro, probabilmente perché è frequente rintracciare questa stampa in esemplari mutili e ritagliati. Essa però è stata ricavata con sicurezza da un'unica matrice.

Il carattere programmatico dell'iconografia, la presenza di tutti i Santi francescani, i distici e la poesia latina in fondo fanno pensare che l'opera sia stata dettata da un dotto teologo dell'Ordine, con intenti didattici e propagandistici tipici della Chiesa controriformata.

La composizione richiama gli stendardi processionali, testi *ad usum plebis* che ebbero vasta diffusione nel campo dell'incisione: possiamo citare quella di Antonio Tempesta del 1623 raffigurante San Giovanni da Capestrano al centro, e ai lati le storie e i miracoli della vita del Santo.

Nel margine inferiore sono raffigurati i Martiri francescani crocifissi in Giappone, una pagina gloriosa e triste scritta dai missionari francescani e illustrata anche in un'incisione del Callot (cfr. cat. 121).

Non è improbabile che l'artista toscano si sia ispirato al più celebre incisore francese anche se la sua scena si svolge su un solo piano e manca del gioco prospettico razionale nelle tre file di croci rigidamente allineate che ritroviamo nella stampa del Callot.

Philip Galle
Haarlem 1537 - Antwerpen 1612

115.
Vita di San Francesco

Roma, Museo Francescano: I edizione, serie di 16 tavole (inv. V BA 2); II edizione, serie di 20 tavole (inv. 5 V BA 2)

Da un punto di vista iconografico, la più importante serie di incisioni raffiguranti la *Vita di San Francesco* è quella pubblicata nel 1587 ad Anversa da Philip Galle, come documenta la grande fortuna avuta da questo testo nelle numerose copie (cfr. Gieben, 1977).
Una importante scoperta fatta da padre Gieben ha attestato che l'edizione della *Vita* del Galle del 1587 era stata preceduta da una prima tiratura, eseguita ad Anversa dallo stesso Galle entro il 1582. Il 21 marzo di quell'anno infatti risulta effettuato un pagamento per i due rami della seconda edizione della *Vita* (cfr. il saggio della scrivente *La diffusione dell'iconografia francescana attraverso l'incisione*). È probabile che la commissione di quest'opera sia stata fatta da un "marrano" spagnolo di Anversa, come ipotizza il Gieben (1977, pp. 44-46), che finanziò l'opera per amore verso i frati minori.
Questa prima edizione, assai rara, che presentiamo nell'esemplare conservato nel Museo Francescano di Roma, non ha frontespizio né pagina dedicatoria firmata da fra Enrico Sedulius di Cleve, apposta invece nella seconda edizione; non reca scritto il nome dell'incisore-stampatore Philip Galle, e soprattutto presenta numerose varianti iconografiche cancellate e corrette nella seconda edizione perché urtavano l'ortodossia cattolica ed offrivano possibilità di critiche in ambiente protestante.
La seconda edizione del 1587 fu perciò resa necessaria da alcuni errori dottrinali e teologici riscontrati nella prima: due tavole aggiunte (n. 6 e 20) presentano inoltre una resa grafica diversa da quella del Galle, la stessa che riscontriamo nei particolari corretti di altre tavole, dove affiora spesso il disegno sottostante ancora inciso nel rame raschiato. Il Gieben (1977, p. 43) avanza l'ipotesi che l'artista che ritoccò le lastre e eseguì le nuove sia un incisore nordico, quale uno dei fratelli Wiericx o Adrian Collaert.
Le incisioni, che presentiamo a confronto nell'esemplare di primo e secondo stato per far cogliere con immediatezza le differenze, sono sedici nella prima edizione - mancano in questa esposizione la numero 7 e 11 - e diciotto nella seconda, più un frontespizio e la lettera dedicatoria.
I rami originali del Galle per la *Vita di San Francesco* sono ancora conservati in Belgio, a Saint Truident, presso l'Archivio Provinciale dei Frati Minori (mancano i nn. 2, 6, 12 e 16), co-

me gentilmente mi comunica padre Gieben.
Una bella cornice, decorata con grottesche, candelabre e maschere, incornicia tutte le scene: dentro di essa, in alto e in basso, sono poste le scritte che illustrano le scene raffigurate, scritte sostituite con diverso testo e diversa grafia nei due esemplari.
Le aggiunte costanti nel secondo stato sono: numerazione in alto, dopo aver reso illegibili con l'aggiunta di sassolini i numeri del primo stato; lettere maiuscole dell'alfabeto per rendere più immediatamente comprensibili le *legendae* in basso; il mutamento del titolo nella cornice in alto e una *legenda* assai più dettagliata che nel primo stato, con riferimenti alle fonti francescane.

Frontespizio

Bulino, mm. 164×236
Al centro, entro un ovale, è raffigurato il Santo che adora la croce tra le mani, sullo sfondo di un paesaggio popolato di animali, e due angeli in volo musicanti.
In alto la scritta: *D. SERAPHICI FRANCISCI / TOTIUS EVANGELICAE PER- / FECTIONIS EXEMPLARIS, AD- / MIRANDA HISTORIA.*
Sotto: *Vidi alterum Angelum ascendentem ab ortu solis, / habentem signum Dei vivi &c. / Apocalipsis 7.*
Intorno all'ovale: *Dominamini piscibus maris, & volatilibus coeli, & universis animantibus, quae moventur super terram. Gene. cap. 1.*
Ai quattro lati, sono raffigurazioni allegoriche femminili delle virtù, con scritte sottostanti desunte dal Nuovo e Vecchio Testamento e da San Bonaventura.
PAUPERTAS. Argentum & aurum non est mihi. Act. 3. Nemo tam auri quam ipse cupidus paupertatis. S. Bonaven. cap. 7.
TEMPERANTIA: Qui autem sunt Christi, carnem suam crucifixerunt cum vitijs et concupiscentijs. Gal. 5. Difficile esse dixit, Necessitati corporis satisfacere et pronitati sensuum non parere. S. Bona. cap. 5.
OBEDIENTIA: In praelatione casus, in laude praecipitium: in humilitate subditi, animae lucrum est. S. Bona. cap. 6.
In basso al centro è apposta la firma: *Philippus Galleus excudit*

Bibl.: Gieben, 1977, plate II/1

Il frontespizio manca nella prima edizione, e fu apposto nella seconda, inciso da un anonimo olandese, con l'aggiunta importante del nome del Galle, autore di tutta la serie. La composizione è una esemplificazione visiva delle virtù francescane.
Al frontespizio, nella seconda edizione, segue la pagina con la lettera dedicatoria, firmata dal padre Enrico Sedulius di Cleve, storico francescano, l'8 aprile 1587, indirizzata al padre Francesco di Tolosa, eletto Ministro Generale dell'Ordine proprio in quell'anno.

Nascita di San Francesco e Amore della povertà

I Stato:
Titolo in alto: *NATIVITAS ET PAU- / PERTATIS AMOR.*
In basso: *Francisco nato insidiantur daemones, cavent matrem / ac famulam Angeli. mendicat; leprosum osculatur; / capitur vestimenta incedenti sternuntur.*

II Stato:
Titolo in alto: *NATIVITAS ET PAU- / PERTATIS AMOR. 3.*
In basso: *Francisco nato infernus turbatur, angelus in peregrini specie infantulum complexans / daemonum insidias praedicit. Conforrm. fruct. 4. Capitur a Perusinis. Conform. fruc. 5. Qui - / dam Francisci sanctitatem praevidens, ei puero vestimentum sternit, osculatur lep - / rosum mox disparantem, Romae inter pauperes sedens mendicat. S. Bonaven. cap. 1.*
Bulino, mm. 160×241

Bibl.: Gieben, 1977, I/1, II/3

La scena raffigura l'episodio leggendario dell'angelo, vestito da pellegrino, che appare nella casa di San Francesco appena nato e predice alla madre il glorioso futuro del figlio.
Sulla destra gli spiriti demoniaci si allontanano dalle colline e dalle grotte di Assisi all'arrivo del Santo.
Altri avvenimenti della vita civile del Santo sono raffigurati sulla destra: questi è imprigionato nella torre a Perugia, dà il bacio al lebbroso, chiede l'elemosina sedendo insieme ad altri poveri.

Cambiamento di vita

I Stato
Titolo: *VITAE IN MELIUS / COMMUTATIO.*
In basso: *Franciscum crux alloquitur. equum et pannos / vendit. sacerdoti dat pecuniam. instaurat / Ecclesiam, à patre in cercerem conijcitur.*

II Stato
Titolo: *VITAE IN MELIUS / COMMUTATIO.*
In basso: *Franciscum Crucifixit imago alloquitur: equum et / pannos vendit, pecuniam offert Sacerdoti: reparat tres / Ecclesias: a patre in carcerem conijcitur. S. Bonav. cap. 2.*
Bulino, mm. 161×242

Bibl.: Gieden, 1977, I/2, II/4

Anche in questo caso, nel secondo stato è aggiunto il numero quattro in alto e modificata la *legenda* in basso per rendere più chiara e comprensibile l'identificazione delle scene.
Vi è raffigurato sulla sinistra San Francesco, ancora riccamente vestito, in ginocchio davanti al Crocifisso che gli ordina di restaurare la sua Chiesa: *Restaura Ecclesiam Meam*.
Sulla destra, in un paesaggio cittadino di case, piazze e chiese, sono le scenette del Santo che vende le sue vesti e il cavallo, dà il denaro ad un sacerdote; viene condotto in prigione dal padre e sullo sfondo, insieme ad alcuni compagni, restaura una chiesa.

Origine della famiglia francescana

I Stato
Titolo: *FRANCISCANAE FAMILIAE / ORIGO*
In basso: *Ordinis initia, à Deo Patre Christi intercessione approbata. apparatio / Christi in cucullione monachi. rebellis studiosus fit monachus. / canonem dat ordinis Christus. canonem é nubibus confirmat Christus. / Christi fit signifer. Sultanus & Episcopus fiunt monachi.*

II Stato
Titolo: *FRANCISCANAE FAMILIAE / ORIGO*
In basso: *Institum S. Francisci a Deo patre Christi intercessione impetratum, comprobatur. Confor. / fruc. 9. Christi signifer Franciscus crucis signo levato, visus est multos ad Christum perducere. / Cardinalis placent. Episcopus Erford. Rodolphus; Imperator Costantinop. reges multi ac princepes, sa- / crum institutum arripiunt. Confor. fruc. 8. Christus Francisco regulam praeformat, perditam reddit, / confirmatque: Apparet cuidam Christus cuculla indutus ordinis, et ad institutum exhortatur: Studi- / osus parisiensis sibi videtur a daemone abreptus damnari, nisi votum religionis quod fecerat reddat. Confor. fruc. 9.*
Bulino, mm. 157×237

Bibl.: Gieben, 1977, I/3, II/5

La scena raffigura al centro il Cristo, in abito francescano e senza i segni della passione, che appare a un laico per esortarlo ad entrare nell'Ordine: questi, che non riconosce l'abito, si fece cistercense e solo più tardi entrò nella famiglia francescana.
Tutt'intorno sono altri episodi connessi all'origine dell'Ordine: in alto Cristo impetra intercessioni dal Padre Eterno per l'istituzione dell'Ordine; San Francesco in cielo, porta una bandiera seguito da dodici seguaci; sulla sinistra Cristo conferma e suggerisce la regola francescana. Al centro, un giovane parigino dubbioso di entrare nell'Ordine, viene rapito da un diavolo, San Francesco porta la sua regola davanti al sultano, e sull'estrema sinistra il Santo ammonisce un vescovo che dorme a farsi francescano.
Nel secondo stato di questa stampa, si notano numerosi dettagli mutati: Cristo appare in piedi, entro una mandorla di luce, davanti al Padre Eterno, correzione necessaria perché in contrasto con l'affermazione della Chiesa dell'unicità della S. Trinità.
La bandiera che porta San Francesco in cielo è stata segnata con una croce, mentre nella prima edizione essa non recava alcun segno. Nella scena del Santo che entra nel palazzo del Sultano, invitato da Cristo, il Cristo e i personaggi orientali sono mutati in uomini coronati, perché, secondo le fonti, non fu il sultano a farsi frate, ma l'imperatore di Costantinopoli.

Sulla sinistra, accanto al prelato che dorme, è aggiunto un cappello cardinalizio per indicare una più importante carica ecclesiastica, sembra senza alcun particolare riferimento ad un personaggio storico, ma per nobilitare la storia dell'Ordine (cfr. GIEBEN, 1977, p. 48).

Tentazione del demonio

I Stato
In alto: *TENTATIO DAEMONIS, ET DI- / VINI SOLATII REFOCILLATIO*
In basso: *Franciscus in spinas decumbit a daemone tentatus. / pellit lustrali aqua daemonem. caeditur a / daemonibus. testudinis pulsu ab angelis reficitur. / è monte deturbatur. ab angelo pascitur.*

II Stato
In alto: *TENTATIO DAEMONIS, ET DI- / VINI SOLATII REFOCILLATIO*
In basso: *A diabulo tentatus libidine, nudum corpus spinis cruentat. Conform. fruc. 14. / Caeditur a daemonibus. S. Bona. cap. 6. Hostis eum conatur orantem de / monte Alvernae praecipitare. Confor. fruc. 7. Fide et constantia orationis / daemones fugat. S. Bona. cap. 10. Ab angelo inopinate pascitur. S. Bona. cap. 4. / Citharae suavissimo pulsu ab angelo infirmus recreatur. S. Bona. cap. 5.*
Bulino, mm. 155×238

Bibl.: GIEBEN, 1977, I/4, II/10

La tavola illustra esempi di tentazione del demonio. In basso appare un diavolo in sembianze semi-umane, e il Santo si getta nudo in un cespuglio di spine; alcuni diavoli lo picchiano mentre dorme; un altro diavolo tenta di spingerlo nell'abisso, episodio accaduto sul monte La Verna; il Santo allontana un diavolo gettandogli dell'acqua sotto un campanile di una chiesa; ed infine riceve il premio dei suoi sacrifici rifocillato da un angelo che lo sfama e consolato, mentre dorme, da un angelo musicante.
Quest'ultimo episodio si ritrova da solo nella coeva iconografia francescana, e sembra derivare dal libro del Ridolfi *Historiarum seraphicae religionis*, riedito nel 1586.
L'unica variante fra il primo e il secondo stato di questa tavola consiste nel fatto che San Francesco allontana il diavolo sotto l'arco del campanile prima con l'acqua santa, poi con un gesto perentorio e con *fide constantia orationis*, come afferma la *legenda*.

Dimostrazioni dell'umiltà dell'anima francescana

I Stato
In alto: *INSIGNIS HUMILITATI / ANIMI INDICIA.*
In basso: *Conculcatur Franciscus. audit cum agno / missam. fune veluti fur trahitur mendicat. / deijcit tegulas. cathedras in coelo videt.*

II Stato
In alto: *INSIGNIS HUMILITATI / ANIMI INDICIA.*
In basso: *Frater Berbardus iussus a S. patre, os et guttur Francisci pedibus cal- / cat. Conform. fruc. 8. Nudum se trahi fune mandat ad locum supplicij: / Eius humilitati videtur servari sede excelsior in coelis. S. Bona. cap. 6. / Aedificia fratrum sumptuosiora diruit: Ostiatium mendicat. S. Bona. cap. 7. / Ovicula Francisci, reverenter in Sac. altaris Christum adorat. S. Bona. cap. 8.*
Bulino, mm. 160×237

Bibl.: GIEBEN, 1977, I/5, II/7

La scena principale mostra padre Bernardo che calpesta il Santo dietro suo ordine; sulla destra è in preghiera con un agnello davanti a un prete che dice messa, probabile allusione al fatto che San Francesco non si sentì mai degno di farsi sacerdote; sulla sinistra l'episodio più noto della sua umiltà, e cioè quando si fa trascinare nudo con una corda al collo per una via cittadina fra la sorpresa dei passanti; chiede l'elemosina davanti alla sua casa, e distrugge il tetto di un convento troppo sontuoso.
In alto, premio di tanta umiltà, sono i seggi celesti che lo attendono: nella prima edizione tra i dodici seggi spiccavano due più grandi, puntualmente corretti in quella del 1587 con un solo seggio regale per San Francesco. Altra differenza fra le due edizioni è la scritta in alto che muta in genitivo *humilitati* e *inditia* in *indicia*, sottolineando così maggiormente il riferimento della virtù dell'umiltà a San Francesco.

Esempi di castità e verginità

I Stato
Titolo: *CASTIMONAE AC VIR- / GINITATIS EXEMPLA.*
In basso: *In Prunis decumbit. ostentat se nudum / & femoralia. volatatur in nive. familiam é / nive fingit. rosas & lilia hyeme carpit.*

II Stato
Titolo: *CASTIMONAE AC VIR- / GINITATIS EXEMPLA.*
In basso: *Illectus ad venerem in aula Frederici Imp. sanctus vir scortum vocat ad se igne iacen- / tem. Conform. fruc. 10. A daemone tentatus ab libidinem, nudum se in nivem mergit, ex / qua, hostem subsannans, fingit uxorem, liberos et ancillas. S. Bona. cap. 5. Coram Epis- / copo exhaeres, nudus etiam vestes patri cedit. S. Bona. cap. 2. Franciscus castitatis / aexemplar mense Inanuario rosas natas divinitus legit. Conform. fruct. 14.*
Bulino, mm. 154×238

Bibl.: GIEBEN, 1977, I/6, II/9

Il più celebre esempio della castità del Santo è raffigurato in primo piano: San Francesco invita una donna tentatrice a raggiungerlo su un letto di carboni accesi. Sullo sfondo, un altro episodio di tentazione, cioè quando, gettatosi nudo sulla neve per sfuggire un diavolo, indica i pupazzi di neve di una donna, due ancelle e quattro bambini come componenti della sua famiglia per burlare il diavolo.
Mentre il primo esempio documenta la tentazione della lussuria, il secondo attesta quello della famiglia e dei figli. In alto, su una collina, a riprova della purezza, il Santo raccoglie in pieno inverno rose fiorite; ed infine sulla sinistra, egli offre gli abiti del padre al vescovo. Nell'esemplare di primo stato, il Santo porge al vescovo calzoni, mentre nel secondo sono genericamente vesti; altra variante è la copertura con due sassi del numero 6, distintiva dell'ordine delle tavole nella prima serie sotto il piede del Santo, perché per l'aggiunta di altre tavole nella seconda edizione la numerazione progressiva era mutata.

Religiosa innocenza e semplicità

I Stato
Titolo: *RELIGIOSA INNOCEN- / TIA, AC SIMPLISITAS*
In basso: *Franciscus Massaeum iubet se in orbem circumagere. / nudum monachum ablegat nudusque sequitur. / Damnatum a Francisco Monachum infernus deh(i)scit. / cellam eius incendium populatur.*

II Stato
Titolo: *RELIGIOSA INNOCEN- / TIA, AC SIMPLICITAS.*
In basso: *S. Franciscus iubet fratrem Massaeum se circumagitare; ut vitam quam tenere debebat di- / vinitus agnosceret: Fratrem Rufinum ad praedicandum nudum ablegat, cuis rigidi manda- / ti poenitens, et ipse nudus sequitur. Confor. fruc. 8. Videntur duo fratres proprietarij assidente christo cum / B. virgine Maria, a S. patre damnati cum mulis et libris a terra absorberi. Confor. fruc. 9. Contem- / lans naturam ignis, referentis operationem Dei, qui est ignis, referentis operationem Dei, qui est ignis consumens, incendium non restinguit. Specu. vitae B. Franc.*
Bulino, mm. 160×239

Bibl.: GIEBEN, 1977, I/8, II/8

Al centro, San Francesco ordina a frate Masseo di girare su se stesso, per stabilire quale direzione prendere per predicare. Entrambi hanno il capo coperto dal cappuccio.
Sulla sinistra, il Santo spedisce frate Ruffino nudo a predicare, e poi lo segue dopo essersi denudato anch'esso; sulla destra nell'interno di una chiesa gotica, Cristo, seduto fra San Francesco e la Madonna, fa giustizia e condanna due frati, che sprofondano con un mulo carico di libri in un baratro; infine San Francesco medita davanti ad un fuoco, che dei frati non riescono ad estinguere, sulla natura inestinguibile dell'operato divino.
Nell'esemplare di secondo stato si è cancellato

il numero 8 in basso con l'aggiunta di sassolini, e, differenza più notevole, i due frati nudi nella prima serie, sono coperti da un perizoma, in accordo con le direttive date dalla Chiesa dopo il Concilio di Trento contro l'abuso di nudità nelle raffigurazioni religiose.

Immenso ardore e devozione a Dio

I Stato
In alto: *INGENS RELIGIOSI AC DEO / DEVOTI ANIMI ARDOR.*
In basso: *Rustici contactu manum adurit. / B. Clarae colloquio friutur. Jesum / osculatur infantulum transfigurartur.*

II Stato
In alto: *INGENS RELIGIOSI AC DEO / DEVOTI ANIMI ARDOR.*
In basso: *Sanctus vir orans manibus in crucis modum expassis (sic), nubecula subvehi- / tur in aerem. Puerum Iesum ulnis suis amplexatur. S. Bonaven. cap. 10. Sancto Francisco cum S. Clara ad mensam divino colloquio et amore / raptis in ecstasin, monasterium Portiunculae conflagrare videtur. Conform. fruc. 15. / Algentem rusticum Franciscus suae manus attactu vehementer calefacit. S. Bona. cap. 13.*
Bulino, nn. 158×238

Bibl.: Gieben, 1977, I/9, II/11

La fiamma dell'ardore divino del Santo è rappresentata realisticamente nell'incontro con un contadino - il Santo cavalca un asinello -: nella stretta di mano fra i due, si sprigiona visivamente una fiamma dalla mano del Santo, che meraviglia il povero contadino.
Sulla destra, un convito di Santa Chiara e San Francesco in una chiesetta sprigiona un tale fascio luminoso, da ingannare la gente e farla accorrere a spegnere un incendio. Sulla sinistra, San Francesco riceve dalla Vergine il Bambino e in alto il Santo prega in piedi, in una mandorla di luce, con le mani giunte sopra la testa nel primo stato, e con le braccia aperte nel secondo.

Esempi di grande santità

In alto: *SUMMAE SANCTIMO- / NIAE PARADIGMATA.*
In basso: *Palpantur a Christo eius vulnera. in / crucis simulacrum se extendit. a Petro / & Paulo apostolis salutatur. Vox e / coelo Francisco commendat.*

Bibl.: Gieben, 1977, I/10

Le scene rappresentate in questa tavola sono assai inconsuete nell'iconografia francescana ed al limite dell'ortodosso, al punto che Sedulius ritenne opportuno eliminare la tavola 10 dall'edizione di Anversa del 1587.
San Francesco appare infatti seduto davanti a Cristo, che, come San Tommaso incredulo, verifica le sue stigmate: questa assimilazione con le storie cristologiche, tipica dell'iconografia francescana della Controriforma, sembra spinta all'eccesso. Ugualmente San Francesco che appare crocifisso in faccia al Cristo, è un tema assai inconsueto e non troppo attendibile.
Le altre due scenette invece, l'incontro con San Pietro e Paolo, e San Francesco in preghiera cui appare un drappo con la scritta: *hic est gratia Dei*, verranno riproposte nella nuova tavola della seconda edizione n. 15.

Origine delle stigmate e esempi di santità

II Stato
In alto: *STIGMATUM ORIGO, SUMMAEQUE / SANCTIMONIAE PARADIGMATA.*
In basso: *Christus crucifixus in specie Seraph suis manibus B. Francisco / sacra stigmata imprimit Conform. fruc. 31 frater leo videt e coelo chartam gratia / Dei incriptam super franciscum descendere. Romae Sancti Apostili / Petrus et Paulus, franciscum orantem amplexantur. Confor. fruc. 8.*

Bibl.: Gieben, 1977, II/15

La tavola è quella posta in sostituzione della precedente nella seconda edizione. Torna l'episodio dell'incontro coi SS. Pietro e Paolo e di San Francesco orante in ginocchio.
Al centro vi è raffigurata una stimmatizzazione piuttosto insolita dal punto di vista iconografico: il Santo è in piedi, con la mano nella mano del Cristo, che gli appare a grandezza naturale crocifisso con le ali di cherubino.
Il motivo della scelta di questa raffigurazione inconsueta è da vedere nel fatto che una stimmatizzazione era già presente nella tavola n. 15 della serie e non poteva essere ripetuta.

La sua ammirevole energia

II Stato
In alto: *ADMIRANDA / EIUS ENERGIA*
In basso: *S. Franciscus visus est aurea cruce ex ore radiante fugasse horrendum draconem / Assisium circumdantem: Lateranensem item Basilicam iam ruituram, dorso sub- / misso sustentasse. S. Bona. cap. 3. Aves neque adventu neque tactu innocentis viri fugantur. / S. Bona. cap. 8. Sed potius auscultant divinas laudes praedicantem. S. Bona. cap. 12. In lacu Re- / atino oblatum magnum piscem reposuit sua praesentia mirabiliter gestientem. S. Bona. cap. 8.*
Bulino, mm. 160×243

Bibl.: Gieben, 1977, II/12

Nella serie del Museo Francescano manca questa tavola nell'esemplare di primo stato (n. 7) ma possiamo ricostruire le differenze fra i due stati in base ad un confronto con la copia edita dal Capranica. Al centro, San Francesco in una barca parla ai pesci con riferimento ad un miracolo avvenuto nel lago di Rieti; sullo sfondo parla agli uccelli, raffigurati in varie specie.
Sulla sinistra, il papa Innocenzo III sogna che San Francesco sorregga con le spalle la Basilica Lateranense che crolla; e un vescovo sogna anch'esso che il Santo salva la città di Assisi da un serpente. Nel secondo stato, per maggiore aderenze con la leggenda francescana, vengono cancellati gli altri pesci e rimane solo quello che il Santo aveva rimesso dentro il lago; e nella scena del sogno del vescovo, viene aggiunta una croce che esce dalla bocca del Santo, con cui scaccia il serpente.
La raffigurazione della predica ai pesci è chiaramente un errore, perché l'episodio si riferisce a Sant'Antonio da Padova e non a San Francesco: così nella seconda edizione Sedulius ricorre al rimedio cancellando la maggior parte dei pesci.

Imitazione di Cristo nei miracoli

II Stato
In alto: *CHRISTI MIRACULORUM / IMITATIO.*
In basso: *Christi imitator Franciscus signo crucis commutat aquam in vinum. S. Bo- / naven. cap. 5. Aquam quoque de petra producit. S. Bona. cap. 7. In Generali Capitulo / Assisij amplius quinque millia fratrum mirifice pascit. S. Bona. cap. 4. Asino vectus honorificentis- / sime obvijs populis excipitur. S. Bona. cap. 10. Sub mortem cum fratribus coenam cele- / brat. Confor. fruc. 29. Francisci anima complures ex purgatorio liberat. Conform. fruct. 33.*
Bulino, mm. 160×242

Bibl.: Gieben, 1977, II/13

Come per la tavola n. 7, anche questa manca (n. 11) nell'esemplare di primo stato conservato al Museo Francescano, e viene presentato solo nell'edizione del 1587.
Tutta la tavola è imperniata su un tema molto diffuso della iconografia francescana della Controriforma, e cioè l'imitazione o l'identificazione fra Cristo e San Francesco.
In alto a destra, il Santo sfama un'innumerevole folla di frati; in primo piano, accanto ad un fosso, converte l'acqua in vino; fa scaturire acqua da una pietra (miracolo piuttosto di Mosè e non di Cristo); libera le anime del Purgatorio; entra in città cavalcando un asinello acclamato dal popolo; poco prima di morire fa una cena con i suoi dodici frati - numero emblematico - entro una casa, ed una donna gli viene a lavare e baciare i piedi, come Maddalena.
Quest'ultimo particolare è stato eraso nella seconda edizione, perché non corrisponde al alcuna storia relativa alla vita del Santo.

Morte del Santo

I Stato
In alto: *OBITUS ATQUE AD CAE- / LITIS EMIGRATIO.*
In basso: *Moriens duobus monachis bene dicit. / Igneo curru coelos petit moriens / monachus Franciscum invocat. à Christ(o) / & Maria praesentatur Deo Patri.*

II Stato
IN alto: *OBITUS ATQUE AD COE- / LITIS EMIGRATIO.*
In basso: *S. Franciscus iam moriturus nudum se preijcit in terram: omnibus fratribus / et praesentibus et absentibus in virtute crucifixi cancellatis brachijs benedicit. Qui- / dam frater videt animam eius sub specie stelle fulgentis ferri in coelum. Ministri / cuiusdam anima una cum S. patre superos evolat. S. Bona. cap. 14. A Christo eiusque / matre, et sanctor(um) multitudine honorifice anima S. Fran(isci) accipitur. Conform. fruc. 36.*
Bulino, mm. 159×238

Bibl.: Gieben, 1977, I/12, II/17

La scena è dominata sulla destra da San Francesco nudo a terra, nel momento di esalare l'ultimo respiro, contorniato da frati e da angeli, mentre l'*animula*, uscendo dalla sua bocca fugge verso il cielo, secondo un'iconografia medievale.
Sulla sinistra, nel primo stato appare il Santo su un carro di fuoco avviarsi trionfalmente verso il cielo, dove, seguito da un corteo di frati, Cristo e la Vergine lo presentano a Dio Padre. Dal momento che la scena del Santo sul carro di fuoco era stata argomento della nuova tavola 6 della seconda serie, viene erasa nella edizione del 1587 la parte sinistra, e sostituita con l'*animula* di San Francesco sotto forma di stella luminosa, che sale al cielo. Il numero in basso viene stravolto al solito con dei sassolini.

Trasfigurazione dell'uomo di Dio

In alto: *STUPENDA VIRI DEI / TRANSIGURATIO.*
In basso: *S. Franciscus media nocte fratribus in globo lucidissimo apparet super / currum igneum: S. Clara cum multis virginib. institutum sibi a B. viro / praescriptum amplectitur. S. Ludovicus Rex franciae, S. Elizabeth / Regina Ungariae, multique alij clerici et laici, tum coniugati tum soluti / sexus ultriusque, tertiam regulam S. Francisci assumentes, currum et / aurigam suum securissime sectantur. S. Bonav. cap. 4. et Conform. fruc. 8.*
Bulino, mm. 160×237

Bibl.: Gieben, 1977, II/7

La scena, divisa come in un trittico, ripropone un soggetto di iconografia francescana medievale, che ritroviamo anche in Giotto: il Santo trasportato in cielo dal carro di fuoco, in analogia con il profeta Elia.
In basso, ad osservarlo, sono i rappresentanti dei tre Ordini francescani, con S. Chiara e le Clarisse a destra, il terzo Ordine con S. Ludovico di Tolosa e S. Elisabetta d'Ungheria sulla sinistra. Questa tavola fu aggiunta ex novo nella seconda edizione del 1587 perché l'episodio era stato cancellato nella tavola 12 della prima edizione: essa presenta una resa grafica più dura e metallica rispetto alle tavole di Philip Galle.

Il Perdono dei peccati garantito dal merito del Santo

I Stato
In alto: *VENIA CRIMINUM MERITO / FRANCISCI INDULTA.*
In basso: *Pronus a Chr(isto), Maria, Angelis indulgen- / tiarum confirmationem nanciscitur. miraculose / aliquot conteptorum poenis caedam approbantur.*

II Stato
In alto: *VENIA CRIMINUM MERITO / FRANCISCI INDULTA.*
In basso: *S. pater animarum salutem sitiens interveniente b. Vergine madre Maria, a Christo obtinet admirandas / Portiuncolae indulgentias: daemoniati ingressu Ecclesiae liberantur beata Maria visa est cum magno lu- / mine ad ecclesiam descendere gestans filium benedicentem populo: Mulier quaedam postquam indulgentias meru- / isset, statim a morte salvatur: mirando hirundinis ad cuisdam subdubitantis manum, indulgentiarum / veritas demonstratur. Sacerdos indulgentijs istis detrahens subito concidit mortuus. Conform. fruc. 14.*
Bulino, mm. 159×238

Bibl.: Gieben, 1977, I/13, II/14

La tavola illustra la famosa indulgenza della Porziuncola, altresì definita il Perdono di Assisi, che il Barocci aveva sviluppato in un'iconografia totalmente diversa.
Nella nostra stampa San Francesco, prono a terra, invoca da Cristo, accompagnato dalla Vergine e da Angeli, il perdono e Cristo acconsente benedicendolo. Nella parte di sinistra sono raffigurati episodi miracolosi inerenti questa indulgenza: il Santo invita alcuni pellegrini ad andare nella chiesetta della Porziuncola, un prete è prostrato a terra, un uomo, accompagnato da una donna, apre la mano ad accogliere una rondine, una donna malata a letto è assistita da angeli.
Nella seconda edizione, Sedulius fa cancellare l'aureola dal capo del Santo sulla sinistra per cui appare un semplice frate che invita i pellegrini a recarsi nel Santuario. In basso è stravolto con sassolini il numero della tavola.

Simboli del Vecchio Testamento riguardanti San Francesco

In alto: *TIPI VETERIS INSTRU- / MENTI IN FRANCISCUM*
In basso: *Aeneus serpens veteris testamenti in / Franciscum. creatio hominis figura Francisci. / Sacerdos ordinem Francisci ambit.*
Bulino, mm. 159×240

Bibl.: Gieben, 1977, I/14

La scene raffigurate in questa tavola sembrarono senza dubbio troppo spinte da un punto di vista teologico a padre Sedulius, che eliminò la tavola nella edizione di Anversa del 1587.
Le scene presentano una anomala identificazione di Francesco con Adamo: sulla destra il Padre Eterno entro una mandorla, crea Adamo-Francesco, e alla sinistra dal suo costato crea Eva. Padre Gieben (p. 57) ha ricostruito l'origine di questa eccezionale iconografia in Honophrius Manescal: Eva rappresenta qui simbolicamente l'Ordine francescano, che ebbe origine da San Francesco, e gli oggetti che reca in mano ed offre al Padre Eterno rappresentano i voti religiosi dei tre ordini: la sacca per le monete la povertà, un incensiere la castità, il pettine l'obbedienza. Seguendo una composizione poetica di Bartolomeo Cayrasco de Figueroa, canonico e poeta spagnolo del XVI secolo, si può arrivare ad una interpretazione in chiave simbolica di Eva come Santa Chiara (cfr. Gieben, 1977, p. 58-59).
Nella stampa sulla sinistra, appare il Santo che invita un prete ad entrare nell'Ordine francescano: dal momento che la composizione deriva dal Vecchio Testamento, si può ipotizzare che il personaggio sia un ebreo, ma il significato appare comunque assai oscuro.
Nel fondo, il Santo difronte al serpente di bronzo. L'incisione appare come una delle più complesse e discutibili dal punto di vista teologico-iconografico ed è comprensibile che sia stata eliminata nell'edizione di Anversa che doveva avere diffusione in una regione dominata dal protestantesimo.

Le stigmate

I Stato
STIGMATUM CHRISTI IN FRAN- / CISCI CORPORE ORIGO.
Christo adiutor a Deo destinatur. / stigmatitur. Stigmatum risores / diversis modis puniuntur.

II Stato
STIGMATUM IN CORPORE S. / FRANCISCI DEMONSTRATIO.
S. Franciscus a Christo insignitus, in manibus ac pedibus clavos accepit fixos in medio vulnerum / saepius cruorem emittentium: in latere autem vulnus quasi lancea confossum. S. Bona. cap. 13. et Confor. / fruc. 31. Gregor. Papa IX. nonnihil addubitans accipit phialam plenam sanguine, qui de vulnere / lateris eius scaturivit. Alius quidam dum subdubitat, in manu sinistra, intacta chiro- / theca gravissime vulneratur. S. Bonaven. cap. 15. Frater quidam ex olio delens imaginem / S. Francisci stigmata referentem, concidit semimortuus sanguine

ex illis stigmat(ibus) copiosissime defluente. Conf. fr. 31.
Bulino, mm. 159×238

Bibl.: GIEBEN, 1977, I/15, II/16

L'immagine più consueta della stimmatizzazione del Santo riempie la tavola, alla presenza del frate Leone sulla sinistra intento a leggere. In alto, Cristo, inginocchiato davanti al Padre Eterno, impetra grazie per San Francesco; a sinistra, entro il cortile di un convento, un episodio miracoloso dell'immagine stimmatizzata del Santo che versa sangue alle provocazioni di un frate incredulo, e fuori del convento un altro miracolo di un uomo ferito nella mano sinistra per non aver creduto all'evento.
Nell'esemplare di secondo stato, l'intera metà di destra dell'incisione è stata cancellata - si scorgono ancora le tracce - e incisa in un nuovo modo. Dal momento che una tavola con le stimmate era già stata inserita nella nuova serie (n. 15), viene qui proposta l'immagine del Santo in piedi che mostra le ferite - la vera scena di stimmatizzazione, in armonia con il titolo della tavola, è incisa in formato più piccolo al centro -. Sulla sinistra, al posto di fra' Leone, è rappresentata la scena del Santo che riempie un calice di sangue sgorgato dalle sue ferite da spedire a Gregorio IX incredulo.
In alto viene cancellata la scena del Cristo e del Padre Eterno, perché non è corretto teologicamente che il figlio si inginocchi davanti al Padre, come già riscontrato nella tavola 3 della prima serie e 5 della seconda.

Catalogo dei miracoli

I Stato
MIRACVLORVM / CATALOGVS
Stipitem plantat. expellit daemonem. carnem / in piscem convertit. maledicit sui. mortuum / excitat. lupum convertit. coniurat cauterium.

II Stato
MIRACVLORVM / CATALOGVS
S. Franciscus quondam Senis plantavit suum baculum, qui sequenti die in virentem arborem / excrevit. Confor. fruc. 13. (B) Eugubij rapacissimum lupum cicurat: (C) iro eius honore frustum capi in / piscem convertitur. Confor. fruc. 10. (D) Ferrum candens. S. Francisci carnem non urit. S. Bona. cap. 5. (E) Ut sut agnum devoranti maledixit, ea mox moritur. S. Bona. cap. 8. (F) Demones expellit virtute obedientiae / S. Bona. cap. 12. (G) Post mortem suam mortuos multos resuscitat S. Bona. cap. 15. in miraculis.
Bulino, mm. 160×242

Bibl.: GIEBEN, 1977, I/16, II/19

La scena raffigura alcuni miracoli del Santo: in primo piano, egli pianta un bastone, sotto lo sguardo attonito di un frate, da cui nascerà un albero; scaccia un demonio da una donna, compiendo l'esorcismo con un pezzo di pane benedetto, particolare modificato nel secondo stato con un solo gesto della mano; muta in pesce una coscia di pollo di un pellegrino; doma il lupo di Gubbio; uccide con una maledizione un cinghiale che azzanna un agnello; resuscita i morti apparendo dall'alto del cielo.

Ritrovamento del corpo del santo

Scritte: *PERMIRA FVNERIS S. FRAN- / CISCI CONSTITVTIO.*
Nicolaus Papa V. anno 1449. ingressus crijptam ubi S. Francisci corpus / conditum est, Nicolaus Papa V. anno 1449. ingressus crijptam ubi S. Francisci corpus / conditum est, vidit sacrum funus erectum stare, oculis elevatis in / coelum; vulneraque pedum ac manuum, quae Pont(ifex) exosculabatur, recentem / stillare sanguinem: capsas quoque habentes corpora sociorum eius eti- / amnum incorrupta. Petrus Toscianem lib. 3 hist. Seraph. fol. 248.
Bulino, mm. 161×238

Bibl.: GIEBEN, 1977, II/18

Questa è un'altra tavola aggiunta nella seconda edizione subito dopo quella con la morte di San Francesco: essa raffigura l'episodio leggendario in cui il Papa Nicolò V nell'anno 1449 scese nella cripta della chiesa di Assisi e trovò il corpo del Santo in piedi, intatto, e si chinò a sollevare il lembo della veste per verificare le stimmate.
Questa iconografia ebbe una certa diffusione nel corso del XVII secolo: il dipinto più celebre di questo soggetto si deve a Laurent de La Hyre nel Museo del Louvre (cfr. Mâle, 1932, p. 102).
Esso deriva dalla lettera di Francis Baucius, duca d'Andria (cf. C. SUYSKENS *De statu situque corporis S. Francisci, deque alii ejusdem Sancti reliquis* 1767, in "Acta Sanctorum" oct. II, pp. 933-941) pubblicata anche da Pietro Ridolfi da Tossignano nella sua *Historia Seraphica*.

Santi francescani

In alto: *INSTITUTI SERAPHICI CE- / LEBERRIMI SECTATORES*
S. Barnardin 20 Maij - S. Bonaventurae 14 Julij - S. Francisci 4 Octob - S. Antonij 13 Junij - S. Luduici 19 Augus - S. Clarae 12 Augus
S.D. Sixtus Papa V. concessit omnib(us) fidelibus, qui vere poenitentes, et confessi, ac sanctis- / sima communione refecti; diebus festis Sanctorum instituti Seraphici suprapositorum; / Ecclesia fratrum minorum, a primis vesperis usque ad occasum solis eorundem dierum, sin- / gulis annis devote visitaverint, et ubi pro Christianorum Principumconcordia, / haeresum extirpatione, pias ad Deum preces effu- / derint: plenarium (sic) omniumpeccatorum indulgentiam, perpetuis temporibus valitarum. Bulla Sixti V.
Bulino, mm. 159×238

Bibl.: GIEBEN, 1977, II/20

Questa tavola è stata aggiunta nella seconda edizione del 1587, e presenta i Santi francescani, caratterizzati dai loro attributi; da sinistra San Bernardino, San Bonaventura da Bagnoregio, San Francesco, Sant'Antonio da Padova, San Ludovico da Tolosa, Santa Chiara d'Assisi.

Cesare Capranica (fine XVI secolo) e **Carlo Losi** (XVIII secolo) editori

116.
Vita di San Francesco

Roma, Gabinetto Nazionale delle Stampe, inv. FC 123805-123821
Serie di 17 tavole più il frontespizio, incise a bulino, mm. 234×283

Bibl.: GIEBEN, 1977, pp. 63-64

La fortuna della serie delle incisioni raffiguranti la vita di San Francesco di Philip Galle, è documentata inizialmente da questa copia, eseguita a Roma alla fine del XVI secolo, e edita da Cesare Capranica e Giovanni Antonio De Paolis, come è segnato nella quinta tavola.
L'edizione che presentiamo è di secondo stato e reca sopra il nome cancellato dei primi editori, la firma di Carlo Losi che la ripubblicò nel 1773.
La serie consta di 18 tavole, più un frontespizio con la dedica al cardinal Alessandro Peretti Montalto, nipote di Sisto V, eretto Cardinale nel 1585: dal momento che nell'incisione viene citato come Vice cancelliere della Chiesa romana, carica che ebbe nel 1589, le stampe andranno datate all'incirca in quel periodo.
È interessante notare che le incisioni copiano quasi sempre l'esemplare di primo stato del Galle, compresi quegli errori che padre Sedulius aveva ritenuto necessari correggere nell'edizione del 1587. Ciò non toglie che il Capranica o l'anonimo copiatore conoscessero l'esemplare di secondo stato: infatti la serie copiata comprende la prima e l'ultima tavola con San Francesco e le virtù e i Santi Francescani anche se con molte varianti; tutte le scritte, tanto nei titoli che nelle *legendae* ricopiano quelle apposte nel secondo stato, con l'aggiunta della traduzione in italiano. Vengono eliminate le tavole più discusse e inaccettabili da un punto di vista di ortodossia religiosa, cioè gli *Esempi di Gran Santità* (I/10) e la *Simbologia francescana* tratta dal vecchio Testamento (I/14).
Solo la tavola con la *Morte di San Francesco* riprende la versione corretta, con l'eliminazione

cioè di San Francesco portato in cielo sul carro di fuoco, fatta da Sedulius.
Questi però ne aveva fatto tema di un'altra tavola, che viene eliminata anch'essa insieme a tutte le altre introdotte nell'edizione del 1587.
Nel caso delle *Stigmate*, Capranica copia fedelmente la prima versione con gli errori (I/15), e ripropone una seconda versione dello stesso soggetto introdotta da Sedulius (II/15), cadendo così in una ripetizione che il padre anversese aveva voluto evitare. Ciò dimostra in fondo quanti pochi scrupoli morali e teologici avesse l'editore romano, in confronto a quello fiammingo (cfr. GIEBEN, 1977, p. 64).
Le differenze apportate in questa seconda edizione sono la eliminazione delle cornici, e l'aggiunta della traduzione in italiano del testo della *legenda* in basso, il che attesta una diffusione più popolare di questo testo.
Alcuni disegni utilizzati dal Capranica, copie delle incisioni del Galle, sono conservati all'Albertina di Vienna (cfr. BENESCH, 1928, p. 43, nn. 15-20), come gentilmente mi segnala padre Gieben, con un'attribuzione a Martin de Vos.

1) Frontespizio con dedica al cardinal Alessandro Peretti Montalto
Inv. FC 123820

2) D. SERAPHICI FRANCISCI / TOTIUS / EVANGELICAE PER / FECTIONIS EXEMPLARIS / ADMIRANDA HISTORIA 1 e altre scritte
In basso: *Romae apud Carolum losi*
inv. FC 123821
La tavola copia la prima scena della seconda edizione del Galle (II/1) con numerose varianti ma con le stesse scritte poste sotto le allegorie, che omettiamo per brevità. Le differenze consistono innanzi tutto nella cornice laterale a festoni, di gusto manieristico italiano, nella posizione delle quattro allegorie delle virtù francescane ai lati, pur essendo caratterizzate dagli stessi attributi; e al centro nell'ovale, il Santo regge un crocifisso più grande spostato a sinistra, mancano i due angeli in volo e il paesaggio con gli animali sullo sfondo è molto diverso nelle due stampe.

3) NATIVITAS ET PAU- / PERTATIS AMOR
inv. FC 123816
Copia della prima tavola (I/1) della prima edizione di Philip Galle.

4) VITAE IN MELIUS / COMMUTATIO
Copia della seconda tavola (I/2) della prima edizione del Galle.

5) FRANCISCANAE FAMI / LIAE ORIGO
I Stato: in basso *caesar Capranica et Ian: Ant. de Paulis formis*
II Stato: in basso *In Roma presso carlo Losi 1773*
inv. FC 123810
Copia della terza tavola (I/3) della prima serie. Non vi sono infatti riportati i cambiamenti apportati da Sedulius nella edizione del 1587 di Anversa.
Questa tavola porta, in basso a destra entro un cartiglio, il nome dell'editore: Carlo Capranica e Giovanni Antonio de Paolis, attivi a Roma tra la fine del '500 e l'inizio del '600, nel primo stato, e Carlo Losi nel secondo datato 1773.

6) TENTATIO DAEMONIS, ET DIVINI / SOLATII REFOCILLATIO
inv. FC 123815
Copia della quarta tavola (I/4) della prima serie del Galle.

7) INSIGNIS HUMILITATIS / ANIMI INDICIA
inv. FC 123819
Copia della quinta tavola (I/5) della prima serie del Galle, senza le varianti apposte nei seggi celesti in alto.

8) CASTIMONIAE AC VIRGINI / TATIS EXEMPLA
inv. FC 123809
Copia della sesta tavola (I/6) della prima serie del Galle.

9) ADMIRANDA / EIUS ENERGIA
inv. FC 123813
Copia della settima tavola (I/7) della prima serie.

10) RELIGIOSA INNOCEN / TIA AC SIMPLICITAS
inv. FC 123805
Copia della tavola ottava (I/8) della prima serie.

11) INGENS RELIGIOSI AC DEO / DEVOTI ANIMI ARDOR
inv. FC 123245
Copia della tavola nona (I/9) della prima serie.

12) CHRISTI MIRACULORUM / IMITATIO
inv. FC 123814
Copia della tavola undicesima (I/11) della prima edizione.

13) OBITUS ATQUAE AD COELI / TIS EMIGRATIO
inv. FC 123817
È interessante sottolineare, che questa incisione non copia la tavola dodicesima della prima serie, ma la corrispondente (I/12, II/17) della seconda edizione del 1587, riportandovi cioè sulla sinistra l'eliminazione apportata da Sedulius del particolare con S. Francesco portato in cielo da un carro di fuoco.

14) VENIA CRIMINUM MERITO / FRANCISCI INDULTA
inv. FC 123811
Copia della tavola tredicesima (I/13) della prima edizione.

15) MIRACULORUM / CATALOGUS
inv. FC 123812
Copia della tavola sedicesima (I/16) della prima serie.

16) STIGMATUM ORIGO, SUMMAEQUE / SANCTIMONIAE PARADIGMATA
inv. FC 123807
Copia della tavola quindicesima (II/15) della seconda edizione, posta a sostituire la inaccettabile iconografia della tavola degli *Esempi di Santità* della prima edizione (I/10).

17) STIGMATUM IN CORPORE. S. / FRANCISCI DEMONSTRATIO
inv. FC 123806
Copia della tavola quindicesima della prima serie (I/15) con il titolo però apposto nella seconda edizione, dove venivano apportate numerose varianti. Riprendendo questa tavola l'incisore mostra di essere a conoscenza di entrambi gli stati, ma di non aver compreso a fondo la motivazione delle varianti apposte da Sedulius.

18) INSTITUTI SERAPHICI / CELEBERRIMI SECTATORES
Roma, G.N.S., inv. FC 123808
Copia dell'ultima tavola della seconda edizione (II/20), mancante nella prima, con numerose varianti: i Santi francescani sono disposti in diverso ordine, hanno atteggiamenti differenti in particolare S. Francesco, con una mano al petto e l'altra a sorreggere una croce, e Sant'Antonio che invece dell'asinello ha per attributo il Bambino Gesù in braccio e infine è stata aggiunta in secondo piano un'altra fila di Santi francescani, tra cui sono riconoscibili San Luigi re di Francia e San Didaco.

Giacomo Franco
Venezia 1550-1620

117.
Storia della vita di San Francesco

Roma, Museo Francescano, inv. V BA 1
Serie di 9 incisioni a bulino, mm. 202×139

1) Nascita di San Francesco
2) Visione del Crocifisso e decisione di mutar vita
3) Origine della famiglia francescana
4) Tentazione e Castità di San Francesco
5) Umiltà di un'anima eccezionale
6) Tentazione del diavolo
7) Meravigliosa energia di San Francesco
8) Le Stigmate
9) Ultima Comunione di San Francesco

La 2ª tavola è firmata in basso a destra: *Franco f.*; la tavola 9ª ha la seguente scritta in margine:
Lugete ò Frates: nostri pius Ordinis auctor Franciscus moritur, celso victurus olympo.
Tutte le tavole sono numerate in alto nella cornice.

Bibl.: GIEBEN, 1977, p. 67

Le nove tavole illustrano, a piena pagina, la *Vita del Serafico S. Francesco*, scritta da S. Bonaventura, tradotta in volgare, edita in Venezia presso gli eredi di Simon Galignani nel 1593, e in edizioni successive nel 1598 e nel 1609.
Per quest'opera il veneziano Giacomo Franco, allievo di Agostino Carracci, eseguì le incisioni a bulino: le prime sei sono copie in controparte, con numerose varianti, da alcune tavole della prima serie di Philip Galle della *Vita di San Francesco* e sono da inquadrare perciò nella 'fortuna' critica avuta dal testo pubblicato in Anversa.
Le ultime due tavole, le Stimmate e la Comu-

nione si discostano invece dalla serie del Galle: la nona tavola in particolare, è copiata dall'incisione di Anton Wierix (M. Manquoy-Hendrickx, *Les Estampes des Wierix*, Bruxelles 1979, cat. 1144) di analogo soggetto, che nel secondo stato reca il nome dell'inventore della composizione: Camillo Procaccini, artista di formazione bolognese come il Franco.

Non è da escludere perciò che Giacomo Franco abbia potuto conoscere il prototipo, disegno o dipinto, del Procaccini piuttosto che copiare l'incisione del Wierix.

Secondo il Gieben, l'incisore è stato in contatto con l'ambiente dei Cappuccini, perché il cappuccio dell'abito dei frati raffigurati nelle nostre tavole è a punta e non rotondo.

Domenico Falcini (attivo prima metà del XVII secolo) e **Raffaello Schiaminossi** (Borgo San Sepolcro 1570-dopo 1620)
da **Iacopo Ligozzi** (Verona 1547-Firenze 1627)

118.
Descrizione del Sacro Monte della Vernia

Nell'anno 1612 fra Lino Moroni curò la pubblicazione di questo testo, che illustrava minuziosamente i luoghi sacri francescani intorno al monte La Verna, con una serie di ventitrè incisioni. Il volume si apre con una dedica di fra Moroni a frate Arcangelo da Messina, generale dei Minori Osservanti, dove l'autore afferma di aver accompagnato egli stesso il pittore Iacopo Ligozzi nell'anno 1607 nel santuario di La Verna, per fargli riprendere direttamente dal vero i soggetti tradotti poi in rame.
Autori delle incisioni dai disegni del Ligozzi furono Domenico Falcini, un artista poco noto attivo a Firenze nella prima metà del secolo XVII che segnò il suo nome nel frontespizio e che realizzò a bulino le tavole B, D, E, F, G, H, I, K, L, M, O, Q, R, S non contrassegnate da nessun nominativo. A questo mediocre incisore veniva sinora attribuita la paternità di tutta l'opera, ma le tavole A, C, N, P, V, X e Y, chiaramente realizzate all'acquaforte con ritocchi a bulino, recano in basso un monogramma che va interpretato come *RAF.S.F.*, e cioè *Raffaello Schiaminossi fecit*. Lo stile dei fogli inoltre, e la resa grafica larga e fortemente contrastata, ci richiamano il segno inconfondibile dell'artista toscano, anche se questa opera non compare nel catalogo fornito dal Bartsch.
L'intento didattico e descrittivo dell'opera è sottolineato dalla presenza di una tavola esplicativa per ogni stampa, dove sono descritti i luoghi, e dove appaiono *legendae* contrassegnate dalle lettere maiuscole dell'alfabeto che si rifanno e spiegano particolari dettagliatissimi delle stampe. Così veniamo a sapere quanto sono alti i precipizi dove i frati caddero senza farsi male; quanto sono ampi alberi miracolosi; quanto sono alti massi e rocce ed anche gli interni di cappelline e chiesette sono descritti minuziosamente da un punto di vista architettonico persino nella disposizione delle porte, di stemmi e di pitture.
Per accrescere l'intento veristico, in alcune tavole (F, N, I, R) sono riportati - ritagliati e incollati sulla stampa stessa - elementi architettonici o paesistici (massi), con l'intento da parte dell'artista di creare un senso di profondità o di rilievo.
L'esemplare del libro che presentiamo è di secondo stato, essendovi state aggiunte in alto le lettere maiuscole progressive per numerare le tavole, che non compaiono nel primo stato.

Roma, Biblioteca del Convento dei Ss.Apostoli

Bibl.: Franci, 1913, pp. 76-92; Bacci, 1963, p. 76; D'Afflitto, 1980, cat. 24, 25, 26 (tavv. A, I, P).

FRONTESPIZIO
In basso:
Con Privilegio di S.A.S.
Dom.cus falcinius fecit. flor
Iacobus ligozzius Inventor
Bulino, mm. 411×262

Il frontespizio della *Descrizione* raffigura al centro San Francesco che ostenta le stigmate, fra due stemmi delle Confraternite francescane.
Tutto intorno, un trofeo formato da simboli del potere ecclesiastico - mitre vescovili, tiare, cappelli, pastorali e croci - e in basso armature, armi e bandiere.
Al centro lo stemma di Frate Arcangelo da Messina, arcivescovo di Monreale e Generale dei Minori Osservanti, dedicatario dell'opera.

TAVOLA A
"Descrivesi nella seguente prospettiva, la mostra, che fa il monte Vernia sendovi vicino un quarto di miglio venendo dal viaggio di Casentino, notando i luoghi più principali per le lettere d'Alfabeto, conforme all'ordine promesso, quale si osserverà in questo, come negl'altri pezzi di quest'Opera".
In basso a destra sul 3° rame, monogramma dello Schiaminossi: *RAF.S.F.*
Acquaforte con ritocchi a bulino su tre rami, mm. 406×252; 405×254; 408×258.

TAVOLA B
"Ritratto della Fonte, detta del Padre di San Francesco, che si trova poco più sù, che al principio del muro, che cinge il Monte, venendo dal viaggio, e strada del Casentino, con due misure, e Casa de Passeggieri modernamente detta".
Bulino, mm. 403×264

TAVOLA C
"Impronta, che rappresenta il luogo dove molti Ucelli vennero incontro al Padre di San Francesco, la prima volta venissi in questo Santo Monte, con la distintione delle cose che si trovavano in tal sito".
In basso il monogramma dello Schiaminossi: *RAF.S.F.*
Acquaforte con ritocchi a bulino, mm. 401×251

TAVOLA D
"Prospettiva dell'ingresso della prima porta, con la Piazza, Chiesa e Loggie del Monastero del Monte della Vernia, come stà quest'Anno MDCXII".
Bulino su due rami, mm. 399×252; 404×254

TAVOLA E
"Rappresentazione distinta della facciata della Chiesa minore, e della porta principale del Convento, quali si veggono dentro alla prima porta sopra nominata".
Bulino, mm. 403×256

TAVOLA F
"Disegno da di dentro della prima Chiesa detta la Chiesa minore, qual fù disegnata da Maria Vergine, da S. Gio. Evangelista, e S. Gio. Battista e fabbricata poi dal Cont'Orlando Catani, che donò il Monte al P.S. Francesco, e à richiesta sua su l'medesimo modello, e disegno, fù edificata con gli ornamenti di varie Cose Ecclesiastiche fattevi poi per successione di tempo".
Bulino, mm. 406×257 con applicato un riporto mobile del fronte dell'Iconostasi.

TAVOLA G
"Vista che fa nella prospettiva di fuora la Cappella detta del Cardinale, insieme con quella di Santa Maria Maddalena, che sono dove fù la prima Cella habitata dal Padre San Francesco".
Bulino, mm. 404×264

TAVOLA H
"Descrivesi appartamente il sito della Cappella di Santa Maria Maddalena, che è dove fù la prima Cella del Padre San Francesco, e il misterio della Pietra detta la Mensa del Padre San Francesco".
In un cartiglio in basso alla stampa:
Reverendiss.s Pr. fr. Archang.s à Messana
Totius ord. frūm Minorum Gen. Miñr. devote
accommodari in propio loco fecit Anno Dñi.
1608

TAVOLA I
"Maraviglioso Masso, che si trova nel Monte della Vernia, sotto il quale diceva il Padre San Francesco i Sette Salmi, e dove habbe revelazione, che tutto questo Monte, e Pietre si spezzorno nella morte di GIESU CHRISTO".
Bulino, mm. 407× 268 con applicato un riporto in basso di massi.

TAVOLA K
"Appartamenti della Loggia Maggiore, insieme con tutta la pianta de diversi appartamenti, che sono uniti alla Chiesa delle sacrate Stimate".
Bulino, mm. 405×257

TAVOLA L
"Notasi appartamento la Cappella oggi detta della Croce, che è dove fù la seconda Cella del Padre San

Francesco, e dove fece la Quaresima degl'Angeli".
Bulino, mm. 398×258

TAVOLA M
"Qui si apporta la misteriosa Chiesa delle sacrate Stimate, sendo in essa il proprio luogo dove da GIESU CHRISTO fù stimmatizzato il Serafico Padre San Francesco l'Anno mille dugento venticinque".
Bulino, mm. 405×257

TAVOLA N
"Luogo misterioso per il fatto occorso fra il Padre San Francesco, e il Tentatore dello human genere, luogo pauroso è rimirarlo, e praticarlo atteso la sua altezza spaventosa".
In basso al centro il monogramma dello Schiaminossi: *RAF.S.F.*
Acquaforte con ritocchi a bulino, mm. 408×252 con riporto della balaustra.

TAVOLA O
"Cappella di San Bastiano situata sopra il Masso dove è il precipizio, dove il nimico volse precipitare il Padre S. Francesco, nella quale sono cinque sepolture, dove son sepolti molti Beati, e dove si seppelliscono i Frati".
Bulino, mm. 404×259

TAVOLA P
"Faggio molto venerato dai Frati abitatori del Monte della Vernia, mentre ancora vegetava, ò si conservava perché sopra di lui fù vista più volte MARIA Vergine in modo di benedirli mentre andavano in Processione alle sacrate Stimate, ò vero nel modo che qui tenente GIESU bambino in grembo".
In basso monogramma dello Schiaminossi: *RAF.S.F.*
Acquaforte con ritocchi a bulino, mm. 404×263

TAVOLA Q
"Cappelletta fatta nel sito proprio dove era il Faggio, chiamato dell'Acqua quale sanava molti mali, ma in particolare de gl'occhi".
Bulino, mm. 406×264

TAVOLA R
"Descrizione locale rappresentante il luogo detto il Letto del Padre San Francesco, con un suo Oratorio remotissimo, e oscurissimo".

TAVOLA S
"Cappella detta del Faggio, ò de tre Faggi, del Beato Giovanni, dove gli apparve GIESU CHRISTO più volte, qual Faggio era appunto dove adesso è l'Altare di tal Cappella, con altre cose attenenti a tal luogo".
Bulino, mm. 411×264

TAVOLA T
"Cappella che fù Cella habitata dal Beato Giovanni della Vernia, dove se ne stava solitario orando, e meditando, sendo il luogo atto all'oratione, e meditazione".
Bulino, mm. 403×262

TAVOLA V
"Notasi il notissimo Sasso detto di Fra Lupo, quale si ritrova nel Sacro Monte della Vernia, e si descrivono li fatti di tal Huomo avanti fussi convertito dal Padre San Francesco".
Acquaforte con ritocchi a bulino, mm. 398×256
In basso monogramma dello Schiaminossi: *RAF.S.F.*

TAVOLA X
"Descrizione della Piazza, che anticamente sino nel tempo che il Padre San Francesco ricevette le sacrate Stimate nel Monte della Vernia, e era avanti dove è adesso la Chiesa Maggiore, e dove fù al tempo del Padre San Buona Ventura fatta questa piccola Cappelletta, che adesso è allato alla detta Chiesa Maggiore, e il Campenile di quella, e come in tal tempo si servivano in cambio di Campenile di questo Faggio, al quale tenevano sospesa una Campana per segno del tempo della celebrazione de' divini Uffizi, quale oggi serve come si dirà".
Acquaforte con ritocchi a bulino, mm. 411×252
In basso a sinistra monogramma dello Schiaminossi: *RAF.S.F.*

TAVOLA Y
"Con la presente di riscontro misteriosa Figura, si riduce à memoria il luogo, la persona e il fatto occorso nel misterio della recezione delle Sacrate Stimate del P.S. Francesco, dateli da GIESU CHRISTO nel Monte della Vernia".
Acquaforte con ritocchi a bulino, mm. 403×252
In basso monogramma dello Schiaminossi: *RAF.S.F.*

Battista Panzera
Parma 1541-Roma dopo 1592

119.
Incontro di San Domenico e San Francesco alla presenza di Sant'Angelo Carmelitano

Roma, Museo Francescano
Bulino, mm. 440×327
Sotto ad ogni Santo è scritto il nominativo in latino.
San Francesco dice: *Nonne hic est Angelus Hierosolimitanus Carmelita*
San Domenico: *Hic est vere ille Angelicus vir*
Più in basso, S. Angelo dice: *Salve humilitatis exemplum tu corporaliter portabis Stigmata x.*[5].
S. Francesco dice: *Et tu in Sicilia martyrio coronaberis*
S. Domenico dice: *AMEN*
In margine la scritta: *Haec mutua verba Divi Angelus. Franciscus et Dominicus in Eclesia Lateranensi post concionem a Beato Angelo factam protulere alternos horum delatos honores. / oracula itel mutua habes in Martyrologio Romano, et in Cathalogo Sanctorum Libro XII. de Sanctis nuperrime canonizatis cap. X Reliqua / excipies ex historia Ioannis Paleonydori et in legenda Sancti Angeli. / Sub Honorio 3° Romano Pontifice anno Domini M.CC.XVI.*
Baptista panzera formis Romae 1598

L'interesse di questa incisione è assai rilevante da un punto di vista iconografico: accanto infatti all'episodio dell'incontro di San Domenico e San Francesco, raffigurato sin dal XV secolo come un abbraccio fra i due - una Visitazione con personaggi maschili, come la definisce il Réau (III, 1, 1958, p. 524) -, derivato da un episodio dell'agiografia domenicana inventata dallo spagnolo Thierry d'Apalda, nel periodo della Controriforma assistiamo ad un'altra versione dell'incontro dei due Santi, alla presenza di Sant'Angelo Carmelitano da Licata o da Gerusalemme.
Questa iconografia deriva dall'agiografia di Sant'Angelo, che narra come San Francesco e San Domenico si fossero recati nella chiesa di San Giovanni in Laterano a Roma ad ascoltare la predica del Santo fondatore del terzo grande Ordine monastico del Medioevo, e che qui Sant'Angelo si recasse ad abbracciare il Poverello d'Assisi profetizzandogli che avrebbe ricevuto le Stigmate, mentre San Francesco gli predice il martirio in Sicilia.
La nostra incisione fu eseguita dietro richiesta di qualche esponente dell'Ordine, che volle sottolineare con le ampie scritte in margine e uscenti dalla bocca dei Santi, lo spiccato carattere didattico dell'opera.
Quest'iconografia fu comunque diffusa nella pittura di soggetto francescano nel periodo della Controriforma: tra i vari esempi noti, citiamo l'affresco eseguito da Jacopo Ligozzi nel chiostro di Ognissanti a Firenze nel 1600, dove l'artista ha eseguito anche un'altra scena raffigurante il solo incontro di San Domenico e di San Francesco seguiti dai rispettivi confratelli, per evidenziare probabilmente le due differenti iconografie.

Raphael Sadeler
Antwerpen 1560-Monaco 1632
da **Paolo Piazza** (Castelfranco Veneto 1557 ?-Venezia 1621)

120.
San Francesco consolato dall'angelo musicante

Roma, Museo Francescano, inv. I BF I 20
In basso a destra la scritta: *P. Piazza a Castro Franco Pinxit Cum privilegio Summi Pontificis ac S. Maiestatis*

Bibl.: Arslam, 1932, p. 568; M. Da Portogruaro, 1936, fig. 15; Pariset, 1948, p. 170.

Questa celebre incisione documenta un dipinto perduto del pittore cappuccino Paolo Piazza, ovvero Padre Cosmo da Castelfranco, assai importante da un punto di vista iconografico - l'Arslan nel *Thieme-Becker* afferma che un dipinto di questo soggetto si trovava nelle collezioni imperiali di Praga fra il 1718 e il 1737 -. Infatti l'artista fornisce una versione del tema di San Francesco consolato dall'angelo musicante differente da quella fornita da Francesco Vanni (cat. 101) e dai Carracci, ambientando la scena al chiuso, all'interno di una cella minuziosamente descritta. Il Santo malato a letto, appare rapito in estasi all'ascolto della musica, mentre il fraticello ai suoi piedi sembra non accorgersi dell'evento sacro. L'attenzione dell'artista si sofferma con particolarismo descrittivo, piuttosto che apertura naturalistica, a descrivere l'ambiente popolato di oggetti, tipici di una cella di un cappuccino: il teschio, i libri, un crocifisso e immagini sacre.

A questa iconografia, diffusa in ambiente veneto, - il Piazza fu a lungo attivo a Venezia e la sua pittura eterogenea rivela una componente tintorettesca e bassanesca (cfr. M. Da Portogruaro, 1936, *passim*) - si attiene Carlo Saraceni nel suo celebre dipinto nella sacrestia della chiesa del Redentore a Venezia, assai più essenziale nell'ambientazione della scena. Il pittore infatti concentra tutta l'attenzione sui due personaggi, San Francesco e l'angelo, inquadrati su uno sfondo scuro, mentre in primo piano si evidenziano, sotto un lume già naturalistico, oggetti e nature morte (cfr. A. Ottani Cavina, *Carlo Saraceni*, Milano, 1968, *cat. 81*).

Un altro celebre dipinto che riprende questa impostazione semplificandola maggiormente, è quello di Jacopo Ribalta conservato oggi nel Museo del Prado di Madrid (Male, 1932, fig. 91).

L'esemplare della stampa che presentiamo è smarginato e privo della dedica nel margine inferiore alla Duchessa Elisabetta di Bavaria.

Raphael Sadeler fu un artista che ebbe varie commissioni dai francescani: oltre l'incisione del *San Francesco consolato dall'angelo* eseguita intorno al 1604, egli eseguì da invenzioni del cappuccino Paolo Piazza una *Visione del Santo e di Santa Chiara davanti al presepio* e un complesso *Schema Virginitatis Seraphici S. Francisci* elogiante la castità del Santo (cfr. M. Da Portogruaro, 1936, tav. 41).

Jacques Callot
Nancy 1592-1635

121.
Martiri francescani del Giappone

Roma, Museo Francescano, inv. V N1/11
Nel margine la scritta: *I. Silvestre / cum privil. Regis / Callot fec. Le Pourtraict des premier 23 Martire mis en Croix par la predicaõn. de las. foy an Giappon / soubs l'Empê. Taicosam en la Cité de Monoasachi, de lordre des freres mineurs Observantin de S. Francois.*
Acquaforte, mm. 165×111 (smarginato)

Bibl.: Male, 1932, p. 118, fig. 63.

Lo spirito del rinnovamento che investì la Chiesa intorno alla metà del Cinquecento ebbe come risvolto pratico il risveglio dello spirito missionario.

Furono soprattutto i Gesuiti, i Francescani e i Domenicani i maggiori protagonisti di questo entusiasmo missionario, rivolto alle popolazioni ancora infedeli dell'India, dell'Africa e dell'America appena scoperta.

Una pagina di eroismo scrissero i Gesuiti e i Francescani in Giappone dove, dopo un primo momento di affermazione nella loro opera dall'imperatore Toicosama, questi fece imprigionare nel 1597 i sei missionari francescani, i tre gesuiti giapponesi e diciassette convertiti che vennero crocefissi a Nagasaki. L'episodio in Europa fece grande scalpore per la sua crudeltà e benpresto il tema del grande martirio divenne oggetto di affreschi, stampe e pitture commemorative da parte di Gesuiti e Francescani (cfr. Male, 1932, p. 118).

Nel 1627 inoltre il Pontefice Urbano VIII ritenne giusto canonizzare i ventisei martiri di Nagasaki, che divennero una gloria comune di entrambi gli Ordini.

I francescani celebrarono questo avvenimento con la stampa del Callot edita da Israel Silvestre e corredata dalla scritta che ricorda il martirio: ormai tutti i personaggi crocifissi sono raffigurati con il saio e il cordone francescano. Giustamente il Male fa notare che la posizione delle due file di croci e la croce al centro sembrano ripetere icasticamente la scena di Cristo e dei due ladroni sul Golgota, mentre i soldati con lunghe alabarde colpiscono il costato dei martiri, da cui sgorga sangue abbondante.

Il tema di quest'incisione già trovato nella sua grande tavola con Storie e Santi francescani dallo Schiaminossi (cfr. cat. 114), è ripreso da Tanzio da Varallo nel dipinto già in Santa Maria delle Grazie a Varallo e ora nella Pinacoteca di Brera (G. Testori, *Tanzio da Varallo*, Torino 1959, cat. 30, tav. 128).

122.
Bolla dell'Istituzione della Confraternita del Cordone di San Francesco

Roma, Museo Francescano, inv. I L 4/3b
Xilografia su pergamena, mm. 650×496

L'esemplare di questa bolla, datata 1588, documenta la Istituzione della Confraternita del Cordone di San Francesco, proclamata da Sisto V nel 1585.

L'interesse primario di questo esemplare sebbene più tardo, è storico-documentario ma a noi interessa sottolineare anche il tema iconografico della xilografia intorno al testo.

La scena è concepita dall'anonimo incisore come inquadrata da un cordone, che corre tutt'intorno allo scritto e sostiene nastri con la scritta FUNICULUS TRIPLEX DIFICILE RUMPITUR e medaglioni dove sono raffigurati le virtù francescane OBEDIENTIA, CASTITAS, PAUPERTAS, le famiglie dell'Ordine CONVENTUALIS CAPUCINUS OBSERVAN i tre Ordini ORDO 1, 2, 3; e GLORIA GRATIA, NATURA e SPES, CHARITAS, FIDES.

Da un punto di vista iconografico, maggior interesse riveste la parte in alto, dove è raffigurato il Padre Eterno, a mezzo busto in un arco di nuvole fissato dal cordone, che regge il capo del cordone, e lo passa intorno alla vita di Cristo da dove si avvolge intorno a San Francesco, per passare poi nelle mani del pontefice al centro, che lo distribuisce a due mani ai fedeli. Abbiamo già sottolineato l'interesse iconografico di Cristo e San Francesco che portano la croce, tema ripreso nel frontespizio del *Liber Conformitatum* di Bartolomeo de Pisis. È probabile che il pittore napoletano Francesco Curia abbia visto la xilografia della Bolla, perché nel suo dipinto in San Lorenzo Maggiore a Napoli raffigurante l'Allegoria del Cordone di San Francesco, ritornano nella parte superiore il Padre Eterno, Cristo e il Santo crociferi legati da un intreccio del cordone in modo analogo a quello presente nella Bolla.

89

90

D·FRANCISCI STIGMATA MIRACVLIS CELERATA
EX HIERONYMI MVCIANI BRIXIANI ARCHETYPO
ANTONIVS LAFRERIVS ROMAE EXCVDEBAT
ANNO SAL · ∞ · Ɔ · LXVII
C. Cort. f
1567

Heronymo Muciano Brociano Inuent.
Qui tum, qui sensus, quae mens, quiq. extitit ardor,
Diue, tibi, uenit cum sacra flamma polo.
Vt nouus ille tui testis fuit ardor amoris;
Incrementum ignis sic sacra flamma tui.
Nec, tacitas solum penetrauit flāma medullas:
Impressit membris stigmata sancta crucis.

92

93

FEDERICVS BAROCIVS VRBINAS
GREGORII XIII PRIVILEGIO
AD X.

95

96

Ego enim stigma
ta domini mei
Iesu Christi in
corpore meo porto

97

98

Quindi ne trae l'alma
Lo scarco di sua salma
Con privilegio
PER TÈ GODIAMO Ò SISTO
IL GRAN MERTO DI CHRISTO
ONDE GRATIE RENDIAMO
AL CIELO À CUI SPIRIAMO

100

101

102

103

104

105

106

107

Legisti hanc sedem mea sola & uera uoluptas?
Hæc capiti inuenta est digna corona tuo?
Ah mea tu potius subeas præcordia, & intus,
Abluo dum lacrimis uulnera, regna tene.

108

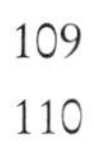

FVT.
Non satis esse putat silvas coluisse latentes
Franciscus lacrymis pallida & ora rigat.
Quisquis in expressa miratus imagine formam
Non gemit, hic vere durior esse silice.

ILLVSTRISS. AC REVERENDISS. D.D. PAVLO SANVITALIO EPISCOPO SPOLETINO

111

S·FRANCISCI
Historia
Cum iconibus in ære
excusis
Ad Ill.mum et R.mum D. Dominum
Constantium
S·R·E·Presb·Cardin·
Sarnanum
Excudebat Andreas de Puttis
Anno Dñi M·DXCIV
Romæ cum privilegio
superior permissu

112

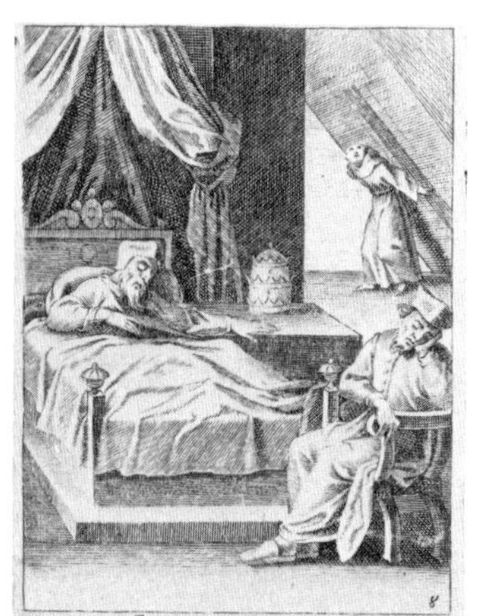

OPPRESSAM FVRIIS ARCEM QVĀ PLVRIMA BELLO
ARMA TENENT, COMITI PELLERE MONSTRA IVBET
INNOME DI·S·FRANC.° IL COMP.° SVO SCACCIA LI
DEMONI DALLA CITTA D'AREZZO

13

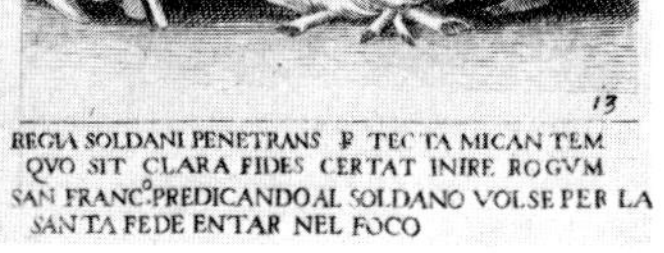
REGIA SOLDANI PENETRANS P TECTA MICAN TEM
QVO SIT CLARA FIDES CERTAT INIRE ROGVM
SAN FRANC.° PREDICANDO AL SOLDANO VOLSE PER LA
SANTA FEDE ENTAR NEL FOCO

14
FELIX CVI VOCIS CHRISTVS DAT GVTTVRE GVSTV̄
ORE LOQVĒDO DEDIT CORDE FRVĒDO DABIT
FV VISTO·S·FRANC.° DA SVOI COMPAGNI IN AERE
TRASFIGVRATO ET PARLAR CON CHRISTO

15
PECTORA SOLVVNTVR DVBIIS, DVM PANDIT ALVMNIS
RE VISA PAVIDIS SIGNA SACRATA SVIS
MOSTRA LE SACRE STIMMATE A TRE DE SVOI FRATI E
SCACCIA DAL CVORE LORO OGNI DVBBIO

16
FRATRIBVS APPARENS FRANC.S TALIA FATVS
SOLDANI ITE SACRO SPARGITE FONTE CAPVT
STANDO S·FRANC.° IN ITALIA APPARSE A DVA FRATI NEL
EGITTO AMONENDOGLI CHE ANDASSERO A BATTEZZARE
IL SOLDANO CHE STAVA P MORIRE

17
FÆTIDA LEPROSI PVTREDINE CORPORA PVRGAT
HVNC LAVAT EXTERIVS SANAT ET INTERIVS
MENTRE EGLI LAVA L'IMPATIETE LEPROSO IN VN
ISTESSO TEMPO LO SANA DENTRO E DI FVORA

18
FELIX ALTISONV̄ CVIVS RIXERE TONANTEM
BRACHIA DAT FERRI CORPORE MENTE FRVI
RAPPRESENTANDO LA NATIVITA GL'APPARVE IL SIG.R
IN BRACCIO IN FORMA DI BANBINO

PRESTITERAT SITIENS FRANCISCO PAVPER ASELLVM
LIMPIDA DE DVRO MARMORE SVRGIT AQVA
FACENDO ORNĒ S·FRANC.° APPARVE VNA AQVA SOPRA V̄ SASSO
E CAMPO VN POVERO CHE SECO ANDAVA A SVO SERVITIO

20
ANGLVS IN TERRAS ALTO DE SYDERE LAPSVS
FRANCISCE INSVPERIS SIC AIT ORDO PLACET
GL'APPARVE VN ANGLO DICENDOLI QVESTE PAROLE
RALLEGRATI FRANC.° CHE E CONFIRMATA IN CIELO
LA TVA RELIGIONE

21
PROICCTV̄ CVPIDI PANĒ SECAT ILLE FATETVR
PAVPERIB' CRIMEN NOSSE DATVRVS OPEM
S·FRANC.° RICEVE IL PAĒ DAL'AVARO SPOLETIO E PREGANDO
PIVI S'ILLVMIA DOMADA PDONO E DIVIE PIETOSO E LARGO

22
VNDIQVE PRESBITERI P CORPVS FRACTA GERENTIS
MENBRA DAT IN SIGNO CONSOLIDATA CRVCIS
COL SEGNO DELLA ✠ RISANA IL TOTALMETE STRVPIO
GEDEONE DARIETE PRETE PREBENDARIO AMONEDOLO CHE S'
ASTENGA DAL PECCATO ACCIO NOGLI ACADA PEGIO S'EMĒ FV

23
DV̄ DE TAV SIGNO LAVDES ANTONIVS ORE
PREDICAT HVIC SANCTVS QVO BENEDICAT ADEST
METRE PREDICA S·ANT.° APPARE S·FRANC.°
BENEDICENDOLI

ANGELICO VISV DEMON CAPVT ABIDIT IN VBRAS
DAT FRANCISCI ATROX SANGVINE SPINA ROSAS
MENTRE FRA LE SPINE SI FLAGELLA DEL SANGVE NASCŌ
LE ROSE NEL MESE DI GĒNARO ET GL' ĀGELI GL' APPARONO
A SVO SERVITIO

ILLE NOVA, MIRVM, CIRCVNDATVS VNDIQ VESTE
CVM SVPERIS PENETRAT TĒPLA GERITQVE ROSAS
PORDIE DIVIOLO CODVCONO IN CHIESA COLE MEDESIME RO
SE TROVADOSI VESTITO TVTTO DI NOVO MIRACOLOSAENTE

HIC DOMINO CVM MATRE DIESDECERNITVR, IPSO
ANGELVS VT SOLVIT VINCLA IVBENTE PETRI
CHRISTO GLI DETERMINA P IL GIORNO DEL' INDVLGENTIA
IL PRIMO GIORNO D'AGOSTO QVADO SI CELEBRA LE VIN
CVLA DI S.° PIETRO

HVIC OVIVM PASTOR DAT VT INDVLGENTIA CLARA
FIAT VT INSOLITAS VIDIT ADESSE ROSAS
PAPA HONORIO VISTE LE ROSE COFERMA IL TVTTO E' SCRIVE
A' VESCOVI COVICINI AD ASCISI

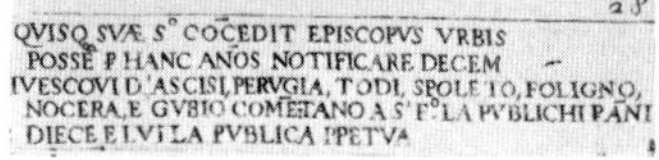

QVISQ SVÆ S.° COCEDIT EPISCOPVS VRBIS
POSSE P HANC ANOS NOTIFICARE DECEM
I VESCOVI D'ASCISI, PERVGIA, TODI, SPOLETO, FOLIGNO,
NOCERA, E GVBIO COMETANO A S.F.° LA PVBLICHI PANI
DIECE E LVI LA PVBLICA PPETVA

CASTIGARE PARAT FRANCISCI PRÆSVL HIC ORA
AST EADEM COELO DICTA IVBETE SONAT
VEDEDO LI VESCOVI CHE S.° S'HAVEVA PVBLICATA L'INDVLG.A
PPETVA NI LOR VOLEDO DESDIRE GLI VIĒDET TO IL MEDE
SIMO CHE DISS' IL SANTO

VNANIMES VENIÆ SPARGVNT PRÆCONIA IN ÆVVM
CVNCTI DVM CONTRA VOCIBVS IRE PARANT
NŌ POTEDO OPPORSI AL VOLERE DIVINO TVTTI INSIE
ME LA PVBLICANO PPETVA ET PLENARIA

ARDET DIVINIS POPVLOS HORTATIBVS VRGET
ET MODO QVÆ EXEMPLO PRÆSTITO REDOCET
S.FRANCESCO STA PREDICANDO CON GRAN
FERVORE ALLE TVRBE

SIGNA DET VT POPVLO SERAPHĪ MIRALE DICTV
FVNICVLO EXPRESSIT PRODIGIOSA MANVS
ESSENDO LA TERRA DI SARNĀO SENZA SIGILO
S.F.° COL CORDONE IMPRONTOGLI VN SERAFINO

DESPICIENS LAVDEM CAETÆ NAVIGAT ÆQVOR
LITTORE NAVIS ABEST, CONCIONATVR IBI
LA BARCA SE DISCOSTA DAL LIDO STA FERMA
E RITORNA DA SI STESSA A TERRA

OSCVLA LEPROSO REDDVNT ADMOTA SALVTEM
ET PLVS PRÆCONIIS ARTIBVS IPSA VALENT
CŌ IL S.° BASCIO SANA ALLO SPOLETINO LA BRVTTA
PIAGA DELLA BOCHA

DVCENTEM ANCIPITI HORTINVM VESTIGIA TERRÆ
ERIGIT, ET RECTVM FIGERE DONAT ITER
ERA QVESTO IN TAL MODO STROPPIATO
CHE TENEA IL CAPO FRA LE GAMBE

36
SVBLEVAT HIC IVVENEM TRISTI LANGVORE SOLVTVM
VIVIDA SIC COMPOS ROBORA CORPVS HABET.
PER COMANDAMENTO DEL VESCOVO SANA VN PARALITICO
COL SEGNO DELLA CROCE

37
SISTITVR AS L NTIVM PRECIBVS, FIT TVRGIDVS ALVO
INCOLVMIS. NOVITAS ORA PAVORE REPLET.
SANA VN HIDROPICO CON MARAVIGLIA DI TVTTI
QVELLI CHE SI RITROVANO PRESENTI

38
EVGVBII CAMPOS FERA MARTIA STRAGE REPLEBAT
POST OBIT INOCVOS CET TENER AGVS AGROS
HVMILIATO VIENE ALLA CITTA E DATALA FEDE CÕVER
SA FRA TVTTI

39
CONCIPIT AMISSAS NVRVS HÆC PARALITYCA VIRES
VTRAQ CVI FVERAT PALMA VIGORIS INOPS
SANA VNA DONA CHE HAVEVA LE MANI ATRATTE

40
POSCIT APOSTOLICO SVA NVMINE VOTA PROBARI
FRANC. FACILI SVNT RATA CVNTA DEO
PAPA HONORIO COFERMA LA REGOLA CO IL BREVE
APOSTOLICO

41

FLVTIBVS OPPRESSV TVMIDIS TE GVRGITE VICTVM
SVSCITAT, TE LETHI TRISTE RETEXIT, ITER
ORADO FA CHE SE RITROVI E TORNI IN VITA VGIOVAE
ANNEGATO

42
FORMA DATVR CAPITI TACTV, COLLAPSA IACENTIS
CRVRA REFECTA MANVS CETERA MEBRA VICET
SANA VNO COL CAPO MOSTRVOSO, ESTRVPIATO DI
TVTTE LE MEBRA DEL CORPO

43
ACRIVS INDVLGE CÆPTIS OPERARIA PVBES
FRANC. VERSO SVFFICIT AMNE MERVM
CONVERTE LACQVA IN VINO PLI MVRATORI CHE FANO
LA CHIESA

44
ADMONET ALLECTVM SOCII SVB FRAVDE CRVMENA
INGENIVM HIC VISO TERRITVS ANGVE FVGIT.
S. FRANCESCO AMMONISCE IL COMPAGNO CHE NON SI
CVRI DELLA BORSA VEDVTA PER STRADA PVR EGLI
TENTATO L'APRE ET N'ESCE VN SERPENTE

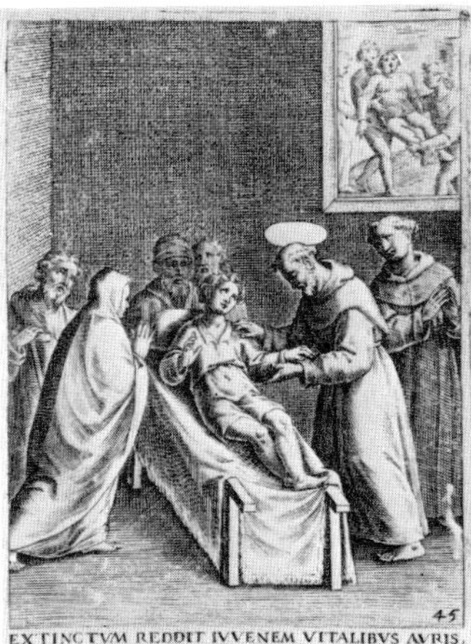
45
EXTINCTVM REDDIT IVVENEM VITALIBVS AVRIS,
QVEM DEDERAT SVBITÆ DIRA RVINA NECI
RESVSCITA VN MORTO AL QVALE ERA CADVTO
VN MVRO SOPRA

46
STIGMATA QVÆ CHRISTI PASSI SACRA VVLNERA SIGNANT
FRANCISCVS PATITVR DIGNVS HONORE DEI.
APPARENDO VN SERAFINO CROCIFISSO IMPRESSE LE
STIMMATE A S. FRANCESCO

47
NOBILIS ANTE OBITVM MVLIER VENERATVR ANHELA
ASSISIVM PROPERANS CERNVA STRATA PATREM.
POCO INNANZI LA MORTE E VISITATO DALLA
SIGNORA IACOMA SETTESOLI

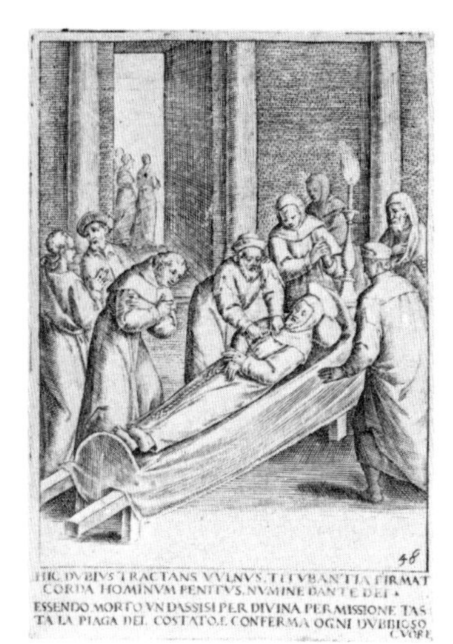
58
HIC DVBIVS TRACTANS VVLNVS, TITVBANTIA FIRMAT
CORDA HOMINVM PENITVS, NVMINE DANTE DEI
ESSENDO MORTO VN DASSISI PER DIVINA PERMISSIONE TAS
TA LA PIAGA DEL COSTATO, E CONFERMA OGNI DVBBIOSO
CVORE

EXALTAVIT
HVMILES
59
QVEM PATER INSTITVIT LATIIS FRANCISCVS IN ORIS
PONTIFICES SVMMOS QVATTVOR ORDO DEDIT
DELLA SERAFICA RELIGIONE DE S. FRANCESCO SONO STATI
QVATTRO PAPI: NICOLO IV. ALESANDRO V. SISTO IV. SISTO V.

112

RAPHAEL SCHIAMINOSSIVS
A. BVRGO. S. S. INVENTOR. F.
DIVVS AB EXCELSO CLAMANS DV SACRA RECENSET
FRANCISCVS POPVLI CORDA REVERSA PREMIT
AD CLARISSIMV VIRV. D. BENEDICTV TITIV. A. BVRGO SANCTI SEPVL
RAPHAEL SCHIAMINOSSIVS IN OBSERVANTIÆ SIGNVM. D.

113

S.BONAVENTURA
S.ANTONIVS DE PAD
S.BERNARDINVS
S.LVDOVICVS EPS
S.DIDACVS
S.LVDOVICVS GALLIA
S.PETRVS 2.MAR
S.BERARDVS 1.MAR
S.ACCVRSIVS 4.MA
S.ADIVTVS 3.MAR
S.ELEAZZARIVS
S.OTTHO MAR.
S.CLARA VIRGo
SANCTVS PATER FRANCISCVS
S.ELISABETH REG
S.DANIEL MAR.
FRATER COSMA
B.MARTINVS B.PETRVS B.FRANCISCVS
B.FRANCISCVS ALTER B.GVNDISALVVS B.PHILIPPV

Prima edizione

CASTIMONÆ AC VIRGINITATIS EXEMPLA
6
In Prunis decumbit. ostentat se nudum
& femoralia. Volutatur in niue. familiam é
niue fingit. rosas & lilia hyeme carpit.

RELIGIOSA INNOCENTIA, AC SIMPLISITAS.
8
Franciscus Masseum iubet se in orbem circumagere.
nudum monachum ablegat nudusq; sequitur.
Damnatum a Francisco Monachum infernus deficit.
cellam eius incendium populatur.

INGENS RELIGIOSI AC DEO DEVOTI ANIMI ARDOR
Rustici contactu manum adurit.
B. Claræ colloquio fruitur. Jesum
osculatur infantulum. transfiguratur.

SVMMÆ SANCTIMONIÆ PARADIGMATA
10
Pasiantur a Christo eius vulnera. in
crucis simulacrum se extendit a Petro
& Paulo apostolis salutatur Vox e
coelo Francisco commendat.

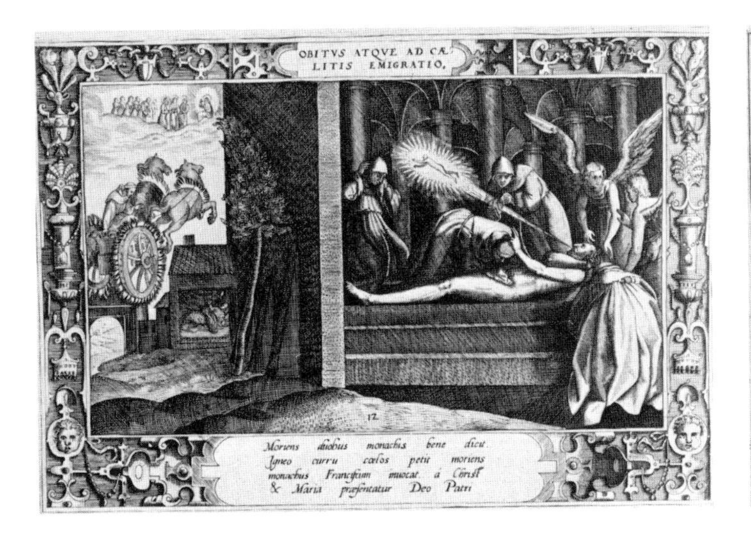
OBITVS ATQVE AD CÆLITIS EMIGRATIO,
12
Moriens duobus monachis bene dicit.
Igneo curru cælos petit moriens
monachus Franciscum inuocat. a Christ
& Maria præsentatur Deo Patri

VENIA CRIMINVM MERITO FRANCISCI INDVLTA
13
Pronus a Christo, Maria, Angelis indulgen:
tiarum confirmationem nancyscitur. miraculose
aliquot contemptorum pœnis cædem approbantur.

115

Seconda edizione

NATIVITAS ET PAV-
PERTATIS AMOR. 3
Francisco nato infernus turbatur, angelus in peregrini specie infantulum complexans
dæmonum insidias prædicit. Conform. fruc. 4. Capitur à Perusinis. Conform. fruc. 5. Qui
dam Francisci sanctitatem prævidens, ei puero vestimentum sternit, osculatur lep
rosum mox disparentem, Romæ inter pauperes sedens mendicat. S. Bonaven. cap. 1.

VITÆ IN MELIVS
COMMVTATIO. 4
Franciscum Crucifixi imago alloquitur equum et
pannos vendit, pecuniam offert Sacerdoti. Reparat tres
Ecclesias: à patre in carcerem conijcitur. S. Bonav. cap. 2.

FRANCISCANÆ FAMILIÆ
ORIGO 5
Institutum S. Francisci à Deo patre Christi intercessione impetratum, comprobatur. Confor.
fruc. 9. Christi signifer Franciscus crucis signo levato, visus est multos ad Christum perducere.
Cardinalis Placent. Episcopus Erford. Rodolphus Imperator Constantinop. reges multi ac principes, sa
crum institutum arripiunt. Confor. fruc. 8. Christus Francisco regulam præformat, perditam reddit,
confirmatque. Apparet cuidam Christus cuculla indutus ordinis, et ad institutū exhortatur. Studi
osus parisiensis sibi videtur à dæmone abreptus duci, nisi votū religionis quod fecerat reddat. Confor. fruc. 9.

STVPENDA VIRI DEI
TRANSFIGVRATIO. 6
S. Franciscus media nocte fratribus in globo lucidissimo apparet super
currum igneum: S. Clara cum multis virginib. institutum sibi à B. viro
præscriptum amplectitur. S. Ludovicus Rex Franciæ, S. Elizabeth
Regina Ungariæ, multique alij clerici et laici, tum coniugati tum soluti
sexus utriusque, tertiam regulam S. Francisci assumentes, currum et
aurigam suum securissimè sectantur. S. Bonaven. cap. 4. et Conform. fruct. 8.

INSIGNIS HVMILITATIS
ANIMI INDICIA 7
Frater Bernardus iussus à S. patre, os et guttur Francisci pedibus cal
cat. Conform. fruc. 8. Nudum se trahi mandat ad locum supplicij:
Eius humilitati videtur servari sedes excelsior in cælis. S. Bona. cap. 6.
Ædificia fratrum sumptuosiora diruit: Ostiatim mendicat. S. Bona. cap. 7.
Ovicula Francisci, reverenter in Sac. altaris Christum adorat. S. Bon. cap. 8.

RELIGIOSA INNOCEN-
TIA, AC SIMPLICITAS. 8
S. Franciscus iubet fratrem Massæum se circumagitare; ut viam quam tenere debeat di
vinitus agnosceret: Fratrem Rufinum ad prædicandū nudū ablegat, cuius rigidi mãda
ti pœnitēs, et ipse nudus sequitur. Confor. fruc. 8. Videntur duo frēs proprietarij assidente Chro cum
B. virgine Maria, à S. prē damnati cum mulis et libris a terra absorberi. Confor. fruc. 9.
Contemplans naturā ignis, referentis operatōem Dei, qui est ignis cōsumens, incendiū non restinguit.

CASTIMONÆ AC VIRGINITATIS EXEMPLA
Illectus ad venerem in aula Frederici Imp. sanctus vir scortum vocat ad se in igne iacentem. Conform. fruc. 10. A dæmone tentatus ad libidinem, nudum se in nivem mergit, ex qua, hostem subsannans, fingit uxorem, liberos et ancillas. S. Bona. cap. 5. Coram Episcopo exhæres, nudus etiam vestes patri cedit. S. Bona. cap. 2. Franciscus castitatis exemplar mense Ianuario rosas natas divinitus legit. Conform. fruct. 14.

TENTATIO DÆMONIS, ET DIVINI SOLATII REFOCILLATIO 10
A diabulo tentatus libidine, nudum corpus spinis cruentat. Conform. fruc. 14. Cæditur a dæmonibus. S. Bona. cap. 6. Hostis eum conatur orantem de monte Alvernæ præcipitare. Confor. fruc. 7. Fide & constantia orationis dæmones fugat. S. Bona. cap. 10. Ab angelo inopinatè pascitur. S. Bona. cap. 4. Cithara suavissimo pulsu ab angelo infirmus recreatur. S. Bona. cap. 5.

INGENS RELIGIOSI AC DEO DEVOTI ANIMI ARDOR 11
Sanctus vir orans manibus in crucis modum expassis, nubecula subvehitur in aërem. Puerum Iesum ulnis suis amplexatur. S. Bonaven. cap. 10. Sancto Francisco cum S. Clara ad mensam divino colloquio & amore raptis in ecstasin, monasterium Portiunculæ conflagrare videtur. Conform. fruc. 15. Algentem rusticum Franciscus suæ manus attactu vehementer calefacit. S. Bona. cap. 13.

ADMIRANDA EIUS ENERGIA 12
S. Franciscus visus est aurea cruce ex ore radiante fugasse horrendum draconem Assisium circumdantem: Lateranensem item Basilicam iam ruituram, dorsi submisso sustentasse. S. Bona. cap. 3. Aves neq. adventu neq. tactu innocentis viri fugant. S. Bona. cap. 8. Sed potius auscultant divinas laudes prædicantem. S. Bona. cap. 12. In lacu Reatino oblatum magnū piscem reposuit sua præsentia mirabiliter gestientem. S. Bona. cap. 8.

CHRISTI MIRACVLORVM IMITATIO 13
Christi imitator Franciscus signo crucis commutat aquam in vinum. S. Bonaven. cap. 5. Aquam quoque de petra producit. S. Bona. cap. 7. In Generali Capitulo Assisij amplius quinq. milia fratrum mirifice pascit. S. Bona. cap. 4. Asino vectus honorificentissime obvijs populis excipitur. S. Bona. cap. 10. Sub mortem cum fratribus cœnam celebrat. Confor. fruc. 29. Francisci anima complures ex purgatorio liberat. Conform. fruct. 32.

VENIA CRIMINVM MERITO FRANCISCI INDVLTA 14
S. pr animarū salutem sitiens intercedente b. Virgine mre Maria, a Chro obtinet admirandas Portiunculæ indulgētias: dæmoniati ingressu Ecclesiæ liberantur: beata Maria visa est cū magno lumine ad ecclesiā descēdere gestans filiū benedicentē populo: Mulier quædā porta indulgētias meruisset, statim a morte saluatur: mirādo hirudinis aduetu ad cuiusdā subdubitātis manū, indulgentiarū veritas demōstratur. Sacerdos indulgentijs istis detrahens subito concidit mortuus. Conform. fruc.

STIGMATVM ORIGO, SVÆQZ
SÃCTIMONIÆ PARADIGMATA

STIGMATVM IN CORPORE S.
FRANCISCI DEMONSTRATIO. 16

OBITVS ATQVE AD CŒ
LITIS EMIGRATIO, 17

PERMIRA FVNERIS S. FRÃ
CISCI CONSTITVTIO. 18

MIRACVLORVM
CATALOGVS 19

20
INSTITVTI SERAPHICI CE
LEBERRIMI SECTATORES
S. Bernardin 20. May.
S. Bonauentur 14. Iulij.
S. Francisci 4. Octob.
S. Antonij de padua 13. Iunij.
S. Ludouici 19. Augus.
S. Claræ 12. Augus.

ILL.^MO^ ET R.^MO^ D. D. ALEXANDRO PERETTO CARDINALI MONTALTO S. R. E. VICECANCELLARIO

SANCTI FRANCISCI ASISIATIS VITAE Seriem aeneis tabellis incidendam atq; imprimendam curauimus. Neque operis magnitudo, neq; sumptus eam in rem maximi nos deterruerunt. Quod et Sanctitati eius deuoti nos simus, et alios ad studium pietatis in eum hac ratione excitatos velimus. Vehementius enim intuentium animos afficiunt, quae oculis obyciuntur, et prope geri uidentur, quam quae auribus traduntur aut etiam per lectionem accipiuntur. Haec uero simulacrorum excudendorum ratio, ad id quod uolumus longè, lateq; incredibili celeritate propagandum miram habere facultatem consueuit. Nam Chalcographiae beneficio per orbem terrarũ quocunq; S. Francisci fama peruasit, horum monumentorum exempla ferè innumerabilia circumferri facile possunt. Habes Cardinalis amplissime consilium nostrum. Nomini autem tuo opus inscripsimus, tibiq; dedicauimus, quod et ipse summa ueneratione, cultuq; S. Francisci memoriam prosequaris et Magnus Auunculus tuus Sixtus V. Princeps Optimus ex eius familia atq; ordine ad summum Apostolatus apicem sit euectus. Quare si tibi officium nostrum non iniucũdum accidisse intelligemus, magnum abs te beneficium accepisse uidebimur. Vale.

Amplitudini tuae.

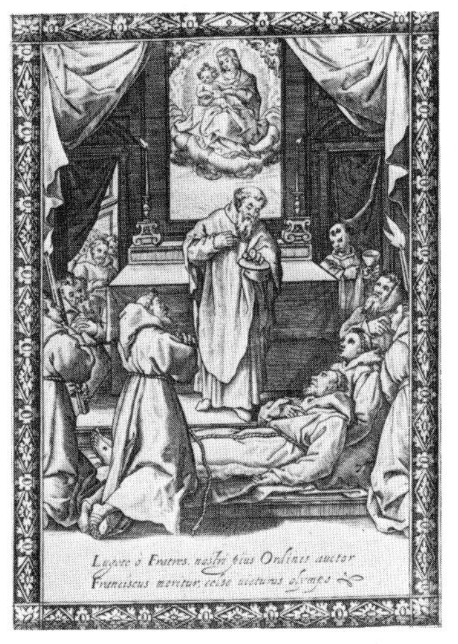
Lugete ò Fratres, nostri pius Ordinis auctor
Franciscus moritur, coelo

B

C

D

E

F

G

H

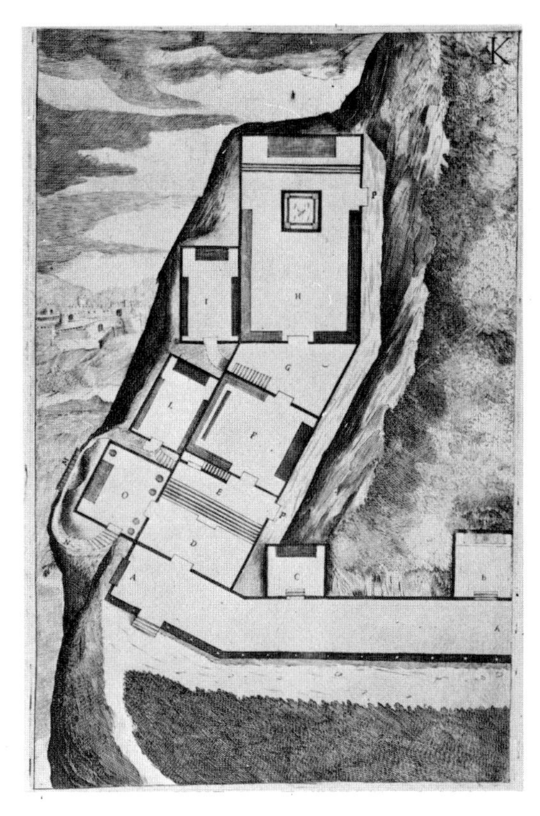
K

L

M

N

O

P

Q

G
F
D
E
C
I
A
H
B

F
G
A
C
D
E
B
B
A

QVID RETRIBVAM DNO
PRO OMNIBVS QVE RE
TRIBVIT MIHI ISA
P. Piazza à Castro Franco Pinxit.

S·DOMINICVS
S·FRANCISCVS
S·ANGELVS CARMELITA
S·FRANCISCVS
S·DOMINICVS
Haec mutua uerba Diui Angelus Franciscus et Dominicus in Eclesia Lateranensi post concioné a Beato Angelo factam protulere alternos horum delatos honores.
oracula item mutua habes in Martyrologio Romano, et in Cathalogo Sanctorum Libro XII de Sanctis nuperrime canonizatis cap. X. Reliqua
excipies ex historia Ioannis Palronydori, et in legenda Sancti Angeli
Sub Honorio Romano Pontifice anno Domini MCC XVI.

119

I. silvestre ex.
Callot fec. cum priuil. Regis.
Le Pourtraict des premier 23 Martire mis en Croix par la predicaon de la S. foy au Giappon
soubs l'Empe. Taicosam en la Cite de Mongasachi, de lordre des Freres mineurs Obseruantin de S. Francois.

121

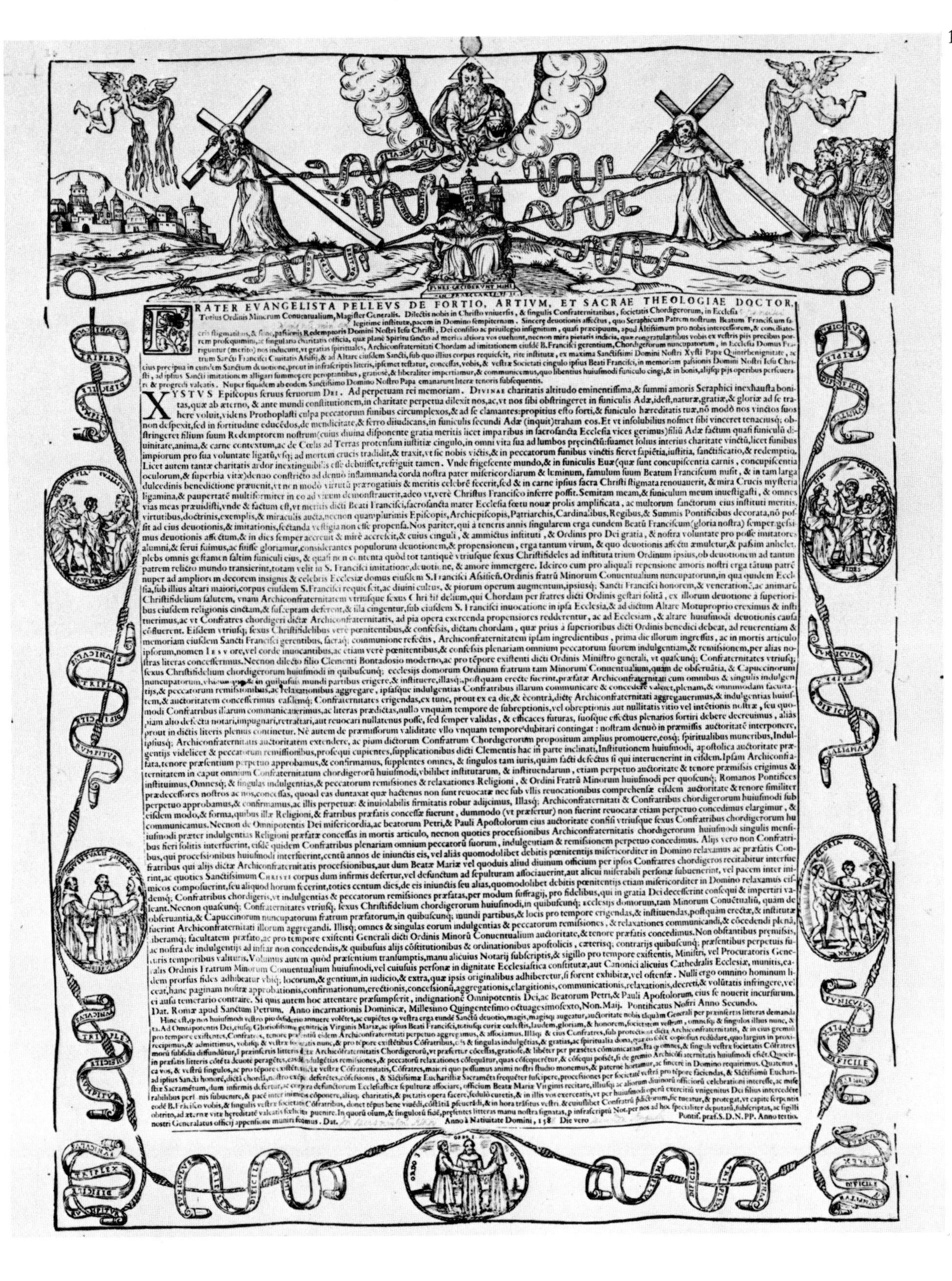

FRATER EVANGELISTA PELLEVS DE FORTIO, ARTIVM, ET SACRAE THEOLOGIAE DOCTOR. Totius Ordinis Minorum Conuentualium, Magister Generalis. Dilectis nobis in Christo vniuersis, & singulis Confraternitatibus, societatis Chordigerorum, in Ecclesia legitime institutæ, pacem in Domino sempiternam. Sincerę deuotionis affectus, quo Seraphicum Patrem nostrum Beatum Franciscum sacris stigmatibus, & fune, passionis Redemptoris Domini Nostri Iesu Christi, Dei consilio ac priuilegio insignitum, quasi præcipuum, apud Altissimum pro nobis intercessorem, & conciliatorem prosequimini, ac singularia charitatis officia, quæ planè Spiritu sancto ad merita altiora vos euehunt, necnon mira pietatis indicia, quæ congratulantibus vobis ex vestris pijs precibus porriguntur (merito) nos inducunt, vt gratias spirituales, Archiconfraternitati Chordam ad imitationem eiusdē B. Francisci gerentium, Chordigerorum nuncupatorum, in Ecclesia Domus Fratrum Sancti Francisci Ciuitatis Assisij, & ad Altare eiusdem Sancti, sub quo illius corpus requiescit, rite institutæ, ex maxima Sanctissimi Domini Nostri Xysti Papæ Quinti benignitate, ac cius precipua in eundem Sanctum deuotione, prout in infrascriptis literis, ipsemet testatur, concessas, vobis, & vestræ Societati cingulo ipsius Beati Francisci, in memoriam passionis Domini Nostri Iesu Christi, ad ipsius Sancti imitationem alligari summopere peroptantibus, gratiosè, & liberaliter impertiamur, & communicemus, quo libentius huiusmodi funiculo cingi, & in bonis, alijsq; pijs operibus perseuerare & progredi valeatis. Nuper siquidem ab eodem Sanctissimo Domino Nostro Papa emanarunt literæ tenoris subsequentis.

XYSTVS Episcopus seruus seruorum Dei. Ad perpetuam rei memoriam. Diuinae charitatis altitudo eminentissima, & summi amoris Seraphici inexhausta bonitas, quæ ab æterno, & ante mundi constitutionem, in charitate perpetua dilexit nos, ac, vt nos sibi obstringeret in funiculis Adæ, idest, naturæ, gratiæ, & gloriæ ad se trahere voluit, videns Prothoplasti culpa peccatorum funibus circumplexos, & ad se clamantes: propitius esto sorti, & funiculo hæreditatis tuæ, nō modò nos vinctos suos non despexit, sed in fortitudine educēdos, de mendicitate, & ferro diiudicans, in funiculis secundi Adæ (inquit) traham eos. Et vt insolubilius nosmet sibi vinceret tenaciusq; obstringeret filium suum Redemptorem nostrum (cuius diuina disponente gratia meritis licet imparibus in sacrosancta Ecclesia vices gerimus) filiū Adæ factum quasi funiculū diuinitate, anima, & carne contextum, ac de Cœlis ad Terras protensum iustitiæ cingulo, in omni vita sua ad lumbos pręcinctū: suamet solius interius charitate vinctū, licet funibus impiorum pro sua voluntate ligatū, vsq; ad mortem crucis tradidit, & traxit, vt sic nobis victis, & in peccatorum funibus vinctis fieret sapiētia, iustitia, sanctificatio, & redemptio. Licet autem tantæ charitatis ardor inextinguibilis esse debuisset, refriguit tamen. Vnde frigescente mundo, & in funiculis Euæ (quæ sunt concupiscentia carnis, concupiscentia oculorum, & superbia vitæ) denuo constricto ad denuò inflammanda corda nostra pater misericordiarum & luminum, famulum suum Beatum Franciscum misit, & in tam larga dulcedinis benedictione præuenit, vt non modò virtutū prærogatiuis & meritis celebrē fecerit, sed & in carne ipsius sacra Christi stigmata renouauerit, & mira Crucis mysteria ligamina, & paupertatē multiformiter in eo ad viuum demonstrauerit, adeo vt, verè Christus Francisco inferre possit. Semitam meam, & funiculum meum inuestigasti, & omnes vias meas præuidisti, vnde & factum est, vt meritis dicti Beati Francisci, sacrosancta mater Ecclesia fœtu nouæ prolis amplificata, ac multorum sanctorum eius instituti meritis, virtutibus, doctrinis, exemplis, & miraculis aucta, necnon quamplurimis Episcopis, Archiepiscopis, Patriarchis, Cardinalibus, Regibus, & Summis Pontificibus decorata, nō possit ad eius deuotionis, & imitationis, sectanda vestigia non esse propensa. Nos pariter, qui à teneris annis singularem erga eundem Beatū Franciscum (gloria nostra) semper gessimus deuotionis affectum, & in dies semper accreuit & mirè accrescit, & cuius cinguli, & ammictus instituti, & Ordinis pro Dei gratia, & nostra voluntate pro posse imitatores alumni, & serui fuimus, ac fuisse gloriamur, considerantes populorum deuotionem, & propensionem, erga tantum virum, & quo deuotionis affectu æmuletur, & passim anhelet plebs omnis gestamen saltim funiculi eius, & quasi non contenta quòd tot tantiquè vtriusque sexus Christifideles ad instituta trium Ordinum ipsius, ob deuotionem ad tantum patrem relicto mundo transierint, totam velit in S. Francisci imitatione, deuotione, & amore immergere. Idcirco cum pro aliquali repensione amoris nostri erga tātum patrē nuper ad ampliorem decorem insignis & celebris Ecclesiæ domus eiusdem S. Francisci Assisien. Ordinis fratrū Minorum Conuentualium nuncupatorum, in qua quidem Ecclesia, sub illius altari maiori, corpus eiusdem S. Francisci requiescit, ac diuini cultus, & piorum operum augmentum, ipsiusq; Sancti Francisci honorem, & venerationē, ac animarū Christifidelium salutem, vnam Archiconfraternitatem vtriusque sexus Christifidelium, qui Chordam per fratres dicti Ordinis gestari solitā, ex illorum deuotione à superioribus eiusdem religionis cinctam, & susceptam deferent, & illa cingentur, sub eiusdem S. Francisci inuocatione in ipsa Ecclesia, & ad dictum Altare Motuproprio ereximus & instituerimus, ac vt Confratres chordigeri dictæ Archiconfraternitatis, ad pia opera exercenda propensiores redderentur, ac ad Ecclesiam, & altare huiusmodi deuotionis causa cōfluerent. Eisdem vtriusq; sexus Christifidelibus verè pœnitentibus, & confessis, dictam chordam, quæ prius à superioribus dicti Ordinis benedici debeat, ad reuerentiam & memoriam eiusdem Sancti Francisci gerentibus, sacraq; communione refectis, Archiconfraternitatem ipsam ingredientibus, prima die illorum ingressus, ac in mortis articulo ipsorum, nomen Iesv ore, vel corde inuocantibus, ac etiam verè pœnitentibus, & confessis plenariam omnium peccatorum suorum indulgentiam, & remissionem, per alias nostras literas concesserimus. Necnon dilecto filio Clementi Bontadosio moderno, ac pro tēpore existenti dicti Ordinis Ministro generali, vt quascunq; Confraternitates vtriusq; sexus Christifidelium chordigerorum huiusmodi in quibuscunq; ecclesijs domorum Ordinum fratrum tam Minorum Conuentualium, quàm de obseruātia, & Capuccinorum nuncupatorum, vbicunque & in quibusuis mundi partibus erigere, & instituere, illasq;, postquam erectę fuerint, præfatæ Archiconfraternitati cum omnibus & singulis indulgentijs, & peccatorum remissionibus, ac relaxationibus aggregare, ipsasque indulgentias Confratribus illarum communicare & concedere valeret, plenam, & omnimodam facultatem, & auctoritatem concesserimus easdemq; Confraternitates erigendas, ex tunc, prout ex ea die, & èconträ, dictę Archiconfraternitati aggregauerimus, & indulgentias huiusmodi Confratribus illarum communicauerimus, ac literas prædictas, nullo vnquàm tempore de subreptionis, vel obreptionis aut nullitatis vitio vel intētionis nostræ, seu quopiam alio defectu notari, impugnari, retractari, aut reuocari nullatenus posse, sed semper validas, & efficaces futuras, suosque effectus plenarios sortiri debere decreuimus, aliàs prout in dictis literis plenius continetur. Nè autem de præmissorum validitate vllo vnquam tempore dubitari contingat: nostram denuò in præmissis auctoritatē interponere, ipsiusq; Archiconfraternitatis auctoritatem extendere, ac pium dictorum Confratrum Chordigerorum propositum amplius promouere, eosq; spiritualibus muneribus, Indulgentijs videlicet & peccatorum remissionibus, prosequi cupientes, supplicationibus dicti Clementis hac in parte inclinati, Institutionem huiusmodi, apostolica auctoritate præfata, tenore præsentium perpetuo approbamus, & confirmamus, supplentes omnes, & singulos tam iuris, quàm facti defectus si qui interuenerint in eisdem. Ipsam Archiconfraternitatem in caput omnium Confraternitatum chordigerorū huiusmodi, vbilibet institutarum, & instituendarum, etiam perpetuo auctoritate & tenore præmissis erigimus & instituimus, Omnesq; & singulas indulgentias, & peccatorum remissiones & relaxationes Religioni, & Ordini Fratrū Minorum huiusmodi per quoscunq; Romanos Pontifices prædecessores nostros ac nos, concessas, quoad eas duntaxat quæ hactenus non sunt reuocatæ nec sub vllis reuocationibus comprehensæ eisdem auctoritate & tenore similiter perpetuo approbamus, & confirmamus, ac illis perpetuæ & inuiolabilis firmitatis robur adijcimus, Illasq; Archiconfraternitati & Confratribus chordigerorum huiusmodi sub eisdem modo, & forma, quibus illæ Religioni, & fratribus præfatis concessæ fuerunt, dummodo (vt præfertur) non fuerint reuocatæ etiam perpetuo concedimus elargimur, & communicamus. Necnon de Omnipotentis Dei misericordia, ac beatorum Petri, & Pauli Apostolorum eius auctoritate confisi vtriusque sexus Confratribus chordigerorum huiusmodi præter indulgentias Religioni præfatæ concessas in mortis articulo, necnon quoties processionibus Archiconfraternitatis chordigerorum huiusmodi singulis mensibus fieri solitis interfuerint, eisdē quidem Confratribus plenariam omnium peccatorū suorum, indulgentiam & remissionem perpetuo concedimus. Alijs vero non Confratribus, qui processionibus huiusmodi interfuerint, centū annos de iniunctis eis, vel aliàs quomodolibet debitis pœnitentijs misericorditer in Domino relaxamus ac præfatis Confratribus qui alijs dictæ Archiconfraternitatis processionibus, aut dum Beatæ Mariæ vel quoduis aliud diuinum officium per ipsos Confratres chordigeros recitabitur interfuerint, ac quoties Sanctissimum Christi corpus dum infirmis defertur, vel defunctum ad sepulturam associauerint, aut alicui miserabili personæ subuenerint, vel pacem inter inimicos composuerint, seu aliquod horum fecerint, toties centum dies, de eis iniunctis seu alias, quomodolibet debitis pœnitentijs etiam misericorditer in Domino relaxamus eisdemq; Confratribus chordigeris, vt indulgentias & peccatorum remissiones præfatas, per modum suffragij, pro fidelibus, qui in gratia Dei decesserint consequi & impertiri valeant. Necnon quascunq; Confraternitates vtriusq; sexus Christifidelium chordigerorum huiusmodi, in quibuscunq; ecclesijs domorum, tam Minorum Conuētualiū, quàm de obseruantia, & Capuccinorum nuncupatorum fratrum præfatorum, in quibuscunq; mundi partibus, & locis pro tempore erigendas, & instituendas, postquàm erectæ, & institutæ fuerint Archiconfraternitati illorum aggregandi. Illisq; omnes & singulas eorum indulgentias & peccatorum remissiones, & relaxationes communicandi, & cōcedendi plenā, liberamq; facultatem præfato, ac pro tempore existenti Generali dicti Ordinis Minorū Conuentualium auctoritate, & tenore præfatis concedimus. Non obstantibus pręmissis, ac nostra de indulgentijs ad instar non concedendis, & quibusuis alijs cōstitutionibus & ordinationibus apostolicis, cæterisq; contrarijs quibuscunq; præsentibus perpetuis futuris temporibus valituris. Volumus autem quòd præsentium transumptis, manu alicuius Notarij subscriptis, & sigillo pro tempore existentis, Ministri, vel Procuratoris Generalis Ordinis Fratrum Minorum Conuentualium huiusmodi, vel cuiusuis personæ in dignitate Ecclesiastica constitutæ, aut Canonici alicuius Cathedralis Ecclesiæ, munitis, eadem prorsus fides adhibeatur vbiq; locorum, & gentium, in iudicio, & extra, quæ ipsis originalibus adhiberetur, si forent exhibitæ, vel ostensæ. Nulli ergo omnino hominum liceat, hanc paginam nostræ approbationis, confirmationum, erectionis, concessionū, aggregationis, elargitionis, communicationis, relaxationis, decreti, & volūtatis infringere, vel ei ausu temerario contraire. Si quis autem hoc attentare præsumpserit, indignationē Omnipotentis Dei, ac Beatorum Petri, & Pauli Apostolorum, eius se nouerit incursurum. Dat. Romæ apud Sanctum Petrum. Anno incarnationis Dominicæ, Millesimo Quingentesimo octuagesimosexto, Non. Maij. Pontificatus Nostri Anno Secundo.

Hinc est, qd nos huiusmodi vestro pio desiderio annuere volētes, ac cupiētes qd vestra erga eundē Sanctū deuotio, magis, magisq; augeatur, auctoritate nobis tāquàm Generali per præinsertas litteras demandata. Ad Omnipotentis Dei, eiusq; Gloriosissimæ genitricis Virginis Mariæ, ac ipsius Beati Francisci, totiusq; curiæ cœlestis, laudem, gloriam, & honorem, societatem vestram, omnesq; & singulos illius nunc, & pro tempore existentes, Confratres, tenore præsentiū eidem Archiconfraternitati perpetuo aggregamus, & associamus. Illisq; & eius Confratres, sub protectione dictæ Archiconfraternitatis, & in eius gremiū recipimus, & admittimus, vobisq; & vestræ societatis nunc, & pro tēpore existētibus Cōfratribus, omnes & singulas indulgētias, & gratias, ac spiritualia dona, quæ eo solēt copiosius redūdare, quo largius in proximorū subsidia diffundūtur, in præinsertis litteris dictæ Archicōfraternitatis Chordigerorū, vt præfertur cōcessas, gratiose, & libēter per præsētes cōmunicamus. Ita qd omnes, & singuli vestræ societatis Cōfratres in præfatis litteris cōtēta deuotè peragētes, easdē indulgētias remissiones, & peccatorū relaxationes cōsequātur, quas cōsequerētur, & cōsequi posset, si de gremio Archicōfraternitatis huiusmodi essēt. Quocirca vos, & vestrū singulos, ac pro tēpore existētes dictæ vestræ Cōfraternitatis, Cōfratres, maiori quo possumus animi nostri studio monemus, & paternè hortamur, ac sincerè in Domino requirimus. Quatenus, ad ipsius Sancti honorē, dictā chordā, nostro exēplo deferētes, cōfessionis, & Sacratissimæ Eucharistiæ Sacramēta frequēter suscipere, processionibus per societatē vestrā pro tēpore faciendas, & Sacratissimū Eucharistiæ Sacramētum, dum infirmis defertur, ac corpora defunctorum Ecclesiasticæ sepulturæ associare, officium Beatæ Mariæ Virginis recitare, illusq; ac aliorum diuinorū officiorū celebrationi interesse, ac miserabilibus personis subuenire, & pacē inter inimicos cōponere, aliaq; charitatis, & pietatis opera facere, sedulò curetis, & in illis vos exerceatis, vt per huiusmodi operā exercitiū vnigenitus Dei filius intercedēte eodē B. Frācisco vobis, & singulis vestræ societatis Cōfratribus, donec tēpus bene viuēdi, cōstātiā pseuerādi, & in hora trāsitus vestri, & cuiuslibet Confratrū subscriptorum, sic tueatur, & protegat, vt capite serpentis obtrito, ad æternæ vitæ hæreditatē valeatis fœliciter peruenire. In quorū omniū, & singulorū fidē, præsentes litteras manu nostra signatas, p infrascriptū Not. per nos ad hoc specialiter deputatū, subscriptas, ac sigilli nostri Generalatus officij appensione muniri fecimus. Dat. [handwritten] Anno à Natiuitate Domini, 158 Die vero [handwritten] Pontif. præf. S.D.N.PP. Anno tertio.

ARCHITETTURA FRANCESCANA E RIFORMA CATTOLICA A ROMA. NOTE PER UNA RICERCA

Paola Degni

Le disposizioni emanate alla conclusione del Concilio di Trento in materia di arte religiosa e in particolare relativamente all'architettura vengono dettagliatamente illustrate da S. Carlo Borromeo che, redigendo le *Instructiones fabricae et supellectilis ecclesiasticae*, composte tra il 1572 e il 1577, trattò ampiamente i problemi connessi agli edifici ecclesiastici.

Le indicazioni formulate nelle *Instructiones* tendono essenzialmente ad evidenziare i requisiti puramente funzionali che l'architettura religiosa deve possedere ribaltando quelli che la tradizione architettonica e formale dell'umanesimo aveva elaborato caratterizzando poi la trattatistica rinascimentale.

Le nuove esigenze liturgiche, secondo le disposizioni del Trattato, impongono che le funzioni si svolgano in ambienti in cui il ruolo della luce, le dimensioni dello spazio, la figura preminente del celebrante sull'altare maggiore, determinino nei fedeli una carica emozionale e percettiva onde evitare che l'attenzione venga distolta da fattori estranei o indipendenti dallo svolgimento della "sacra rappresentazione".

Questa imponendosi, anche ad uno spettatore occasionale, doveva avere un carattere solenne e maestoso esercitando sui fedeli una presa diretta tesa al ritorno dell'antica tradizione e alla riaffermazione del predominio ecclesiastico. Pertanto il prodotto architettonico è inteso essenzialmente come oggetto d'uso e costituisce il tramite per una valida propaganda religiosa.

È importante sottolineare, anche, come la scelta del luogo su cui dovrà sorgere l'edificio religioso, abbia un'importanza rilevante; al riguardo S. Carlo afferma: "quando si deve costruire una Chiesa è necessario anzitutto scegliere il luogo che risulta più opportuno,...(.) qualunque sia il luogo prescelto, si badi che l'area, su cui si vuole edificare la Chiesa sia alquanto elevata sulle adiacenze... si faccia in modo che la Chiesa venga almeno ad elevarsi cosicché si debba accedere al piano della medesima mediante tre od al più cinque gradini".

Particolarmente interessanti poi sono i passi in cui vengono impartite le disposizioni sugli ambienti interni e sulle dimensioni.

"L'ampiezza della Chiesa deve essere tale che possa contenere non solo la moltitudine della popolazione del luogo... ma anche la folla dei fedeli che suole accorrere in occasione di feste solenni... La forma migliore, che già dai tempi apostolici sembra da preferirsi, è la forma di croce... la quale può essere tanto di forme diverse che oblunga. Questa ultima però è da preferirsi alle altre di tipo meno comune... dovendosi erigere più altari ed essendo la Chiesa in forma di croce risultando dall'abside e dai due bracci, si lascerà in capo ai due bracci un luogo adatto ad erigervi due altari, uno a destra e l'altro a sinistra... vi è un terzo luogo opportuno alla loro erezione, i fianchi cioè della Chiesa... Lungo l'uno e l'altro fianco si possono edificare altari... le cappelle siano tra loro equidistanti; tra l'una e l'altra vi sia tanto spazio che da ciascun dei lati di ogni cappella si possano aprire finestre che immettano nelle medesime luce sufficiente. Nella Chiesa a più navate le cappelle rispondano con esattezza allo intercolonnio, affinché le colonne o i pilastri non tolgano la vista delle medesime...".

Con tali disposizioni si concretizzò la tendenza ad opporsi a tutte le conquiste dell'umanesimo e quindi al superamento dei principi del razionalismo rinascimentale in cui l'uomo, con l'ausilio del proprio intelletto e con lo studio della storia e l'osservazione della natura, si poneva al centro dell'universo e prescrivendo norme e regole, risolveva i problemi di pensiero e di conoscenza.

Risulta pertanto evidente come ribaltando tali concetti s'intendesse tornare al predominio che la Chiesa aveva esercitato fino al medio evo.

Particolarmente difficile emerge la situazione che si viene a creare in questo momento circa i rapporti tra "committenza" ed "artista".

In effetti anche se il trattato non affronta chiaramente il problema è evidente che l'architetto si trova ad operare con scelte progettuali limitate o comunque definite fin dall'inizio.

Nell'area milanese, dove la personalità di San Carlo Borromeo esercitava una forte influenza nel quadro politico, sociale e culturale, tali indicazioni trovarono in un primo tempo, ad opera del Tibaldi, un'efficace applicazione in quanto il dialogo tra "committente" ed "artista" si svolgeva in aderenza a quanto competeva ai due ruoli quali protagonisti in prima persona delle *Instructiones.*

L'AMBIENTE ROMANO ALLA FINE DEL XVI° SEC.

In questi anni a Roma, dapprima con il papato di Gregorio XIII° (1572-1585), si andava accentuando l'attività edilizia legata alla realizzazione di edifici pubblici e, successivamente, con Sisto V° (1585-1590) si affrontava il programma di vasta portata relativo alla pianificazione urbanistica della città al fine di fissarne le direttive per uno sviluppo futuro.

Tale intervento, condotto da Domenico Fontana (1543-1607), prevedeva la creazione di tracciati viari rettilinei in cui alle necessità pratiche legate agli spostamenti processionali dei pellegrini si univano quelle dettate da esigenze igienico-funzionali e politico-religiose tese a fare di una città medioevale la città-capitale della cristianità in aderenza alle posizioni della "Riforma Cattolica".

Tale programma, avviato in breve tempo, si concretizzò con una serie di provvedimenti di ingegneria idraulica (ripristino degli antichi acquedotti) e meccanica (innalzamento degli obelischi) dettati oltre che da necessità funzionali dall'intento di fissare per luoghi le direttrici del futuro sviluppo della città.

Gli assi di collegamento viario avevano per sfondo le basiliche che costituivano le emergenze simboliche ed erano sottolineati dai riferimenti visivi degli obelischi che venivano posti nei punti focali.

Il programma di Domenico Fontana viene così illustrato in un brano dell'autore relativo alla descrizione dei lavori per il Piano di Sisto V°...: "volendo nostro Signore facilitare la strada a quelli che, mossi da devotione... sogliono visitare i più santi luoghi della città di Roma... ha in molti luoghi aperte molte strade amplissime e dirittissime talché può ciascuno a piedi, a cavallo, e in cocchio partirsi di che luogo si voglia di Roma, e andarsene quasi per dirittura alle più famose devotioni... e conforme all'animo di un tanto Principe, ha tirato le dette strade da un capo all'altro della città, nulla curando i monti, o le valli che vi s'attraversano; ma facendo spianar quelli, e riempir queste l'ha ridotte in dolcissime pianure e vaghissimi siti,... si che le devotioni pascano ancora con la loro vaghezza i sensi del corpo".

Contemporaneamente nell'ambiente romano della seconda metà del XVI° sec. si assiste ad una produzione architettonica derivante da un clima "rigorista" o "normativo", in aderenza alla disposizioni della "Riforma Cattolica" e dalle sperimentazioni manieriste che portarono poi alle conquiste formali del primo barocco.

In particolare tra il 1564 e il 1590, come afferma il prof. Benedetti, si evidenzia una produzione architettonica che "non è affidata al prestigio di grandi qualità formali, ma si esercita nella modulazione di tipi, di modi, di schemi già consolidati: proposti ed elaborati per la massima parte dal prestigio di un San Gallo. ripresi dai suoi diretti allievi, dilatati e valorizzati dall'efficacia culturale ed artistica del Vignola".

Non è con questo che si vuole negare l'esistenza di personalità dotate di qualità creative ma anche queste rimangono, per circa un ventennio, ancorate ad esperienze ormai collaudate, (G. Della Porta) né si può tralasciare chi uscendo da tale clima rigorista le anima di nuove ricerche spaziali e volumetriche (O. Mascherino).

In questo rapido cenno sulla situazione romana allo scorcio del XVI° sec. è opportuno evidenziare, in particolar modo, quegli interventi realizzati in aderenza alle indicazioni tridentine che, con operazioni di "riuso" dei preesistenti complessi religiosi si resero necessarie per ovviare o alla vetustà delle fabbriche, o agli effetti derivanti da calamità naturali o da necessità dettate dalle esigenze delle comunità religiose in sensibile aumento.

Tali interventi si concretizzarono pertanto o in soluzioni di riedificazione integrale dell'organismo architettonico con l'intento di riqualificare la spazialità interna, oppure con interventi parziali che permisero la conservazione della caratterizzazione preesistente e infine con interventi di modesta entità dovuti all'inserimento di elementi decorativi.

ASPETTI FUNZIONALI DELL'ARCHITETTURA FRANCESCANA

Il Codice Generale di Riforma Monastica, concordato nelle ultime sessioni del Concilio di Trento (1563), aveva gettato i fondamenti per una direttiva unitaria circa il rinnovamento delle antiche istituzioni monastiche e mendicanti.

Precedentemente nel 1517 Leone X° aveva riconosciuto i nuovi indirizzi dell'ordine francescano che si erano formati intorno agli Osservanti e ai Conventuali, successivamente nel 1528 con la Bolla *Religionis Zelus* si ebbe il primo riconoscimento giuridico del nuovo raggruppamento dei frati Minori poi denominati Cappuccini.

Tale stato di cose determinò l'intensificarsi dell'attività edificatoria e di ampliamento di molti insediamenti francescani secondo gli indirizzi di ogni orientamento e le esigenze contingenti.

Occorre inoltre precisare che l'attività edificatoria dell'Ordine risulta legata, fin dalle prime realizzazioni, ad operazioni di "recupero" o "restauro" di edifici abbandonati e spesso in precarie condizioni al fine di costituire un "luogo" di ritrovo per le prime comunità francescane.

Con il termine di "locus" viene indicato nelle antiche fonti un insediamento, spesso a carattere provvisorio, tale da costituire un punto di ritrovo e di riferimento che essendo di proprietà di altri ordini religiosi o di privati o di comunità cittadine veniva il più delle volte concesso in uso a titolo di ospitalità.

Ciò in ottemperanza al principio che le comunità, secondo la prima formulazione della Regola Francescana, non dovevano possedere beni materiali e che sostanzialmente l'attività religiosa si concretizzava in opere di apostolato e di assistenza svolte preminentemente all'esterno, con libertà di movimento, quindi senza legami precisi alla vita claustrale come avveniva per gli ordini monastici.

Inoltre i primi insediamenti erano ubicati in prossimità dei centri abitati e soltanto in secondo tempo, quando le resistenze del clero locale furono superate, spesso con interventi papali, i francescani iniziarono a realizzare le prime fabbriche ex novo che, in aderenza alle caratterizzazioni costruttive del luogo, erano realizzate in relazione alle esigenze funzionali della comunità.

Da qui emerge il fatto sostanziale che l'organizzazione distributiva degli ambienti conventuali non era improntata a schemi o norme precise, ma doveva essenzialmente corrispondere alle necessità derivanti dalla vita della comunità con intenti pratico-funzionali.

L'organismo che doveva trasmettere il "messaggio" francescano era l'edificio chiesastico che, caratterizzato generalmente da un ambiente a nave unica o a tre navate, doveva esplicitare il pensiero religioso dell'Ordine in modo intellegibile a tutti senza esercitare emozioni ma in un'atmosfera di "letizia" e "umiltà".

Occorre inoltre tener presente che a periodi di fervida attività edificatoria, legati a momenti di espansione ed affermazione dell'Ordine, si sono poi succeduti momenti di pausa derivanti dalle mutate situazioni politico-sociali.

Il fatto poi che in seno all'Ordine si siano verificate, fin dal XIV° sec. e protratte nel XVI° e XVII° sec., scissioni con la formazione di orientamenti diversi, è stato l'elemento determinante per la realizzazione di nuovi insediamenti o per l'esecuzione di interventi di ampliamento e rifacimento di quelli preesistenti.

Come già accennato in precedenza la formazione dei due indirizzi dell'Ordine in Conventuali ed Osservanti e successivamente dei Cappuccini è stato uno degli elementi di rilievo che ha determinato l'intensificarsi degli interventi effettuati tra il XVI° e il XVII° sec. in molti complessi francescani.

GLI INTERVENTI DI AMPLIAMENTO NEL CONVENTO DI S. FRANCESCO A RIPA TRA LA SECONDA METÀ DEL XVI° SEC. E LA PRIMA DEL XVII°

"Per la presente ordiniamo a voi P. Custode della Riforma dei Minori Osservanti nella provincia di Roma, che in fare la cappella dell'altar maggiore et il coro nella nostra Chiesa di S. Francesco a Ripa dobbiate governarvi secondo il disegno fatto dall'architetto di Mons. Biscia... et in fare l'infermeria vi governerete secondo il disegno fatto da Messer Honorio Longo con fare il piano a volta e non a solaio... Di Casa 10 gennaio 1603. Il Cardinale Mattei Protettore". Così P. Ludovico da Modena nella "Cronaca della Riforma e fondazione dei Conventi dal 1519 al 1722" ricorda gli interventi di ampliamento e rifacimento attribuiti ad Onorio Longhi e realizzati nel 1603 nel convento di S. Francesco a Ripa in Roma.

Tale manoscritto, conservato presso l'Archivio Provinciale di S. Francesco a Ripa, unitamente ad una precedente bozza, costituisce un'importante fonte documentaria circa gli interventi effettuati dal 1519 al 1722 in molti conventi dell'Ordine nella Provincia Romana ed è stato, nel caso in esame, di fondamentale ausilio, con altri manoscritti consultati, per la datazione dell'accrescimento del complesso Trasteverino. Questo, sorto su di un preesistente insediamento benedettino, denominato Xenodochio di S. Biagio, fu assegnato ai frati Minori da Gregorio IX°, e nella prima metà del XVI° sec. era costituito dalla Chiesa ampliata e riedificata in forma basilicale, dal Chiostro posto sul lato destro della Chiesa e da alcuni ambienti circostanti (fig. 1).

1. Convento di S. Francesco a Ripa, Il chiostro del XVI sec. *(particolare del porticato tamponato).*

Nel 1579 il complesso divenne sede del Ministro Provinciale, con lo Studio Generale di filosofia e teologia, del Procuratore e del Postulatore della Riforma e pertanto fu oggetto di radicali interventi di ampliamento che, realizzati a partire dalla seconda metà del XVI° sec., si protrassero per tutto il XVII° sec. in aderenza alle mutate necessità della comunità francescana.

Il Chiostro, posto sul lato destro della Chiesa, che originariamente era a pianta rettangolare, attualmente si presenta a pianta quadrata e risulta ancora leggibile, nonostante le tamponature realizzate, l'originario andamento ad archi a tutto sesto del portico impostato su colonne in pietra, probabilmente di recupero, e su pilastri ottagoni in mattoni. Lungo tutto il perimetro esterno del portico corre un basamento in muratura su cui poggiano le colonne e i pilastri. Adiacente al Chiostro è ubicato il Refettorio, realizzato nella prima metà del XVI° sec. e ampliato fra il 1577 e il 1585 a pianta rettangolare con copertura a volta ribassata lunettata e scandito da costolonature a fascia.

Sull'intradosso delle costolonature sono raffigurati, racchiusi entro ovali, Santi dell'Ordine Francescano, mentre sulla parete di fondo, definita dalle Cronache della "Mensa Patrum" è affrescata la scena della lavanda dei piedi databile alla fine del XVI° sec. così come confermato dai manoscritti consultati.

L'antica pavimentazione del Refettorio, recentemente rintracciata nel corso degli interventi di restauro che la Soprintendenza per i Beni Ambientali e Architettonici del Lazio sta effettuando, è in cotto e risulta realizzata in epoca successiva fra il 1753-54 quando Giuseppe Sardi fu incaricato di ulteriori lavori di sistemazione del Refettorio e di alcuni ambienti adiacenti.

Intorno al 1603 fu realizzato un primo tratto del corpo di fabbrica dell'Infermeria che, ubicato perpendicolarmente alla piazza S. Francesco, e più esattamente lungo il lato sinistro della Chiesa, presentava al piano terreno una sequenza di ambienti voltati e un soprastante piano con copertura a tetto. Contemporaneamente Onorio Longhi veniva incaricato di realizzare il nuovo coro della Chiesa il cui prospetto esterno risulta attualmente scandito da quattro lesene in mattoni appena aggettanti,

2. *Convento di S. Francesco a Ripa,* Prospetto del coro prospicente il cortile della cisterna.

3. *Convento di S. Francesco a Ripa,* Il percorso porticato al piano terreno.

che delimitano due superfici liscie laterali ed una centrale in cui si aprono un finestrone ed un soprastante occhio (fig. 2).

Tali lesene s'impostano su di un basamento e si concludono con un doppio fascione sormontato da un timpano triangolare. La pavimentazione del cortile su cui prospetta il coro è realizzata con lastre di peperino poste secondo uno schema geometrico. Al centro di tale cortile era stata collocata, nel 1613, una vera di pozzo dono di Paolo V che in quegli anni fece aprire lo stradone di S. Francesco, per un più agevole accesso alla Chiesa.

Per quanto concerne, in particolar modo, la consistenza delle opere attribuite ad Onorio Longhi si riscontra la difficoltà di verificarne l'effettiva portata in rapporto ad altre eseguite dallo stesso autore.

Infatti occorre tenere presente che l'alterazione dell'eventuale progetto longhiano sia stata determinata da una serie di contrasti sorti con la comunità francescana tanto che il Cardinale Girolamo Mattei dovette intervenire per cercare di sanare la controversia, come rammenta il passo delle Cronache sopra riportato.

I dissidi sorti per la demolizione delle vecchie celle del convento francescano, posto sul retro della Chiesa, unitamente alla soluzione progettata da Onorio, per realizzare le volte del piano terreno dell'infermeria, determinarono presumibilmene un fermo dei lavori e un successivo ripensamento sulla soluzione finale.

Infatti la "committenza" intendeva affrontare tali realizzazioni con spirito più aderente possibile alle disposizioni della Regola a cui gli Osservanti erano particolarmente attenti.

Risulta inoltre che per l'erezione del nuovo coro e della cappella dell'altare maggiore il Longhi fu costretto a ridurne la larghezza al fine di conservare la cella dove dimorò S. Francesco.

Altro fattore che ha determinato l'alterazione della fabbrica dell'infermeria, in particolar modo e di tutto il complesso poi, è stato causato, in tempi recenti, a partire dal 1870, dal fatto che il Convento divenne sede, in quegli anni, della caserma dei Bersaglieri con il conseguente stravolgimento della spazialità interna e con l'alterazione dei volumi determinata dalla sopraelevazioni realizzate dai militari. Gli interventi di ampliamento del Complesso Conventuale di S. Francesco a Ripa, sostanzialmente iniziati a partire dalla seconda metà del XVI° sec., si protrassero per tutto il XVII° sec. con il rifacimento della Chiesa ad opera di Mattia De Rossi fino al XVIII° con il completamento della costruzione del Dormitorio Nuovo (fig. 3).

È intorno ai primi decenni del XVIII° sec. che l'insediamento francescano di Trastevere raggiunse la massima estensione caratterizzata da vaste aree libere coltivate a giardini e orti e dal costruito, il tutto racchiuso da un muro di cinta che costeggiava le vie Anicia, S. Maria dell'Orto, S. Michele, la piazza di Porta Portese, la via Induno e la piazza S. Francesco.

Attualmente l'area degli ex orti, occupati da insediamenti militari, ma non edificata completamente, costituisce l'unica testimonianza di un antico sistema di organizzazione del quartiere che era caratterizzato da complessi formati dall'insieme di chiesa – convento – orti, quali: S. Cecilia, S. Maria dell'Orto, S. Giovanni dei Genovesi e S. Cosimato.

Infatti a partire dalla fine dell'800 si assiste ad una progressiva edificazione delle aree degli orti e dei giardini di tali complessi conventuali mentre l'insediamento francescano, nonostante le alterazioni dovute alle sopraelevazioni e a modifiche distributive, mantiene inalterata una sua "individualità storica" anche se appannata e mortificata.

LAVORI DI RIFACIMENTO DEL PROSPETTO DELLA CHIESA DI S. BARTOLOMEO ALL'ISOLA

I radicali interventi di rifacimento eseguiti nella chiesa di S. Bartolomeo all'Isola a partire dal 1557, a seguito di una nuova inondazione del Tevere che causò "il crollo dell'ala destra di essa", sono tutt'oggi oggetto di una controversa attribuzione. Frate Casimiro da Roma nelle *Memorie Istoriche delle Chiese e dei Conventi dei Frati Minori della Provincia Romana* (Roma 1764) ricorda così gli interventi effettuati alla facciata: "Sopra del detto portico è il coro dei Religiosi che forma insieme con esso la facciata della Chiesa, ridotta nello stato presente coll'aiuto del Cardinal Trejo".

Dai documenti consultati emerge una discorde paternità delle opere effettuate che vengono assegnate in parte a Martino Longhi il Vecchio e in parte a Martino Longhi il Giovane. La "pacata compostezza" del prospetto, in cui l'equilibrio tra pieni e vuoti, scandito da leggeri aggetti delle murature, è sottolineato dalle aperture del portico al piano terreno e dalle finestre dell'ordine superiore, fa presumere una mediazione stilistica fra l'operare di Martino il Vecchio e di Martino il Giovane (fig. 4).

4. S. Bartolomeo all'isola Tiberina.

Infatti mentre il primo ha operato in modo sempre "fedele ad un rigoroso conformismo" il secondo ha sperimentato nuove soluzioni con intenti di "rottura" realizzati spesso in modo non sempre coerente.

In effetti il prospetto, ripetendo schemi cinquecenteschi risulta legato, in un certo senso, al clima "rigorista" e "normativo" arricchito da elementi che richiamano forme del primo barocco: quali il risalto delle colonne, l'alternanza dei pieni sui vuoti e i leggeri aggetti delle strutture murarie che evidenziano l'interesse verso nuove soluzioni. A proposito di tali discordanze stilistiche non si deve sottovalutare, come già detto in precedenza, l'intervento spesso decisivo nelle soluzioni da adottare della "committenza" che in particolar modo nelle fabbriche francescane ha influito in modo determinante nelle scelte progettuali tese essenzialmente ad evidenziare gli aspetti funzionali delle stesse.

Recenti studi sulla Chiesa di S. Bartolomeo poi hanno formulato l'ipotesi che nel corso del '700 siano stati effettuati interventi all'ordine superiore del prospetto con la creazione di due ambienti realizzati in sostituzione delle due volute di raccordo determinando l'alterazione delle proporzioni originarie.

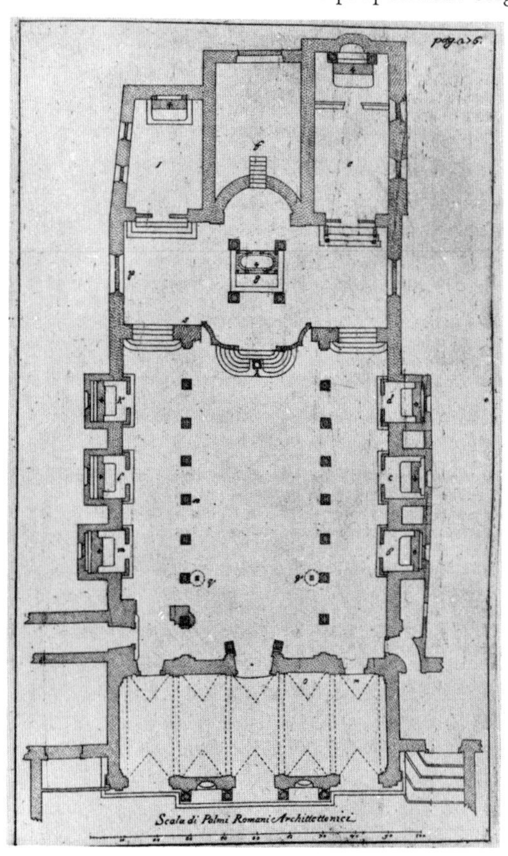

5. Pianta di S. Bartolomeo all'isola Tiberina, da "Memorie istoriche delle Chiese e dei Conventi dei Frati Minori della Provincia Romana (1764)" di Casimiro da Roma.

L'interno presenta pressoché inalterato l'impianto basilicale a tre navate con tre cappelle per parte e presbiterio rialzato sulla cripta (fig. 5).

Il soffitto ligneo fu eseguito nel 1624 e successivamente nel XIX° sec. fu oggetto di interventi di restauro con la realizzazione di decorazioni pittoriche.

LA CHIESA E IL CONVENTO DI S. ISIDORO

Con la realizzazione della Chiesa e dell'annesso Convento di S. Isidoro eretti a partire dal 1622, su progetto di Antonio Casoni (1559-1634) per un gruppo di francescani spagnoli, i Discalceati a cui Papa Gregorio XV° concesse uno speciale indulto, siamo nell'ambito dell'architettura chiesastica, aderente agli schemi della "Riforma Cattolica". La chiesa eretta in notevole ritardo rispetto alle disposizioni tridentine, costituisce un esempio d'insediamento francescano di nuova edificazione (figg. 6-7).

Il primo nucleo di modeste dimensioni costituito dalla chiesa, a croce latina, da un piccolo chiostro, poi denominato spagnolo e da alcuni ambienti adiacenti, fu poi ampliato a partire dal 1625 ad opera di Luca Wadding divenendo sede della Provincia Francescana d'Irlanda.

Per il proseguimento dei lavori fu dato l'incarico a Domenico Castelli che portò a termine la costruzione della Chiesa con l'aggiunta di sei cappelle, ampliò il Convento e realizzò un nuovo chiostro.

L'interno della Chiesa a nave unica con capelle laterali presenta una sobria scansione delle superfici murarie affidata a lesene appena aggettanti, a cornici e finestre che sottolineano con austerità le strutture murarie la cui pacata atmosfera "non distoglie" certo il fedele dal raccoglimento e dalla preghiera.

Lo spazio, piuttosto angusto, risulta dilatato dal chiarore delle superfici esaltate dalla luce che penetra dai finestroni e dalla pacata distribuzione degli spazi conclusi dalla cupola che s'imposta all'incrocio della navata con il transetto.

Le cappelle laterali, due per parte lungo la navata e quelle poste ai lati dell'altare maggiore, riassumono i saggi significativi dell'ambiente pittorico e scultoreo romano.

Lo stesso dicasi per la vicina chiesa di S. Maria della Concezione o dei Cappuccini in via Veneto che, se pur con interventi posteriori, conserva "un interno spoglio e quasi elementare nella struttura architettonica" esaltata, anche in questo caso, dalla ricchezza delle cappelle laterali alle cui decorazioni pittoriche è affidato il compito di '"arricchire" gli spazi.

La chiesa fu realizzata a partire dal 1626 su progetto di Antonio Casoni per volere di Urbano VIII° che nel 1631 decise anche la costruzione dell'adiacente convento definito "Primus et caput totius Provinciae Romanae Fratum Cappuccinorum" poi demolito tra il 1883 e il 1890.

Il Convento di S. Isidoro, invece, presenta tutt'oggi pressoché

6. *Convento di S. Isidoro.*

7. *Convento di S. Isidoro,* Il pozzo.

inalterata la consistenza seicentesca e risulta articolato intorno al chiostro spagnolo e a quello più ampio detto di Luca Wadding arricchito da un interessante ciclo di decorazioni pittoriche illustranti scene della vita di S. Francesco e dei Santi dell'Ordine. Dal Chiostro si accede all'Aula Maxima affrescata da Fra Emanuele da Como nel 1672 che, ricordiamo, ha pure eseguito negli stessi anni le decorazioni pittoriche nel primo chiostro di S. Francesco a Ripa.

La facciata della Chiesa di S. Isidoro fu realizzata più tardi da Francesco Bizzaccheri intorno ai primi anni del '700.

Questi rapidi cenni sugli interventi di ampliamento dell'ex Convento di S. Francesco a Ripa, sul rifacimento della facciata di S. Bartolomeo all'Isola Tiberina e sulla realizzazione del complesso conventuale di S. Isidoro costituiscono un primo approccio per un più approfondito studio sugli insegnamenti francescani a Roma che, tra la fine del XVI° sec. e gli inizi del XVII°, furono oggetto di un'intensa attività edificatoria generalmente legata a qualità formali derivanti da un clima "normativo" o "rigorista" che ha caratterizzato in modo significativo la produzione architettonica del tempo.

Gli studi fino ad oggi condotti hanno evidenziato gli aspetti emergenti di questa, concretizzatasi soprattutto nelle nuove "fabbriche" dei Gesuiti o in quelle degli ordini religiosi legati più da vicino alla "Riforma Cattolica", i cui aspetti più vasti vanno esaminati anche in rapporto a quelle operazioni di ampliamento o di restauro degli insediamenti preesistenti facenti spesso capo agli ordini mendicanti e in particolar modo all'Ordine Francescano.

Infatti l'attività edificatoria di quest'ultimo risulta fin dalle origini, tranne casi particolari, legata ad interventi di "riuso" di preesistenze che, in aderenza alle esigenze della Comunità, erano oggetto di lavori di accrescimento o sistemazione secondo una logica puramente funzionale.

Mentre gli spazi conventuali francescani venivano generalmente organizzati secondo una sequenza di ambienti prospicienti corti interne, di assoluta semplicità, l'edificio chiesastico invece, quale luogo assembleare e liturgico, trasmetteva il "messaggio francescano" sebbene aderente alle qualità formali e stilistiche del luogo e del momento.

Questa continuità d'intenti funzionali è stata determinante non solo per la progettazione degli insediamenti francescani ma anche per gli ampliamenti effettuati nel tempo in tutti quei complessi che hanno avuto un ruolo determinante nella vita dell'Ordine.

Ricordiamo gli interventi di sistemazione della Chiesa di S. Maria in Aracoeli a Roma, alla fine del XVI° sec., tra i quali il rifacimento del soffitto ligneo ad opera del Boulanger; gli ampliamenti e le sistemazioni del complesso conventuale dei SS. Apostoli con l'intervento dapprima di S. Carlo Borromeo, protettore dei Frati Minori Conventuali tra il 1564 e il 1584, e poi di Sisto V°, appartenente all'Ordine Francescano, che nel 1587 vi istituì il Collegio di S. Bonaventura per gli studi teologici e fece acquistare il vicino palazzo del Vaso e realizzare la fontana posta nel terzo chiostro, attribuita a Domenico Fontana in cui lo stemma Peretti costituisce il principale elemento decorativo (figg. 8-9).

Risulta pertanto evidente che tale rapida comunicazione vuole essere stimolo per più approfonditi studi e ricerche sull'argomento che presenta aspetti significativi sia per la storia dell'architettura che per l'organizzazione degli insediamenti francescani nella struttura urbana di Roma.

8. Chiostro di Sisto V, La fontana. *(attualmente questa parte del convento dei SS. Apostoli è sede dell'Istituto Biblico dell'Università Gregoriana).*

9. Fontana con lo stemma Peretti nel chiostro sistino.

BIBLIOGRAFIA ESSENZIALE

CASIMIRO DA ROMA – *Memorie istoriche delle Chiese e dei Conventi dei Frati Minori della Provincia Romana* (Roma 1764).

F. SANTILLI – *La Basilica dei SS. Apostoli, Le Chiese di Roma illustrate,* Roma, 1925, Marietti.

M. ARMELLINI – *Le chiese di Roma dal IV° al XIX° sec.,* a cura di C. Cecchelli, Roma 1942.

P. PECCHIAI – *Roma nel Cinquecento*, Bologna, 1948, Cappelli.

F. FASOLO – *Le Chiese di Roma nel '700, vol. 1°, Trastevere,* Roma, 1949.

B. PESCI – *San Francesco a Ripa, Le Chiese di Roma Illustrate,* Roma, 1959, Marietti.

E. ZOCCA – *La Basilica dei SS. Apostoli in Roma*, Roma, 1959, Marietti.

V. GOLZIO-G. ZANDER, – *Le Chiese di Roma dall'XI° al XVI° sec.,* Bologna, 1963, Cappelli.

V. MARIANI – *Le Chiese di Roma dal XVII° al XVIII° sec.,* Bologna, 1963, Cappelli.

A. DALY O.F.M. – *S. Isidoro, Le Chiese di Roma illustrate,* Roma 1971, Marietti.

L. BENEVOLO – *Storia dell'architettura del Rinascimento,* Bari, 1973, Laterza.

L. PATETTA – *Storia dell'architettura-Antologia critica,* Milano, 1975, Etas.

S. BENEDETTI – *Architettura e Riforma Cattolica in Italia,* II° fasc. Roma, 1976.

G. CANNIZZARO – *La Chiesa e il convento di S. Isidoro,* in "Alma Roma" n° 3-4, 1976.

AA. VV. – *I Longhi – Una famiglia di architetti tra Manierismo e Barocco,* Milano, 1980.

P. DEGNI-P. L. PORZIO – *Il Convento di S. Francesco a Ripa* (ex Caserma La Marmora) in Roma, in "Bollettino del Centro di studi per la storia dell'Architettura", n° 27, 1980.

AA. VV. *Tre interventi di Restauro-San Michele-Convento di San Francesco a Ripa-Santa Cecilia,* Roma, 1981, De Luca.

AA. VV. *La Roma dei Longhi-Papi e Architetti tra Manierismo e Barocco,* Roma, 1982, De Luca.

AA. VV. *Francesco d'Assisi – Chiese e Conventi,* Perugia, 1982, Electa.

P. A. SISTI – *La basilica di S. Bartolomeo all'Isola Tiberina,* Roma, tip. Centenari.

L'ARREDAMENTO SACRO E LE SCULTURE LIGNEE DEI CAPPUCCINI NEL PERIODO DELLA CONTRORIFORMA

Servus Gieben

L'atteggiamento e lo spirito con cui i cappuccini intendevano realizzare la loro riforma volta al ripristino dell'austerità francescana anche nell'arredamento delle loro chiese, sono espressi molto chiaramente – anche se nelle linee essenziali – nella legislazione dell'Ordine(1). Prima di esemplificare con dati e fatti concreti le caratteristiche dello stesso arredo sacro, sarà utile conoscere questi testi e commentarli brevemente.

Nel Capitolo generale, celebrato in Roma nel 1575, i cappuccini decisero di rivedere la loro legislazione alla luce dei decreti del Concilio Tridentino. Il testo italiano aggiornato delle Costituzioni fu pubblicato a Venezia nel 1577. A noi interessa direttamente il seguente passo del capitolo 12:

"Si ordina che nelle nostre chiese sia solo una piccola campana di cento et cinquanta libre, o circa, et ne' nostri luoghi non sia altra sagrestia che un armario, overo una cassa con una buona chiave, qual sempre porti seco un frate professo, nel qual armario o cassa si riponghino le cose necessarie al culto divino, et si habbino communemente due calici con la coppa d'argento con le loro patene bene indorate, et non si habbino più calici o paramenti di quello che richiede la necessità di luoghi.

Nei paramenti et panni d'altare non si usi oro, o argento, o altre curiosità o pretiosità secondo la Clementina, et ogni cosa sia netta et monda, et specialmente i paramenti sacerdotali. I corporali et purificatori siano mondissimi et candidissimi, i candelieri fatti al torno di semplice legno; i nostri messali et breviarii et anco tutti li altri nostri libri siano poveramente legati et senza signacoli curiosi.

Et guardinsi i frati che nelle nostre cose pertinenti al culto divino, nelli edifici nostrii, et nelle masseritie quali usiamo, non appara alcuna pretiosità o superfluità, sapendo che Dio vuole (come dice papa Clemente quinto) et più si diletta del cor mondo et delle sante operationi che delle cose pretiose et ben'ornate. Per il che dovemo attendere in tutte le cose che sono ad uso nostro risplenda l'altissima povertà la quale ci accenda alle pretiosità delle ricchezze celesti dove è ogni nostro tesoro, delitie et gloria, et però prohibimo la recettione di quasi voglia cosa, ancorche minima d'oro, d'argento, di velluto o seta; eccetto il calice, la bossola del Santissimo Sacramento et tabernacolo et il velo da tenere sopra il tabernacolo, et i pradri Vicarii provinciali quando andaranno alla visita dove trovaranno simili cose, diano la penitentia a chi l'ha ricevute, come disobbedienti et poco amatori della nostra semplicità, et faccino che le siano rendute alli padroni, et non sapendo di chi siano le faccino dare ad altre chiese poverelle, essortando nondimeno che nella nostra povertà risplenda ogni monditia et candidezza et particolarmente nelle cose che appartengono al sacro altare, tanto nelle tovaglie, purificatori et corporali, quali siano sottilissimi, come nell'altre cose che servono al culto divino"(2).

In questo passo, la prima cosa da notare è la mancanza, nelle chiese cappuccine, di una vera e propria sagrestia. Al suo posto vi era un "armario overo una cassa con una buona chiave". Detto armadio conteneva tutto il necessario per la celebrazione liturgica ed era nel coro dei frati, immediatamente dietro l'altare, addosso ad esso. Là, nel coro, il sacerdote si vestiva per la santa messa e usciva da una porta accanto all'altare.

Talvolta, nel muro di separazione tra chiesa e coro, vi era un'altra apertura, provvista di una porticina, per passare le ampolline dell'acqua e del vino, in modo che nessuno dovesse farsi vedere in chiesa per servire all'altare. In molte chiese cappuccine si vede tuttora, dietro l'altare, nel coro dei frati, questo armadio per i paramenti sacri, ma la sua funzione originaria è ormai del tutto dimenticata.

La proibizione di avere altra sagrestia all'infuori di un armadio, che nell'Ordine vigeva dal 1536(3), fu abolita nell'aggiornamento delle Costituzioni del 1608, ove si legge: "le sagrestie siene povere con una buona chiave"(4). Il testo, in vero, non è né chiaro né logico, e perciò, nella versione latina del 1638, fu espresso più chiaramente e non senza eleganza: "sacraria paupere et tenui suppelectili sint instructa, forti tamen clave munita"(5).

Per quanto riguarda i veri e propri arredi sacri, le norme son ben chiare. Ci si attiene il più possibile alla legislazione del 1536. I due calici menzionati, con la coppa d'argento e le loro patene bene indorate, rappresentavano un necessario adattamento post-tridentino delle Costituzioni del 1536 che prescrivevano: "et se habiano doi piccoli calici, uno de stagno e l'altro con la sola coppa d'argento"[6]: il primo, probabilmente, per le ostie, l'altro per il vino consacrato. Anche per quanto riguarda i paramenti, i lini d'altare, i candelieri e i libri liturgici, ci si scostava pochissimo dalla vecchia legislazione che stabiliva in proposito:

"et non se habbia più de tre poveri paramenti senza oro, argento, velluto o seta o altra preciosità overo curiosità, ma con grande mundicia; li pallii de li altari siano de panno non precioso, li candelieri de legno, et li nostri missali et breviarii ac etiam tutti li altri libri siano poveramente ligati et senza signaculi curiosi, accio che in tutte le cose che sono ad nostro povero uso risplenda l'altissima povertà et ce accenda a la preciosità de le ricchezze celeste dove è ogni nostro thesoro, delicie et gloria"[7].

In un solo caso si accettava, crediamo sull'esempio di San Francesco, la "preziosità" delle cose: in tutto ciò che immediatamente riguarda il Sacramento dell'Eucarestia, ossia i calici, le pissidi, il tabernacolo e il velo che copre quest'ultimo. Troviamo qui il movente religioso e la giustificazione giuridica per la presenza, nelle chiese cappuccine, dei tabernacoli riccamente lavorati, con i quali numerosi intagliatori cappuccini espressero il loro amore per il Signore sacramentato. In questo contesto va ricordato che nel Cinque e Seicento i cappuccini furono promotori della devozione popolare delle Quarantore, tutta incentrata intorno ad un tabernacolo festosamente adornato, con prediche, preghiere e canti. Per promuovere il culto dell'Eucarestia, Mattia Bellintani da Salò (+ 1611), Giacinto da Casale (+ 1627) e Ludovico di Sassonia (+ 1608) fondarono particolari confraternite[8].

Nella maggior parte dei casi, i tabernacoli cappuccini nacquero insieme a tutta la struttura dell'altare maggiore che di solito includeva una pala. Quest'ultima era praticamente necessaria, a motivo della parete che separava la chiesa dal coro dei frati. La presenza di questa grande e costosa pittura non costituì mai un serio problema di coscienza per l'Ordine. A Camerino, la culla dell'Ordine, troviamo sull'altare maggiore, fin dagli anni 1530-1534, la bella maiolica policroma di Mattia della Robbia, raffigurante la Vergine col Bambino e i santi Francesco e Agnese. I cappuccini si richiamavano volentieri agli aspetti più austeri delle precedenti riforme francescane. Ora, nelle Costituzioni di Narbona, con cui, nel 1260, avviò la sua grande opera di riformatore, san Bonaventura aveva proibito, tra l'altro, le vetrate istoriate o pitturate, contemplando tuttavia un'eccezione per la vetrata dietro l'altare maggiore, che poteva rappresentare il Crocifisso, la beata Vergine, san Francesco e sant'Antonio. A queste norme si fa riferimento nel primo cerimoniale cappuccino del 1594, ancora inedito, con l'ammonizione "omnino volumus observare"[9].

Ma viene pure notato, riguardo alle vetrate, che nell'Ordine ciò non viene osservato, evidentemente perché non vi erano chiese cappuccine con vetrate. È però significativo che, per quanto riguarda le prime pale dipinte appositamente per le chiese cappuccine, sembra che ci si attenga alla tematica suggerita nel testo di san Bonaventura. Lo vediamo nel celebre quadro che Girolamo Muziano dipinse per il convento di Frascati e che raffigura il *Crocifisso con i santi Francesco e Antonio*. Lo stesso soggetto troviamo a Bastia in Corsica. Altrove, come a Vibo Valentia, la pala rappresenta *l'Immacolata* con i santi Francesco e Antonio. A Rombiolo (Catanzaro), invece, troviamo la Madonna col Bambino e i santi Francesco e Chiara. In questi ultimi tre casi è pure presente un bel tabernacolo ligneo, illuminato da intarsi in avorio e diviso in due ordini, ambedue con nicchie ornate da statuette. È il tipo di tabernacolo che nel Sei e Settecento diventerà molto popolare tra i cappuccini d'Italia[10]. Anche se finora nessun tentativo è stato fatto per schedarli, una recente iniziativa tendente ad approntare un album delle singole province cappuccine, ne ha documentati più di quaranta, tra i più interessanti[11]. Nella maggior parte dei casi si trovano tuttora sul posto, anche se, a volte, un rinnovamento liturgico poco illuminato li ha tolti dal loro ambiente naturale. In altri casi si trovano nel museo conventuale. Eccone un elenco. Nella provincia religiosa di Parma: Fidenza, Modena, Parma, Pavullo, Piacenza, Pontremoli, Reggio Emilia, S. Martino in Rio, Scandiano; nelle Marche: Ascoli Piceno, Cagli, Camerino, Civitanova Marche Alta, Corinaldo, Fossombrone, Macerata, Ostra, Ripatransone; nell'Abruzzo: Campli, Caramanico Terme, Manoppello, Penne; nella provincia di Foggia: Bovino; nella Puglia: Alessano, Scorrano; nella provincia di Reggio Calabria: Rombiolo, Vibo Valentia; nella provincia di Messina: Adrano, Gangi; nella provincia di Siracusa: Caltagirone, Gela, Leonforte, Licodia Eubea, Mazzarino, Melilli, Mineo, Siracusa, Sortino, Vittoria, Vizzini; in Sardegna: Cagliari, Saluri, Sassari, e Bastia in Corsica.

Siccome questi tabernacoli, nella quasi totalità, sono dovuti a fratelli laici intagliatori dell'Ordine cappuccino, poco o nulla si conosce circa l'identità degli artisti e il tempo della esecuzione dei lavori. Fa eccezione il bellissimo tabernacolo di Caltagirone in legno intarsiato, avorio e tartaruga, opera di Giuseppe Lo Mastro, datato 1609. È molto probabile che questo artista abbia lasciato altri lavori nella provincia di Siracusa. Due frati siciliani, Agostino e Vincenzo da Trapani, lavorarono i tabernacoli di Modena (1645) e di Parma (1647) (fig. 1), e pare che trasmettessero la loro arte ad apprendisti del luogo, perché nella seconda metà del '600 fra Leone Papotti da Carpi eseguirà i tabernacoli di Piacenza, Pontremoli e Reggio Emilia, mentre Fedele Minari da Scandiano realizzerà quelli di Fidenza, S. Martino in Rio e Scandiano. Ma ormai siamo in pieno Settecento, nel qual tempo pure la Sicilia avrà ancora un grande artista nella persona di fra Angelo da Mazzarino, che arricchirà la sua città natale col suo capolavoro, frutto di 18 anni di sudore. Necrologi e cronache delle varie province ci fanno conoscere ancora una quindicina di intarsiatori ed ebanisti cappuccini, senza che peraltro si possa loro attribuire alcun tabernacolo in concreto.

I materiali adoperati nel costruire i tabernacoli sono, di solito, legno pregiato di varie specie, ebano, avorio, madreperla e

1. Frati Agostino e Vincenzo da Trapani. Parma, Chiesa del Convento dei Cappuccini, Tabernacolo in legno scolpito avorio e madreperla (1647).

tartaruga. Le statuette e le altre piccole sculture per lo più sono eseguite in bosso, ma a volte sono anche di avorio (Fidenza). In alcuni casi le statuette sono sostituite da miniature (Alessano, Scorrano, Sanluri), o da intarsi geometrici e finestre (Cagli). Nei tabernacoli marchigiani, di solito, la porticina viene accentuata con gradini sempre più piccoli, in un giuoco di prospettiva, verso l'ingresso. La cuspide è quasi sempre formata da una cupoletta a mo' di cipolla, a volte a forma di cono (Vibo Valentia) o a volute (Rombiolo). Essa è sormontata da una statuetta del Cristo risorto, da una croce oppure da un angioletto.

L'iconografia delle sculture varia, evidentemente, secondo la grandezza del tabernacolo e il numero delle nicchiette. Nel posto d'onore, cioè nella nicchia centrale del secondo ordine, sopra la porticina del ciborio, troneggia sempre l'Immacolata, patrona dell'Ordine cappuccino. Accanto a lei, a destra e a sinistra, di solito vi sono i santi Francesco, Antonio, Bonaventura e Felice da Cantalice. Nel primo ordine figurano altri santi dell'Ordine francescano, come san Ludovico vescovo e san Bernardino da Siena, oppure apostoli e/o santi locali.

Questi tabernacoli cappuccini (figg. 2-3-4) sembrano una variante del tipo di tabernacolo che nel secolo XVI, specialmente in Italia era collocato direttamente sull'altare, senza lo sfondo di ancona di sorta[12]. Tra le migliori espressioni di questo tipo di tabernacolo, ricordo quelli dell'altare maggiore della Certosa di Pavia (ca. 1560), della Cappella Sistina in S. Maria Maggiore a Roma, di S. Giustina a Padova, di S. Spirito a Firenze e del Duomo di Pisa. Ovviamente, i cappuccini non potevano e non volevano gareggiare con questi pezzi di grandezza e prestigio, elaborati in preziosi e rari marmi o fusi in bronzo. Nondimeno essi poterono ispirare gli intagliatori dell'Ordine, intenti a abbellire, con semplici mezzi a disposizione, l'unico oggetto prezioso che le leggi ammettevano nelle loro chiese.

Non di rado, il governo centrale dell'Ordine mosse obiezioni contro pale d'altare giudicate troppo "preziose" per le chiese cappuccine. Ciò capitava specialmente nei paesi dove la preziosità di un quadro veniva giudicata non tanto in base al valore commerciale del dipinto quanto a motivo del peso propagandistico nella lotta contro le idee protestanti. Così, nel 1617, il ministro generale Paolo da Noto, allarmato dalla denunzia di qualche religioso zelante, protestò da Madrid contro la collocazione dei quadri del Rubens nelle chiese di Cambrai, Lille, Anversa e Edingen[13]. Lo stesso fece il suo successore, Clemente da Noto, per alcune pitture dei conventi svizzeri[14]. Ma quest'ultimo si rese conto che i quadri non potevano essere rimossi senza suscitare scandalo tra il popolo. Perciò si limitò a proibire di accettarne altri. Alcuni anni più tardi nelle Fiandre permise soltanto l'installazione di pale d'altare che costassero meno di 300 fiorini. Era però una battaglia perduta, perché, praticamente, nel corso del Seicento in tutte le chiese cappuccine gli altari, anche laterali, furono ornati con dipinti. La loro "preziosità" dipendeva unicamente dalla generosità dei benefattori, che spesso rimanevano i

2. *Fossombrone, Chiesa dei Cappuccini,* Tabernacolo. *Sec. XVII.*

3. *Caramanico Terme (Pescara), Chiesa dei Cappuccini di S. Lorenzo,* Tabernacolo ligneo. *Sec. XVII.*

4. *Roma, Museo Francescano,* Tabernacolo ligneo (*proveniente dalla distrutta Chiesa dei Cappuccini di Avezzano).*

proprietari del quadro, e dalla presenza in luogo, di un buon artista.

NOTE

(1) L'antica legislazione dei cappuccini si trova comodamente riunita nel volume *Constitutiones Ordinis Fratrum Minorum Capuccironum saecolorum decursu promulgatae.* Vol. 1: *Constitutiones antiquae (1529-1643).* Editio anastatica, Roma 1980.
(2) *Constitutiones*, 1980, 48-49.
(3) *Ivi*, 71.
(4) *Ivi*, 250.
(5) *Ivi*, 487.
(6) *Ivi*, 71.
(7) *Ivi*, 71.
(8) Cfr. *Lexicon Capuccinum*, Roma 1951, 552-555 e 1433, s.v. *Eucharistia* e *Quadraginta Horarum Oratio*, con bibliografia.
(9) Antwerpen, *Archief van de Belgische Kapucijnen*, III, 5008, f. 117r. Si veda pure f. 103v dove si dice che le chiese "sint simplices, sine curiositate, non imaginibus ecclesiae depictae praeter tabulam ad altare vel in fenestris chori, si alicubi eas in eisdem vellet habere".
(10) Cfr. S. CALÌ, *Custodie francescano-cappuccine in Sicilia,* [Catania 1967].
(11) Gli album furono presentati dalle singole province nel Capitolo generale, celebrato in Roma nei mesi di luglio-agosto 1982. Essi sono conservati nel Museo Francescano presso l'Istituto Storico dei Cappuccini a Roma.
(12) Cfr. J. BRAUN, *Der christliche Altar in seiner geschichtlichen Entwicklung,* II, München 1924, 640-641.
(13) HILDEBRAND (Raes van Hooglede), *De Kapucijnen in de Nederlanden en het prinsbisdom Luik*, V. Antwerpen 1950, 15-19; VIII, Antwerpen 1954, 242-250.
(14) HILDEBRAND, *op. cit.* 1954, 242; cfr. *Sankt Fidelis Glöcklein* 2 (1913-1914) 330-331, n. 2.

1. Scuola dell'Italia Settentrionale, seconda metà del XVII secolo. Reliquiario di S. Gereone, con la raffigurazione delle stigmate sul coperchio. Legno e argento sbalzato e bulinato, cm. 35×21×26,5. Assisi, Museo del Tesoro della Basilica di S. Francesco.

2. Scuola romana, fine secolo XVI. Campanello con la raffigurazione della Vergine e di Sisto V. Bronzo, cm. 13,5×5. Assisi, Museo del Tesoro della Basilica di S. Francesco.

3. Scuola lombarda, inizio secolo XVII. Calice con storie della vita di S. Francesco nella base e nel sottocoppa. Argento parzialmente dorato, cm. 26×15,2. Assisi, Museo del Tesoro della Basilica di S. Francesco

4. Scuola toscana, secolo XVII. Croce astile con S. Francesco. Pietrasanta (Lucca), chiesa di S. Francesco.

5. Arte lombarda, secolo XVII. Croce astile. Argento sbalzato e cesellato, cm. 62×30. Assisi, Museo del Tesoro della Basilica di S. Francesco

6. *Arte fiorentina, secolo XVII (datato 1621). Secchiello con l'immagine di S. Francesco. Pontelungo (Pistoia), chiesa del convento di Giaccherino.*

7. Arte toscana, secolo XVII (datata 1624). Croce astile con Santi francescani. Empoli, chiesa del convento di S. Maria a Ripa.

8. Scuola napoletana, inizio secolo XVII. Calice con busti di Santi francescani nella base e nel nodo. Argento parzialmente dorato, cm. 26,8×12,1. Assisi, Museo del Tesoro della Basilica di S. Francesco.

DOCUMENTI E OGGETTI

a cura di Erina Russo

SIGILLI

Serie di 43 Sigilli delle Province Francescane. Roma, Museo Francescano dei Frati Minori Cappuccini.

(I sigilli contrassegnati con * sono riprodotti nel catalogo)

1. (F.M. CAP.)
Sigillo della Provincia di Marsiglia. Sigillo circolare in forma di timbro. Diametro 32 mm. Ottone.

San Luigi di Tolosa con la mitra calzata sulla testa e che tiene il bastone pastorale in piedi davanti la S. Vergine tenendo il Bambino Gesù che gli appare in una nuvola. Legenda.

* **2.** (F.M. CAP.)
Sigillo del Provinciale di Bretagna. Sigillo ovale senza il manico. Altezza 39 mm., larghezza 39 mm. Ottone.

San Francesco e S. Ivo di fronte l'un l'altro che tengono un libro sopra il quale si libra lo Spirito Santo circondato da raggi. In basso si intravede uno stemma diviso in due parti con gli emblemi della Francia e della Bretagna. Sul bordo che incornicia un cordone di perline, la legenda.

3.
Sigillo del Convento di Besançon. Sigillo ovale con il manico di legno tornito. Altezza 13 mm., larghezza 34 mm.
Ottone.

L'Agnello pasquale sul libro del Vangelo recante una lunga croce da dove pende un piccolo stendardo (o drappeggio) sormontato da una piccola croce. Legenda sul bordo di contorno.

4.
Iniziali intrecciate JS, il manico di questo sigillo formato da un unico pezzo rappresenta un cappuccino in piedi con le mani dentro le maniche. Rotondo.
Diametro 22 mm. Ottone.

5.
Sigillo del Procuratore Generale del III° Ordine Regolare. Sigillo ovale, tutto uno col manico. Altezza 29 mm, larghezza 23 mm. Ferro.

Nel campo diviso in due da un tratto (da una banda o *linea*) le insegne dell'ordine francescano nella parte superiore e nella parte inferiore la corona di spine e i chiodi della passione separati dalle lettere: O.P.C.. Sul bordo di contorno la legenda in latino.

6.
Sigillo della Provincia dei Frati Minori Osservanza della Corsica. Sigillo ogivale munito di un manico che fa corpo unico con il sigillo. Altezza 76 mm., larghezza 42 mm. Ferro.

In mezzo a campo il T (Tau) vicino ai monogrammi I.H.S.E.X.P.S. In Tau la lettera M circondata da 3 stelle. In basso le lettere S.P.C. con sette stelle. Sul bordo formato da due tratti continui che circonda il campo la legenda.

7. (F.M. CAP.)
Sigillo del convento Jussey. Sigillo ovale munito di un manico in legno tornito. Altezza 26 mm., larghezza 21 mm. Ottone.

San Luigi di Tolosa in piedi girato sulla destra e benedicente è vestito da francescano, ha la mitra in testa e tiene con la sinistra una lunga croce. Ai suoi piedi uno scettro e una corona. Legenda.

8. (F.M. CAP.)
Sigillo della Provincia di Corsica. Sigillo rotondo con manico di legno tornito. Diametro 28 mm. Ottone.

San Francesco che cammina a sinistra (del sigillo) recante sulle spalle una grande Croce. Legenda sul bordo.

9.
Sigillo del Convento di Fallerone. Sigillo ovale senza il suo manico. Altezza 21 mm., larghezza 10 mm. Ottone.

Nella parte superiore del campo le insegne dell'Ordine francescano. Sotto separato da un tratto che divide il campo in 2 parti un Vescovo in piedi visto di fronte. Porta la Mitra e tiene il bastone pastorale. Ai lati e girati verso di lui due francescani uno dei quali si appoggia ad un bastone. Degli arabeschi tra due tratti continui separavano il campo dal bordo dove si trova la legenda.

10.

Sigillo della Provincia di S. Nicola dell'Ordine dei Minori. Sigillo ogivale munito di impugnatura. Altezza 73 mm., larghezza 43 mm. Argento.

Nel campo tra due arabeschi un portone sormontato da un timpano ornato dalle insegne dell'Ordine francescano. Sotto questo arco e le due colonne che formano la porta S. Nicola in piedi di fronte e vestito da Pontefice. L'aureola circonda la sua testa. Con la destra tiene il bastone pastorale e con la sinistra un libro. Ai suoi piedi a destra c'è una mitra sormontata da due cifre o lettere 1 9 a cui fanno riscontro sulla sinistra 2/4.
Sotto il Santo tra le due lettere M P un francescano a mezzo busto con le mani giunte e girato verso la destra. Sul bordo che circonda il campo la legenda.

11. (F.M. CONV.)

Custodia di Arles. Sigillo ogivale con manico in legno tornito. Altezza 62 mm., larghezza 40 mm. Ottone.

San Francesco in ginocchio sul terreno cosparso di fiori e girato verso la sinistra mentre riceve le stimmate da un crocifisso alato sormontato da cinque stelle. Sul bordo incorniciato da un cordone di perline, la legenda.

12.

Convento di Urbania: Provincia delle Marche. Ovale. Altezza 29 mm. larghezza 23 mm. Ottone.

Sul campo S. Anna e la Vergine. Legenda.

***13.**

Sigillo del Presidente del Lanificio dei Cappuccini di Pergola. Marche. Sigillo di ottone – rame. Altezza 27 mm., larghezza 23 mm.
Legenda.

14.

Prov. Capp. Lucae. Sigillo di Ottone ovale. Altezza 23 mm., larghezza 21 mm.

San Serafino in estasi. Legenda. Vedere originale. Fu ottenuto dal Padre Generale al ritorno da un suo viaggio nell'ottobre 1920.

15.

S. Chiara. Sigillo e manico di acciaio. Ovale. Altezza 26 mm., larghezza 22 mm.

Nel campo S. Chiara in piedi recante con la mano destra il bastone pastorale e con la sinistra l'ostensorio.

16. (Indeterminato)

Sigillo di Ottone. Diametro 32 mm.

Sul campo un insieme di ornamenti. Diviso in due parti: in cima T e una fiamma, sulla punta C. Legenda nei quattro angoli.

17. (Indeterminato)

Ottone ovale. Altezza 25 mm., larghezza 23 mm.

Sul campo le insegne dell'Ordine che emanano raggi. Epigrafe P. C.

***18.**

Clarisse di Fano (Marche). Grande sigillo di Ottone con manico di ferro. Altezza 41 mm., larghezza 31 mm.

Sul campo scudo ornamentale sormontato dall'agnello pasquale. Sull'estremità in basso le insegne dell'Ordine. Legenda.

***19.**

Provincia delle Marche. Metallo bianco. Ovale. Altezza 42 mm., larghezza 38 mm.

Sul campo San Francesco in ginocchio mentre contempla la traslazione della Santa casa da parte degli Angeli. Legenda.

20. Calchi.

21. (F.M. CAP.)

Provincia S. Antonio di Padova. Sigillo ovale. Altezza 30 mm., larghezza 28 mm.

Sul campo S. Antonio in piedi voltato verso destra. Ha la testa sormontata da un'aureola. Con una mano tiene un libro chiuso e con l'altra un giglio. Dal suo cordone scende la corona del rosario. Legenda.

22.

Frati Minori Cappuccini di Lauria – Basilicata. Sigillo ovale.

S. Antonio di Padova in piedi, di fronte, ha un giglio in una mano e nell'altra un libro sul quale si trova il Bambino Gesù benedicente. Legenda che termina con due rami di alloro.

23.

Frati Minori Cappuccini – Provincia di Lucania. Sigillo ovale. Altezza 35 mm., larghezza 29 mm.

Un Angelo trasportato da una nuvola presenta una palma e mostra il cielo a un santo (S. Matteo) inginocchiato davanti a lui. Sopra la insegne dell'Ordine francescano (impronta in gesso).

24.

Provinciale del Terzo Ordine della Penitenza della Provincia di Francia. Sigillo ogivale. Altezza 65 mm., larghezza 40 mm.

San Francesco in ginocchio girato a sinistra che abbraccia una croce sulla quale vi sono tre chiodi e una corona di spine. Campo cosparso di gigli, sotto datato 1604. Legenda. (impronta in gesso).

25.

Frati Minori Cappuccini – Convento di Ostia (Prov. Romana). Sigillo ovale. Altezza 25 mm, larghezza 20 mm.

San Francesco in piedi girato a sinistra. La testa coperta dal cappuccio ha in mano una grande croce. Legenda.

26.

Frati Minori Cappuccini – Convento di Viterbo (Prov. Romana). Sigillo ovale. Altezza 27 mm., larghezza 23 mm.

S. Paolo in piedi visto di fronte con l'aureola. Ha nella mano destra una spada (gladio) e nella sinistra un libro aperto. (Gladio simbolo della potenza). Legenda.

27.

Frati Minori Conventuali – Convento di Viterbo. Sigillo ovale. Altezza 28 mm., larghezza 24 mm.

San Francesco in piedi con aureola. Ha una croce tra le braccia incrociate sul petto. Di fronte a lui a destra, sullo stesso piano, S. Rosa da Viterbo con aureola. Ha una corona di rose e ha in una mano una rosa. Sopra San Francesco si legge *S.F.* e sopra S. Rosa *S.R.* Legenda sul campo.

28.

Frati Minori Cappuccini - Provincia Romana. Sigillo ovale. Altezza 25 mm., larghezza 21 mm.

San Francesco in ginocchio. Ha le braccia aperte e contempla il Serafino alato e il Crocifisso che gli imprime le stimmate. Davanti al Santo una piccola cappella. Dietro di lui un albero. Legenda incorniciata da un cordone di perline.

29.

Frati Minori Cappuccini - Provincia di Lucania o Basilicata. Sigillo ovale. Altezza 30 mm., larghezza 24 mm.

S. Matteo seduto con aureola. Egli ha un libro aperto sulle ginocchia. Riceve dalla mano di un angelo che si avvicina a lui volando la penna con la quale dovrà scrivere il suo Vangelo. Nella parte superiore del campo le insegne dell'Ordine francescano. Sopra c'è pure una piccola nuvola. Legenda.

30.

Frati Minori Cappuccini - Convento di Genzano. Provincia Romana. Sigillo ovale. Altezza 31 mm., larghezza 27 mm.

San Francesco in ginocchio in cima al Calvario. Ha le braccia incrociate e girato verso la sinistra contempla nostro Signore Crocifisso. Legenda sull'orlo circondata da una ghirlanda di fogliame.

31.

Frati Minori Cappuccini - Convento di Albano (Prov. Romana). Sigillo ovale. Altezza 27 mm., larghezza 23 mm.

San Bonaventura in piedi visto di fronte indossa il saio francescano. Ha il copricapo cardinalizio e ha in mano una penna e nell'altra un libro chiuso. Legenda.

32. Calchi
Frati del III Ordine di Amiens. Sigillo rotondo. Diametro 26 mm.

San Francesco riceve le stimmate. Sotto uno stemma con le insegne della città di Amiens. Vi sono due rami di alloro argentati. Sigillo del Presidente ricucito in azzurro e recante tre fiori di gigli d'oro. Sul retro: Frate Leone in ginocchio. Legenda.

33.

Congregazione del III Ordine di Frejus. Sigillo ovale. Altezza 39 mm., larghezza 29 mm.

Su un campo cosparso di fiori di giglio S. Luigi Re di Francia in piedi e di fronte tiene lo scettro e l'insegna della giustizia. In basso lo stemma della Francia con le lettere S. L. Legenda. Vedi originale.

***34.**

Frati Minori. Recolletti di Quesnoy. Sigillo ovale. Altezza 60 mm, larghezza 41 mm.

San Bernardino da Siena in piedi, di fronte su di un piedistallo. Egli indica con la mano sinistra il monogramma *G. H. S.* contornato di raggi accanto a lui. Ai suoi piedi vi sono le tre mitre che ricordano il suo triplice rifiuto dell'episcopato. Legenda.

35.

Il Guardiano di Costanza. Sigillo ogivale. Altezza 43 mm., larghezza 29 mm.

San Francesco a mezzo busto sopra un carro a quattro ruote di fronte con le mani alzate fa vedere le stimmate. Sotto un religioso in ginocchio guarda il carro che si alza verso il cielo. Legenda sul bordo che termina con un cordone.

36.

F. M. Obs. Reg. Il procuratore Generale nella Curia Romana. Sigillo ogivale. Altezza 70 mm., larghezza 44 mm..

Nostro Signore Gesù Cristo a mezzo busto visto di fronte, esce dalla tomba. Ha la frusta e una corona di spine, si appoggia alla croce e tiene gli strumenti della passione. Sotto la tomba i tre chiodi della Passione. Legenda.

37.

Guardiano dei Recolletti di Netz. Sigillo ogivale. Altezza 56 mm., larghezza 36 mm.

San Francesco in ginocchio riceve le stimmate. Dietro di lui un albero. Legenda sull'orlo che incornicia un cordone di perline (impronta su zolfo).

38.

Convento Frati Minori - Montefiascone. Sigillo ogivale. Altezza 44 mm. larghezza 27 mm.

San Pietro seduto sulla sedia gestatoria visto di fronte, ha una chiave e benedice. Sotto un sarcofago con ornamento di una Croce. Legenda. (impronta in gesso).

39.

Provinciale Frati Minori di Germania. Sigillo ogivale. Altezza 50 mm., larghezza 36 mm.

Nostro signore nell'orto degli Ulivi. In alto Nostro Signore Gesù Cristo in ginocchio che prega il Padre Celeste con le parole che ornano la legenda.
Sotto i tre apostoli addormentati ai quali Nostro Signore dice queste parole che separano il campo in due parti. Legenda. Impronta in gesso (Museo di Zurigo) (1825). Dietrici Prov.

40.

Frati Minori. Provincia di Inghilterra. Sigillo rotondo 30 mm.

La Santa Vergine incoronata con le mani giunte. In piedi; di fronte su di una mezza luna. Legenda. Demai 7482. Archivio Comunale di Donai (Ruè).

41.

Frati Minori di Pola. Sigillo ogivale. Altezza 40 mm, larghezza 26 mm.

Una colomba appollaiata su di un ramo d'albero ha nel becco un ramoscello di ulivo. Sull'orlo doppiamente granulato. Impronta in gesso.

42.

Frati Minori Conventuali. Sigillo ogivale. Altezza 53 mm., larghezza 32 mm..

Al centro del campo il T (Tau). Legenda.

***43.**

Il Postulatore di S. Bonaventura al Palatino. Sigillo rotondo. Diametro 26 mm.

Le braccia di Nostro Signore Gesù Cristo e San Francesco incrociate davanti la Croce. Legenda. Reso dal sigillo matrice in ottone conservato nel Sacro recesso di San Bonaventura.

***44.**

Stemma francescano ricamato su velluto. Seconda metà 1500.

***45.**

Stemma ricamato su velluto. Segno francescano. Seconda metà 1500.

2

13

18

19

34

43

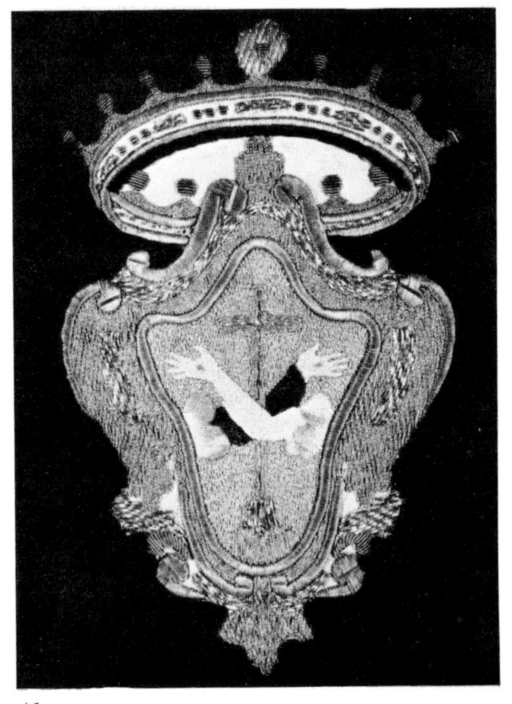

45

44

BOLLE

Bolle originali in pergamena con sigillo papale in piombo.

Roma, Biblioteca Convento SS. Apostoli dei Frati Minori Conventuali.

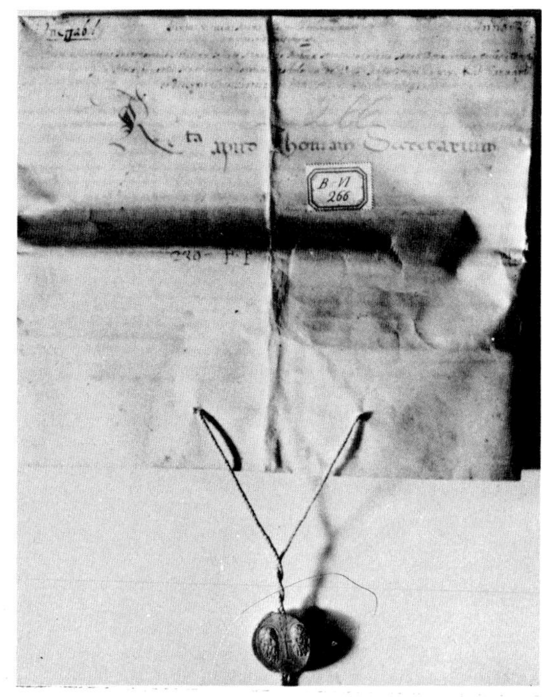

1.

Bolla di creazione del Collegio teologico di S. Bonaventura nel Convento dei Santi Apostoli in Roma. Anello di congiunzione, nella tradizione universitaria dei Francescani Conventuali tra gli antichi studi generali (1236-1587) e l'attuale facoltà teologica di S. Bonaventura (1905).

Era uno studio di formazione e insieme di alta specializzazione teologica sulla dottrina di S. Bonaventura, sulla Sacra Scrittura, sul Diritto Canonico, sulla Storia Ecclesiastica, retto da propri statuti e assistito da uno speciale Cardinale protettore e sempre per volontà di Sisto V. Dalle sue aule uscirono illustri filosofi e teologi es. Cardinale Costanzo Torri, Filippo Faber, Bartolomeo Masti, Cardinal Lorenzo Brancati, Casimiro Tempesti, Lorenzo Gaglianelli e Papa Clemente XIV, Vincenzo Colonnelli Geografo e Cosmografo della Serenissima Repubblica, gli storici Giacinto Sbaralla e Nicola Papini. Il Collegio fu soppresso nel 1873.

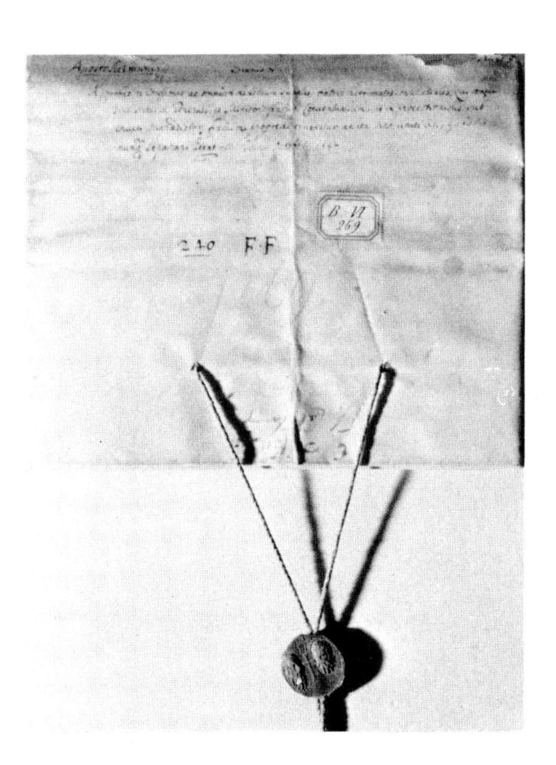

2.
Bolla "Apostolici muneris" (15 ottobre 1587) per la conferma ed approvazione dei Francescani Conventuali Riformati.

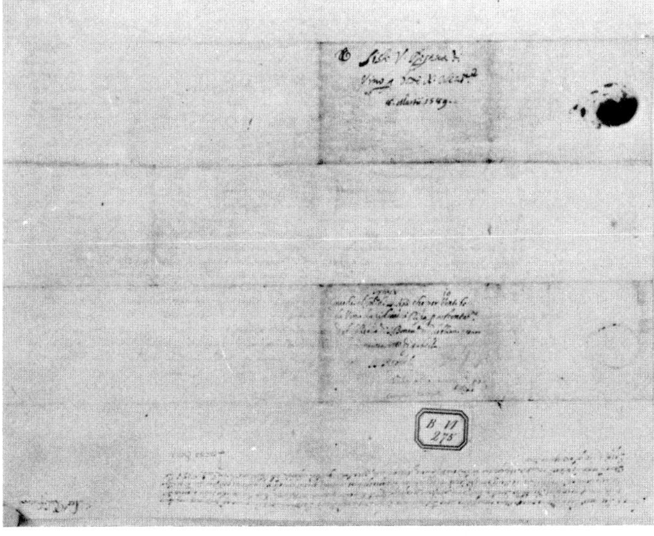

3.
Breve "Attentae considerationis" (8 marzo 1589) con il quale si esime il Collegio universitario di "S. Bonaventura" dal pagamento della gabella sul vino.

LIBRI

Roma, Biblioteca Convento SS. Apostoli dei Frati Minori Conventuali.

(I libri contrassegnati con * sono riprodotti nel catalogo)

***1.**
Francesco Gonzaga

Nacque a Gazzolo nel luglio del 1546 e fu battezzato col nome di Annibale. Suo padre era Principe del Sacro Romano Impero. Studiò dapprima a Mantova, poi fu mandato a studiare in Fiandra e suo grande amico divenne Alessandro Farnese. Già all'età di quattordici anni sentì la vocazione religiosa e più tardi entrò nell'ordine francescano. Dovette per questo superare dure prove, poiché né la madre né il suo stesso ambiente vedevano con piacere un Gonzaga entrare in un ordine povero come quello francescano. Fu veramente un frate minore. Professò nella famiglia degli Osservanti e prese il nome di Francesco.

Svolse i servizi più umili nelle comunità ove era mandato, ma nello stesso momento approfondì la storia del suo Ordine.

Divenne Lettore e Predicatore. In particolare insegnava la dottrina di Scoto. Viaggiò moltissimo anche fuori dell'Italia sempre per conto dell'Ordine, ma uno dei suoi conventi preferiti era l'umile e suggestiva dimora di Greccio.

A trentadue anni fu eletto Ministro Generale. Fu uno dei più saggi e santi Ministri Generali che l'ordine ricordi.

Fu nominato poi vescovo, prima in Sicilia e poi nella sua patria.

Sisto V lo stimava moltissimo. Al grande Pontefice, "frate" come lui, il Gonzaga ha dedicato la sua opera più importante *De Origine Seraphicae Religionis*, ancora adesso considerato uno studio prezioso specialmente sulla fondazione dei conventi francescani.

Morì il 20 marzo 1620.

Bibl.: F. Gonzaga, ofmobs, *De origine Seraphicae Religionis Franciscanae,* 1587, In-4°, pp. 548. Dedicato a Sisto V°. Con numerose ed interessanti stampe.

***2.**
Pietro Ridolfi P.O.F.M. Conv.

da Tossignano (Bologna) Minore Conventuale, Teologo e Storico. Eletto Ministro Provinciale delle Marche 1570-73, aggregato al Collegio dei Teologi di Bologna nel 1578 con la motivazione *tamquam vir famosus.* Segretario Generale, e Consultore del Santo Uffizio in Roma. Il Papa Sisto V lo creò Vescovo di Venosa (Potenza) 1587.

Fu trasferito a Senigallia nel 1591 ove morì nel 1601.

Fecondo scrittore pubblicò il *Catalogus Universalis totius Seraphici Ordinis*, Firenze 1578; molte sue prediche *Conciores*, Bologna 1580; *Conciorum pars prima et secunda*, Venezia 1584 e curò l'edizione dei *Sermones S. Petri Crysology* 1594, *l'Opera Omnia di S. Gregorio Magno* per ordine del Papa Sisto V Roma 1588 e *Opera S. Bernardini senensis emendata,* Venezia 1591.

Come vescovo pubblicò gli atti del Sinodo di Venosa di Senigallia e scrisse *Chronicon Segrogalliae urbis, ejusque Diocesis.*

La sua opera più celebre come storico francescano sono i tre volumi *Historiarum Seraphicae Religionis*, Venezia 1587, di cui si espone un esemplare.

Bibl.: Sbaralae, Vol. II, pp. 363-65; Contradus Eubel Ord. Min. Conv., *Herarchia Catholica Medii Aevi*, Vol. III, Monaco 1910, pag. 350 (Venosa), pag. 316 (Senigallia); P. Ridolfi da Tossignano, ofmconv, *Historiarum Seraphicae Religionis libris tres*, Venetis 1587, In-4°, ff. 338 r v. Dedicato a papa Sisto V°. Con numerose ed interessanti stampe.

***3.**
Concilii Ecumenici

Conciliorum omnium tam generalium quam provincialium... volumina quinque. Venetiis 1585. In 4°, volumi 5.

È la raccolta dei decreti dei concilii ecumenici e provinciali celebrati in tutto il mondo. *Raccolta dedicata a papa Sisto V,* di cui è riprodotto un bello stemma nel frontespizio.

4.
Bibbia

Biblia Sacra, emendata per doctissimum Bacc. Petrum Angelum de Monte Ulmi Minorum S. Francisci.
Venetiis 1501. In-16°, ff. 464.

5.
Breviarum

Breviario tascabile per i frati, sec. XVI, in 32°, mutilo all'inizio e alla fine.

***6.**
Tommaso da Kempis

De imitatione Christi et rerum mundanarum contemptu libri quatuor. Colonia 1570. In-16°, pp. 142.

***7.**
Messale

Missale romanum ex decreto Sacrosancti Concilii Tridentini restitutum, Pii V Pont. Max. iussu, editum.
Venetiis, apud J. B. Sessam, 1575.
Messale usato nella basilica dei SS. Apostoli al tempo in cui il card. Felice Peretti (poi Sisto V) viveva nella villa Peretti all'Esquilino.

***8.**
Ortus sanitatis

Ortus sanitatis. De herbis et plantis. De animalibus et reptilibus. De avibus et volatilibus. De piscibus et lapidibus. Tabula medicinalis... In-4°, anno 1517.
È un trattato di botanica, di zoologia e mineralogia, con tavole illustrative.

9.
Moroni Lino, OFM Obs.

Descrizione del Sacro Monte della Vernia, Firenze 1612, In-fol, con 25 tavole intagliate in rame disegnate dal pittore veronese Iacopo Ligozio. Vi sono alcune tavole con parti sollevabili per mostrare il disegno sottostante.

40
PRIMA PARS.
Vicarijgenerales Citramōtani:
Vicarijgenerales Vltramōtani:
Bulla

1

HISTORIARVM
SERAPHICÆ RELIGIONIS LIBRI TRES
seriem temporum continentes, quibus breui
explicantur fundamenta, uniuersiq; ordinis ampli-
ficatio, gradus, et instituta; nec non uiri scientia,
uirtutibus, et fama præclari.
A F. Petro Rodulphio Tossinianensi Con. Fran.

Vera Dei hic famuli pictam, quam
cernis imago,
Francisci, hæc anima, cui pia
sola deest.

Venetijs apud Franciscum de Franciscis Senensem
MDLXXXVI

2

CONCILIORVM
OMNIVM,
TAM GENERALIVM.
quàm Prouincialium,

QVÆ IAM INDE
AB APOSTOLORVM TEMPORIBVS,
Hactenus legitime celebrata haberi potuerunt.

Volumen Secundum.

SIXTI V. PONTIFICIS MAXIMI.
Fœlicissimis Auspicijs.

VENETIIS, M D LXXXV.

A[illegible]

3

S. Andrea - X

DE
IMITATIONE
CHRISTI ET RE-
RVM MVNDANA-
rum contemptu, Libri
quatuor verè
aurei,

AVCTORE
Thoma de Kempis,

Restituti nunc tandem genuinæ lectioni, & nouæ, necessariæq; præfationis accessione locupletati.

Huic accessit B. Anselmi Cantuariensis libellus, qui Speculum euangelici sermonis inscribitur.

EPHES. V.
Imitatores mei estote sicut filij charissimi.

COLONIAE,
Apud Maternum Cholinum.
M. D. LXX.

S. X Andrea

6

MISSALE
ROMANVM,
Ex Decreto Sacrosancti Concilii
Tridentini restitutum,
PII V. PONT. MAX.
iussu editum.

Permittente Sede Apostolica:

VENETIIS, Apud Io. Baptistam Sessam. M D LXXV.

7

8

Ortus Sanitatis

De Herbis et Plantis.
De Animalibus et Reptilibus.
De Auibus et Volatilibus.
De Piscibus et Natatilibus.
De Lapidibus et in terre ve-
nis nascentibus.
De Vrinis et earum speciebus.

Tabula medicinalis
cum Directorio ge
nerali per omñes
tractatus.

ANNO. M.D.XVII.

ARTI APPLICATE

Roma, Museo Francescano dei Frati Minori Cappuccini

(Le opere contrassegnate con * sono riprodotte nel catalogo)

*1.
San Francesco, a mezza figura, lascia vedere la piaga del costato. Pittura su rame a fondo d'oro. Scuola dei Madonnari (sec. XV o XVI). 13×9 cm.

*2.
San Francesco, S. Antonio col Bambino e S. Chiara, a mezza figura. Sopra: l'Annunciazione della Vergine. Più in alto, a sinistra: l'Eterno Padre. Pittura su rame a fondo d'oro. Scuola dei Madonnari (sec. XVI) 21×16 cm.

3.
San Francesco a mezza figura, benedicente. Pittura su rame a fondo d'oro. Scuola dei Madonnari (sec. XVI) 10×8 cm.

4.
San Francesco e S. Chiara. Pittura su rame. Scuola dei Madonnari (sec. XVI). 27×27 cm.

5.
Santa Chiara, a mezza figura, con libro e giglio. Pittura su rame a fondo d'oro. Scuola dei Madonnari (sec. XVI). 13×9 cm.

*6.
Paliotto d'altare con cornice artistica scolpita in legno. Ricamata su seta e ricchissima d'oro, nel mezzo vi è S. Chiara con l'ostensorio e, intorno, delle ghirlande con uccelli e fiori (sec. XVII). 104×222 cm.

*7.
Vaso di farmacia. In una ghirlanda policroma si legge: 1623 MASTICE; sotto v'è l'immagine di S. Francesco. Ceramica, tipo Faenza - Deruta. h. 20,5; diam. 12 cm.

8.
Piatto ovale con, in rilievo, decorazioni di animali, fiori e foglie. Al centro, in un ovale, S. Chiara d'Assisi con ostensorio e libro. Sopra, le lettere D.M.T.Z. Deruta (inizio sec. XVII). 32×40 cm.

*9.
La Trinità con la Vergine e i Santi Francesco e Caterina di Alessandria; negli angoli superiori scene della vita di San Alessio. Vetrata a colori pitturata sec. XVII. 48×43 cm.
Questo soggetto dimostra da un punto di vista storico la devozione di S. Francesco verso i primi martiri cristiani (soprattutto orientali) e verso S. Caterina d'Alessandria.

*10.
San Francesco e San Girolano che si batte il petto sotto la croce. Bassorilievo in marmo, firmato: PAULUS ORTIZ 1581. 50×39 cm.

11.
Incisioni a legno lavorato a ferro caldo, tipico lavoro dell'artigianato cappuccino. Fine 1500.

12.
Statuette di S. Francesco. Fine 1500.

*13.
Piatto rotondo per frutta; nel centro, S. Francesco con Crocifisso. Ceramica tipo Urbino. Deruta o Pesaro (sec. XVII). Diam. 34,5 cm.

*14.
Sant'Elisabetta d'Ungheria e lo sposo che scopre le rose nel suo grembo. Cammeo (sec. XVII). 3,5×2,5 cm.

*15.
Scatoletta d'avorio con orologio solare. Sull'interno del coperchio: S. Francesco con croce e libro. Miniatura su pergamena (1648). 8,5×6,5 cm.

16.
Permesso di stampare l'Albero della Religione. Pergamena con grande sigillo in cera di Enrico III per il tipografo fiorentino Giovanni Antonio Borghi (1585). 30×43 cm.; sigillo diam. 11,5 cm.

*17.
Atlante cappuccino disegnato a penna e colorato a mano dal Padre Silvestro da Panicale il 1632. Legatura in assi e pelle, con borchie in ottone e rame, e impressioni a freddo sui piatti. Formato h. 285 mm×380 mm., 62 fogli di carta, 49 carte geografiche.
Roma, Museo Francescano, inv. n. 1288 c. 17.

*18.
Scrittoio di bronzo lavorato finemente, regalato a S. Lorenzo da Brindisi dal Cardinale B. (sec. XVII) 30×22 cm.

1

2

6

7

POSTVLA A ME ET DABO
MONSTRATE ESSE PATREM
MONSTRATE ESSE MATREM

9

10

13

14

15

Religio munda & im maculata apud Deum hec est.
DESCRITTIONE GEOGRAFICA
Delle Prouincie d'Italia, di Spagna, Francia, e di Germania
nelle quali fin'hora si è dilatata la Serafica Relig.ne de Frì Capu.ni di
SAN FRANCESCO.
Descritta da un Padre della medes.a Religione. Colla Tauola del numero
delle Proũe, de Cõuenti, e de Frati, ch' erano nel tẽpo del Caplo gen.le celebra.o
P. F. Girolamo da Narni Vic.o Gen.le

17

18

BIBLIOGRAFIA RELATIVA ALLE SCHEDE

G. Baglione, *Le vite de' pittori, scultori e architetti...* Roma 1642.

G.P. Bellori, *Le vite de' pittori, scultori e architetti moderni*, Roma 1672 (ed. a cura di G. Previtali e E. Borea, Torino 1976)

C. C. Malvasia, *Felsina pittrice*, Bologna 1678 (ed. 1841)

F. Susinno, *Le vite de' pittori messinesi*, 1724 (ed. a cura di V. Martinelli, Firenze 1960).

P. J. Mariette, *Table des oeuvres de François Villamène*, Ms. Albertina, Vienna 1754.

K. H. Heinecken, *Dictionnaire des artistes, dont nous avons des estampes avec une notice detaillee*, Vol. I-II, Lipsia 1789.

L. Lanzi, *Storia pittorica della Italia dal risorgimento delle Belle arti fin presso al fine del XVIII secolo*, Bassano 1799.

A. Bartsch, *Le peintre graveur*, Vienna 1802-1821.

G. Gori Gandellini, *Notizie istoriche degli intagliatori*, Siena 1808-1816.

E. Romagnoli, *Biografia cronologica dei bellartisti senesi*, Ms. Biblioteca comunale di Siena 1830 ca.

P. J. Mariette, *Abecedario de J. B. Mariette et autres notes inedites de cet amateur sur les arts et les artistes*, Parigi 1851-1853.

C. Le Blanc, *Manuel de l'Amateur d'Estampes*, Vol. I, Parigi 1854.

J. D. Passavant, *Le peintre graveur*, Voll. 6, Lipsia 1860-1864.

A. Cristofani, *Le storie di Assisi*, Assisi 1866.

E. Bruwaert, *Recherches sur la vie et l'ouvre du graveur troyen Philippe Thomassini*, Troyen 1876.

A. Bertolotti, *Artisti lombardi a Roma nei secoli XV, XVI e XVIII*, Milano, 1881.

G. Cantalamessa, *Un quadro di Michelangelo da Caravaggio*, in 'Bollettino d'arte' 1908.

A. Schmarsow, *Federico Barocci Zeichnungen. I. Die Zeichnungen in der Sammlung der Uffizien zu Florenz*, Lipsia 1909.

G. Poggi, P. N. Ferri, F. Di Pietro, *Mostra dei cartoni e disegni di Federico Barocci nel gabinetto dei Disegni della R. Galleria degli Uffizi*, Bergamo 1912-13.

W. Bombe, *Doni Adone*, in Thieme-Becker, *Künstler Lexikon*, IX, Lipsia 1913.

F. Di Pietro, *Disegni sconosciuti e disegni finora non identificati di Federico Barocci negli Uffizi*, Firenze 1913.

P. R. Franci, *La Verna nei disegni di Jacopo Ligozzi*, in 'La Verna. Contributi alla Storia del Santuario'. Arezzo 1913.

H. Voss, *Die malerei der Spätrenaissance in Rom und Florenz*, Voll. 2, Berlino 1920.

U. Gnoli, *Pittori e miniatori dell'Umbria*, Spoleto 1923.

P. L. Bracaloni, *L'arte francescana nella vita e nella storia di 700 anni*, Todi 1924.

P. V. Facchinetti, *Iconografia francescana*, Milano 1924.

N. Pevsner, *Die Gemälde des G.B. Crespi gennant Cerano*, in 'Jahrbuch der preussichen Kunstsammlungen' 1925.

L. Serra, *Le gallerie comunali delle Marche*, Roma 1925.

R. Longhi, *Un 'San Tommaso' del Velasquez e le congiunture italo-spagnole tra il Cinque e il Seicento*, in 'Vita artistica' 1927 (ora in *Opere Complete - Saggi e Ricerche 1925-1926*, Firenze 1967).

O. Benesch, *Die Zeichungen der Niederländischen Schulen in der graphischen Sammlung Albertina*, Vienna 1928.

N. Pevsner, *Barockmalerei*, Berlino 1928.

U. Da Como, *Girolamo Muziano*, Bergamo 1930.

M. Pittaluga, *L'incisione italiana del Cinquecento*, Milano 1930.

A. Porcella, *Le pitture della Galleria Spada*, Roma 1931.

W. Arslan, *Piazza Paolo*, in Thieme-Becker, *Künstler Lexicon*, XXVI Lipsia 1932.

E. Mâle, *L'art religeux apres le concile de Trente*, Parigi 1932.

E. Mirolli, *Gli ultimi sprazzi del Cinquecento a Siena. Francesco Vanni*, in 'La Diana' VII, 1932.

S. De Vries, *Jacopo Chimenti da Empoli*, in 'Rivista d'arte' 1933.

A. Venturi, *Storia dell'Arte italiana*, Milano IX, 6 1933; IX, 7 1934.

G. Arnolds, *Santi di Tito pittore di Sansepolcro*, Arezzo 1934.

D. Da Portogruaro, *Paolo Piazza ossia P. Cosmo da Castelfranco pittore cappuccino*, Venezia 1936.

E. Zocca, *Catalogo delle cose d'Arte e di Antichità d'Italia.* Assisi, Roma 1936.

H. Bodmer, *Bemerkungen zu Annibale Carraccis Graphiscen Werk*, in 'Die Graphiscen Kunste', nn. 3-4, 1938.

H. Tietze, *Titian's Woodcuts*, in 'The print collector's Quarterly' XXV, 1938.

H. Bodmer, *Ludovico Carracci*, Magdeburg 1939.

H. Bodmer, *Die Entwicklung der Stechkunst des Agostino Carracci*, in 'Die Graphischen Künste' 4 n. 4, 1939.

A. Graziani, *Bartolomeo Cesi*, in 'La Critica d'arte' 1939.

V. Viale, *Gotico e rinascimento in Piemonte*, Torino 1939.

W. e E. Paatz, *Die Kirchen von Florenz*, Francoforte sul Meno, 1940-54.

J. C. Bierens de Hann, *L'ouvre grave de Cornelis Cort graveur hollandais, (1533-1578)*, L'Aia 1948.

F.G. Pariset, *Georges de La Tour*, Parigi 1948.

M. Gregori, *I ricordi figurativi di Alessandro Manzoni*, in 'Paragone' 9, 1950.

A. M. Ciaranfi Francini, in AA. VV. *Bozzetti delle Gallerie di Firenze*, Firenze 1952.

G. Kaftal, *Iconography of the Saints in Tuscan painting*, Firenze 1952.

M. Mirabella Roberti, *Mostra delle opere d'arte e del tesoro dell'arcidiocesi di Gorizia*, Gorizia 1953.

C. A. Petrucci, *Catalogo generale delle stampe tratte dai rami incisi posseduti dalla Calcografia nazionale*, Roma 1953.

U. Procacci, *Una "vita" inedita del Muziano*, in 'Arte Veneta' 1954.

F. Zeri, *La galleria Spada*, Firenze 1954.

H. Olsen, *Federico Barocci. A critical Study in Italian Cinquecento painting*, in 'Figura 6' Uppsala 1955.

L. Arcangeli-M. Calvesi-G. C. Cavalli, in AA. VV. *Mostra dei Carracci*, Bologna 1956 (1958).

F. Zeri, *Pittura e Controriforma. L'arte senza tempo di Scipione da Gaeta*, Torino 1957.

L. Reau, *Iconographie de l'Art chrétien*, III, I, Parigi 1958.

B. Suida Manning-W. Suida, *Luca Cambiaso*, Milano 1958.

E. Brunetti, *San Miniato. Percorso del Cigoli* in 'Arte figurativa antica e moderna' 1959.

M. Bucci-A.Forlani-L. Berti-M. Gregori, *Mostra del Cigoli e del suo ambiente*, San Miniato 1959.

P. Della Pergola, *Galleria Borghese. I dipinti*. I, Roma Poligrafico dello Stato 1959.

E. SPINA BARELLI, *Disegni di maestri lombardi del primo Seicento*, Milano 1959.
R. JULLIAN, *Caravage*, Lione Parigi 1961.
A. PETRUCCI, *Andrea Andreani*, in *Dizionario biografico degli Italiani*, III Roma 1961.
M. CHIARINI, *Gli inizi del Gentileschi*, in 'Arte figurativa', 55, 1962.
A. FORLANI, in A. BIANCHINI-A. FORLANI, *Mostra di disegni di Jacopo da Empoli*, Firenze 1961.
N. IVANOFF, *Jean Le Clerc*, in 'La Critica d'arte' IX 1962.
A. MARABOTTINI, *Un dipinto di Scipione Pulzone in Sicilia*, in 'Commentari', XIII, 1, 1962.
S. MOSCHINI MARCONI, *Gallerie dell'Accademia di Venezia. Opere d'arte del secolo XVI*, Roma Poligrafico dello Stato 1962.
H. OLSEN, *Federico Barocci*, Copenhagen 1962.
M. BACCI, *Jacopo Ligozzi e la sua posizione nella pittura fiorentina*, in 'Proporzioni' IV, 1963.
A. FORLANI, *Andrea Boscoli*, in 'Proporzioni' IV, 1963.
J.S. GAYNOR-I. TOESCA, *S. Silvestro in Capite*, Le chiese di Roma illustrate, Roma 1963.
M. CALVESI-V. CASALE, *Le incisioni dei Carracci*, Roma, Calcografia Nazionale 1965.
K. OBERHUBER, *Renaissance in Italien, 16. Jahrhundert (Die Kunst der Graphik III, Werke aus dem Besitz der Albertina)*, Vienna 1966.
G. SCAVIZZI, *Ferraù Fenzoni as a Drughtsman*, in 'Master Drawings' IV, I, 1966.
D. BERNINI-M. G. PAOLINI, *Mostra di Filippo Paladini*, Palermo 1967.
A. EMILIANI, *La pinacoteca nazionale di Bologna*, Bologna 1967.
J. R. JUDSON, *A study by Ludovico Carracci for his Scalzi Madonna*, in 'Master Drawings' 5, 1967.
L. MORTARI, *Bernardo Strozzi*, Roma 1967.
M. V. BRUGNOLI, *Un S. Francesco da attribuire al Caravaggio e la sua copia*, in 'Bollettino d'arte' 1968.
A. OTTANI CAVINA, *Carlo Saraceni*, Milano 1968.
P. ASKEW, *The angelic consolation of St. Francis of Assisi in Post Tridentine italian painting*, in 'The Journal of Warburg and Courtauld Institutes' XXXII, 1969.
V. BELLONI, *Pittura genovese del Seicento. Dal manierismo al Barocco*, Genova 1969.
A. NAVA CELLINI, *Stefano Maderno, Francesco Vanni e Guido Reni a S. Cecilia in Trastevere*, in 'Paragone' 20, 1969.
A. RIZZI, *Il Seicento. Storia dell'arte nel Friuli*, Udine 1969.
P. SCARPELLINI, *Di alcuni pittori giotteschi nella città e nel territorio di Assisi*, in AA. VV. *Giotto e giotteschi in Assisi*, Roma 1969.
S. LECCHINI GIOVANNONI, *Disegni di Alessandro Allori*, Firenze, Gabinetto Disegni e Stampe degli Uffizi, 1970.
M. LENZINI MORIONDO, in *Arte in Valdichiana dal XIII al XVIII secolo*, Cortona 1970.
G. ROMANO, *Casalesi del Cinquecento*, Torino 1970.
C. THIEM, *Gregorio Pagani. Ein Wegbereiter der florentiner Barockmalerei*, Stoccarda 1970.
M. CALVESI, *Caravaggio o la ricerca della salvazione*, in 'Storia dell'arte' 9/10, 1971.
M. CHAPPELL, *Cristofano Allori's Paintings depicting St. Francis*, in 'The Burlington Magazine' 1971.
P. DREYER, *Tizian und sein Kreis*, Berlino 1971.
D. POSNER, *Annibale Carracci. A Study in the Reform of italian painting around 1590.* New York. Voll. 2, 1971.
G. BORA in AA. VV. *Il Seicento Lombardo*, Catalogo dei disegni e delle stampe, Milano 1973.
R. CAUSA, *L'arte nella Certosa di S. Martino*, Napoli 1973.
C. JOHNSTON, *Mostra di disegni bolognesi dal XVI al XVIII secolo*, Firenze, Gabinetto disegni e Stampe degli Uffizi, 1973.
H. RÖTTGEN, *Il Cavalier d'Arpino*, Roma 1973.
A. W. BOSCHLOO, *Annibale Carracci in Bologna. Visibile reality in Art after the Council of Trent*, Voll. 2, L'Aia 1974.
M. MARINI, *Michelangelo da Caravaggio*, Roma 1974.
A. EMILIANI-G. GAETA BERTELÀ, *Mostra di Federico Barocci*, Bologna 1975.
G. GAETA BERTELÀ, *Disegni di Federico Barocci*, Firenze 1975.
L. SPEZZAFERRO, *Ottavio Costa e Caravaggio: certezze e problemi*, in "Novità sul Caravaggio", Milano 1975.
M. L. CASANOVA UCCELLA, *Arte a Gaeta*, Firenze 1976.
A. MOIR, *Caravaggio and his Copyysts*, New York 1976.
M. MURARO-D. ROSAND, *Tiziano e la xilografia veneziana del Cinquecento*, Venezia 1976.
P. A. RIEDL, *Disegni dei barocceschi senesi (Francesco Vanni e Ventura Salimbeni)*, Firenze Gabinetto Disegni e Stampe degli Uffizi, 1976.
C. VOLPE, *Sugli inizi di Ludovico Carracci*, in 'Paragone' 317-319, 1976.
M. COLLARETA, *Tre note su Santi di Tito*, in 'Annali della Scuola Normale Superiore di Pisa' s. III, VII, I, 1977.
S. GIEBEN, *Philip Galle's engravings illustrating the life of Francis of Assisi and the corrected Edition of 1587*, in 'Collectanea Franciscana' 46, 1977.
R. BRUNO, *Roma. Pinacoteca Capitolina*, Bologna 1978.
G. PREVITALI, *La pittura del Cinquecento a Napoli e nel Vicereame*, Torino 1978.
P. TORRITI, *La Pinacoteca Nazionale di Siena. I dipinti dal XV al XVIII secolo*, Genova 1978.
D. BOHLIN DEGRAZIA, *Prints and related Drawings by the Carracci Family. A Catalogue raisonnè.* Washington National Gallery 1979.
F. CAMPAGNA CICALA, *La diffusione dell'iconografia della 'Madonna degli Angeli' nelle chiese cappuccine di Sicilia: Scipione Pulzone e Durante Alberti*, in 'Prospettiva' 19, 1979.
D. KUHN-HATTENHAUER, *Das graphische Oeuvre des Francesco Villamena*, (Dissertation), Berlino 1979.
G. MARCHINI, *La pinacoteca comunale di Ancona*, Ancona 1979.
B. SANTI, in *Mostra di Opere d'Arte restaurate nelle provincie di Siena e Grosseto*, Genova 1979.
M. BACCI-A. FORLANI TEMPESTI-A.M. PETRIOLI TOFANI e AA. VV., *Il primato del disegno*, Firenze e la Toscana dei Medici nell'Europa del Cinquecento, Firenze 1980.
L. BARROERO-V. CASALE-G. FALCIDIA-F. PANSECCHI-B. TOSCANO, *Pittura del '600 e '700. Ricerche in Umbria 2,* Treviso 1980.
F. BELLINI-B. SANTI in AA. VV. *L'arte a Siena sotto i Medici* (1555-1609) Roma 1980.
D. BENATI, *Per il percorso iniziale di Bartolomeo Cesi*, in 'Paragone'. 369. 1980.
C. BRANDI, *Disegno della pittura italiana*, Torino 1980.
C. D'AFFLITTO-M. P. MANNINI-C. PIZZORUSSO in *Il paesaggio nella pittura fra Cinque e Seicento a Firenze*, Firenze 1980.
N. IVANOFF-P. ZAMPETTI, *Palma il giovane*, (estratto da *I pittori bergamaschi)*, Bergamo 1980.
A. MATTEOLI, *Lodovico Cardi-Cigoli pittore e architetto*, Pisa 1980.
A. NEGRO in *Villa e Paese. Dimore nobili del Tuscolo e di Marino* (cat. a cura di A. MIGNOSI TANTILLO) Roma 1980.
P. N. PAGLIARA in *Inchieste su centri minori* – Storia dell'Arte italiana Vol. II Parte I (a cura di F. ZERI) Torino 1980.
S. PROSPERI VALENTI RODINÒ, in AA. VV., *I grandi disegni italiani del Gabinetto nazionale delle Stampe di Roma*, Milano 1980.
G. SAPORI, *Notizie su Giovan Battista Lombardelli*, in 'Storia dell'arte' 38/40, 1980.
F. TODINI-B. ZANARDI, *La pinacoteca comunale di Assisi*, Firenze 1980.
L. ARCANGELI, in *Lorenzo Lotto nelle Marche. Il suo tempo, il suo influsso* (cat. a cura di P. DAL POGGETTO-P. ZAMPETTI), Firenze 1981.
M. CHAPPELL, *Missing pictures by Ludovico Cigoli. Some problematical works and some proposal in preparation of a catalogue*, in 'Paragone' 373, 1981.
R. WARD BISSELL, *The baroque painter Orazio Gentileschi. His career in Italy*, Londra 1981.
A. ZUCCARI, *La politica culturale dell'Oratorio romano nella seconda metà del Cinquecento*, in 'Storia dell'Arte' 41, 1981.
A. PACIA in *Un'antologia di restauri*, Roma 1982.
Le collezioni del Museo nazionale di Capodimonte – Napoli. I grandi Musei – Touring Club, (a cura di R. CAUSA e AA. VV.), Milano 1982.
F. W. H. HOLLSTEIN, *Dutch and Flemisch etchings, engravings and woodcuts (ca. 1450-1700)* V, Amsterdam s.d.

Finito di stampare nel mese di Dicembre 1982
presso la Tipografia L. Chiovini, Roma.